PICTORIAL

English/Haitian-Creole

DICTIONARY

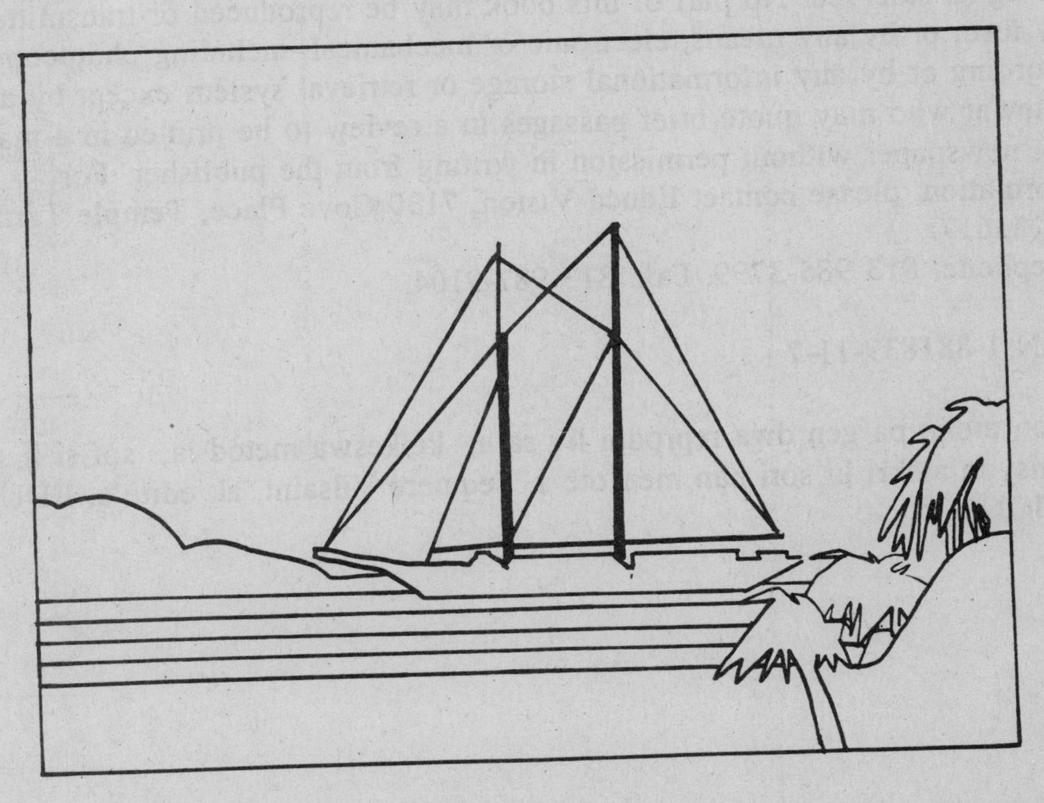

Féquière Vilsaint and Maude Heurtelou

EDUCA VISION

Pictorial English/Haitian-Creole Dictionary

 For information, please contact Educa Vision, 7130 Cove Place, Temple Terrace, FL. 33617.
Telephone: 813 985-3799. Fax: 813 987-9104.

ISBN 1-881839-11-7

Educa Vision

INTRODUCTION

When we started this dictionary two years ago, we wanted to provide a readily accessible pictorial resource for communication. In the first edition, that was exactly what we provided. The unexpected number of requests we had from both Haitian-Creole and English users/speakers was an impetus to the development of a second edition of the Pictorial English/Haitian-Creole Dictionary. In this second edition, we progress from a 86 pages booklet velo-bound to about 300 pages perfect bound reference book with more than 5000 entries.

This book links words from English and Haitian-Creole to illustrations. It provides the users essential vocabulary to communicate effectively in a wide range situations. The drawings were chosen to illustrate everyday activities, physical environment, plants, animals, communication, transport, health, school, etc. The illustrations serve as a bridge in this dictionary, enabling the user, at a glance, to deduce the meaning of the term in both languages.

The information can be accessed thematically, using the table of contents that is organized sequentially or alphabetically, using the indices at the end of the book.

Most of the feedback we received from the previous edition came from students and their teachers, so tend to address their interests and concerns, in the organization of the book. However, the book can be used for education and communication or simply to enjoy its illustrations.

The Pictorial English/Haitian-Creole Dictionary is part in a wide collection of materials for instruction at all level.

We admire the pioneers who contributed a great amount of work in the development and promotion of the Haitian-Creole language: Jeanine Anas, Yves and Paul Dejean, Bryant Freeman, Robert A Hall, Edner Jeanty, Ormonde McConnell, George Mathelier, Ernst Mirville, Felix Morisseau-Leroy, William Smart, Albert Valdman and many more.

To prepare this Pictorial Dictionary, we consulted with writers, linguists, readers, creolists, teachers, students, preachers, etc. We wish to express our indebtedness in particular to Michel-Ange Hyppolite (Kaptenn Koukouy) of Sosyete Koukouy, Quebec, Canada; Andrea Posopokis of McGill University, Montreal, Canada; Anthony K. Lewis, Livie Allman, Henock Pierre-Louis, Gilbert Hyppolite, Nanette Barkey and Bienheuse Joseph-Simon.

The typing was done by Patricia Fethière, Josette Laborde, Felicia Williams and Livie Allman, using Word Perfect word processor from Word Perfect Corporation. The illustrations are done by Karen Simon, Jocelyne Plas, Raida Pita and Georges Gauthier. The cover design by Elizabeth Preuss. using Corel Draw from Corel Graphics and PowerPoint from Microsoft Corp.

Fequiere Vilsaint

ENTWODIKSYON

Dezan gentan pase depi nou kòmanse devlope yon diksyonè kreyòl ak desen. Lè nou te kòmanse, nou te vle ekri yon liv pou pèmèt moun ki pale Angle ak Kreyòl pale youn ak lòt sitou si youn pa konn pale lang lòt la.

Nou te ekri premye liv la ; men lè anpil moun kòmanse rele nan telefòn pou fè konpliman pou liv la, nou deside pibliye yon pi gwo liv. Liv sa a, se li ki nan men ou la a. Li gen plis desen, plis enfòmasyon, plis mo sou diferan kalite sijè ke premye edisyon an. Premye a te gen 86 paj, liv sa a gen prèske twasan paj avèk plis ke senk mil mo.

Liv la pèmèt moun kominike menm si li pa konn pale youn nan de lang yo. Li ka kominike menm si li pa pale ni Angle ni Kreyòl. Menm yon moun ki pa konn li ditou, si li ka rekonèt desen yo, li kapab kominike.

Nou chwazi desen ki montre aktivite moun fè toulejou, travay latè, plant , bèt, transpò, lasante, lekòl. Desen yo sèvi tankou yon pon pou ini lang yo.

Gen tout kalite moun ki sèvi ak liv sa a: pwofesè, elèv, avoka, doktè, pastè, travayè sosyal, moun ki kirye epitou moun tankou ou.

Si nou rive la se paske gen anpil moun ki te debleye teren an pou nou. Nou voye konpliman pou Janin Anas, Iv ak Pòl Dejan, Bryant Freeman, Robè Hal, Edme Janti, Omonn Makonèl, Jòj Matelye, Ens Mivil, Felis Moriso Lewa, Wilyam Smat, Albè Valmann ak anpil lòt ankò.

Pou nou prepare liv sa a nou kominike ak ekritè, lengwis, kreyolis, pwofesè, elèv, pastè ak lòt moun ankò.

Nou remèsye Kaptenn Koukouy, Mikèlanj Ipolit manm sosyete Koukouy Kanada, Andrea Posopokis manm inivèsite Magil nan Kanada; Antonni Lewis, Livi Olmann, Enòk Pyè Lwi, Jilbè Ipolit, Nanèt Baki, Byennèz Jozèf Simon.

Moun ki tape liv sa a se:
Patrisia Fetyè, Jozèt Labòd, Felisya Wilyams, Livi Olmann .

Moun ki fè desen yo se:
Karen Simon, Joslen Plas, Rayda Pita, Jòj Gotye. Desen kouvèti a se Elizabeth Preuss ki fè li.

Fekyè Vilsen

CONTENTS
LIS SIJÈ

Plant : plant 4
Food and drinks : manje ak bwason 13
Animals : bèt 31
People : moun 43
From everywhere : nou sòti toupatou 59
Clothes : rad 73
Parts of the body : pati nan kò moun 81
First aid : premye swen 115
Building : bilding 131
Inside the house : andedan kay 139
Hygiene : ijyèn 161
Sport, hobby and games : espò, pastan ak jwèt 169
Musical instruments : enstriman mizik 177
Tools : zouti 179
Tools to measure : zouti pou mezire 187
Office and school supplies : zafè biwo ak zafè lekòl 193
School objects : zouti lekòl 199
Symbols and numbers : senbòl ak nonm 203
Horoscope sign : siy owoskòp 217
Outdoor : deyò 223
Antonym : lekontrè 229
Transport and communication : transpò ak kominikasyon 237
English Index : endèks Angle 253
Haitian-Creole Index : endèks Kreyòl 269

PLANTS : PLANT

tree : pye bwa

palm tree :
pye palmis

fir : pye sapen

mushroom :
dyondyon

stump : choukbwa

flower : flè

leaf : fèy

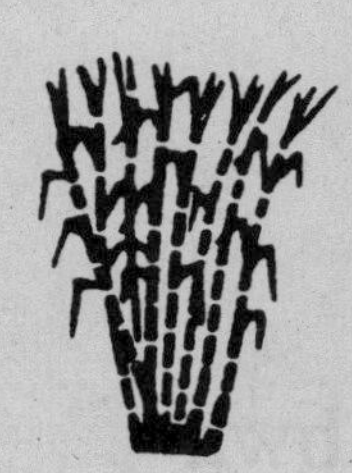

hay : zèb

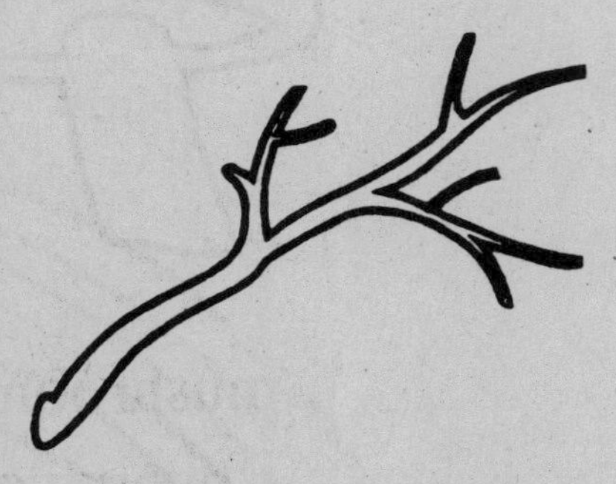

tree branch :
branch bwa

rubber tree : pye kaoutchou

use of rubber :
sa ki ka fèt ak kaoutchou:

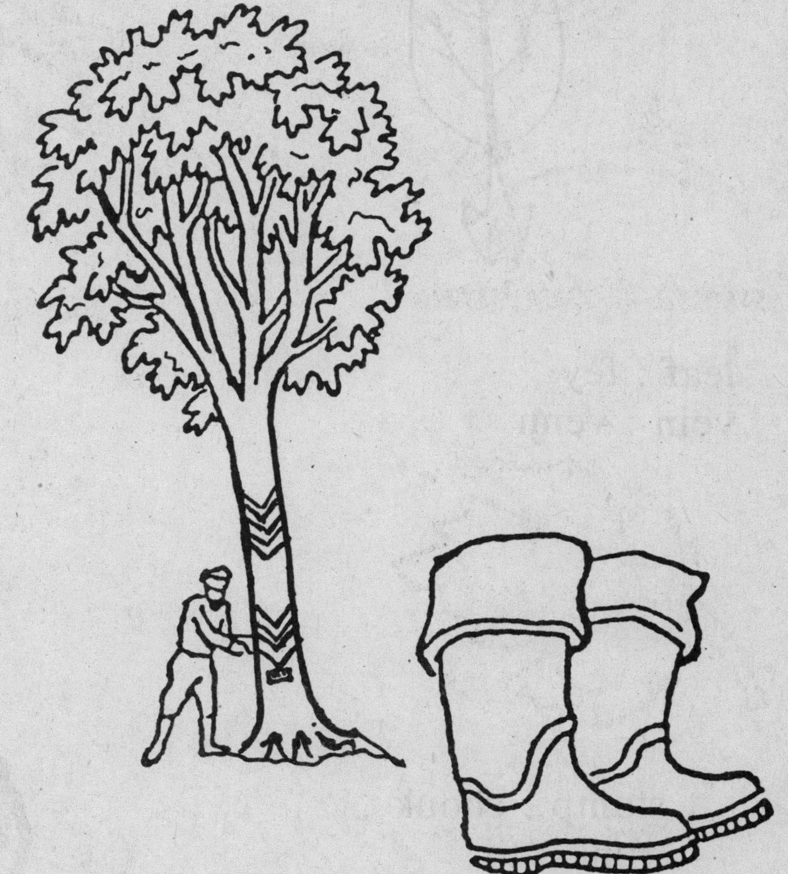

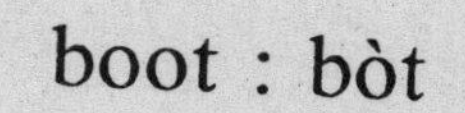
boot : bòt

tire : kaoutchou oto

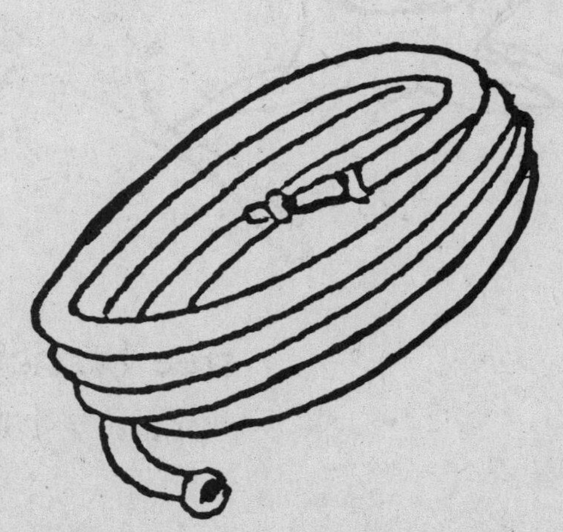
garden hose : tib kaoutchou

leaf : fèy
vein : venn

flower : flè
petal : petal

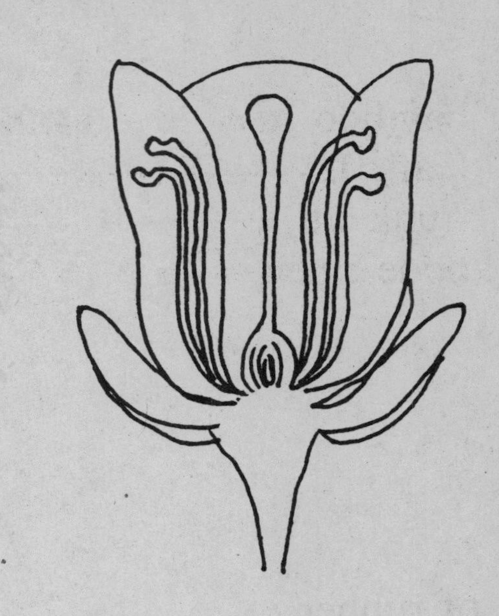

stump : chouk
trunk : tij

bark : ekòs
heartwood : kè bwa
pith : mwèl bwa

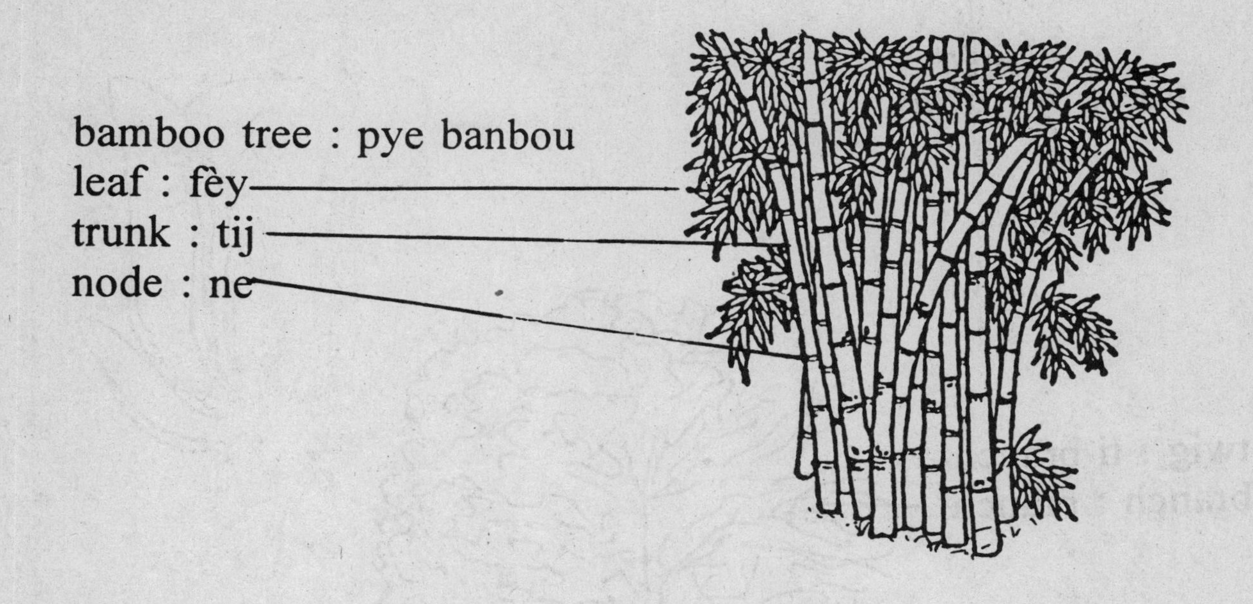
bamboo tree : pye banbou
leaf : fèy
trunk : tij
node : ne

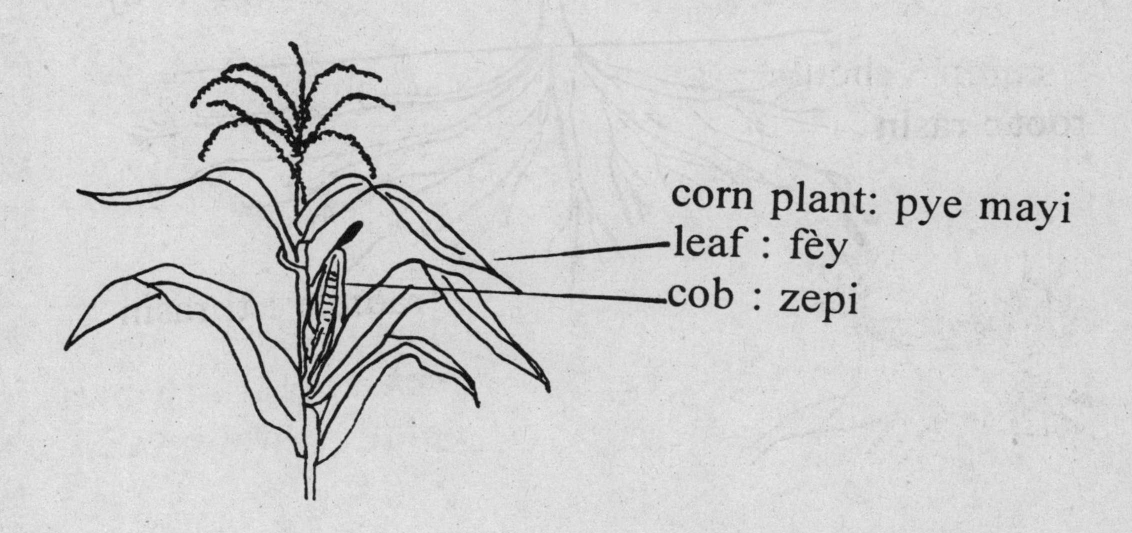
corn plant: pye mayi
leaf : fèy
cob : zepi

tree : pye bwa

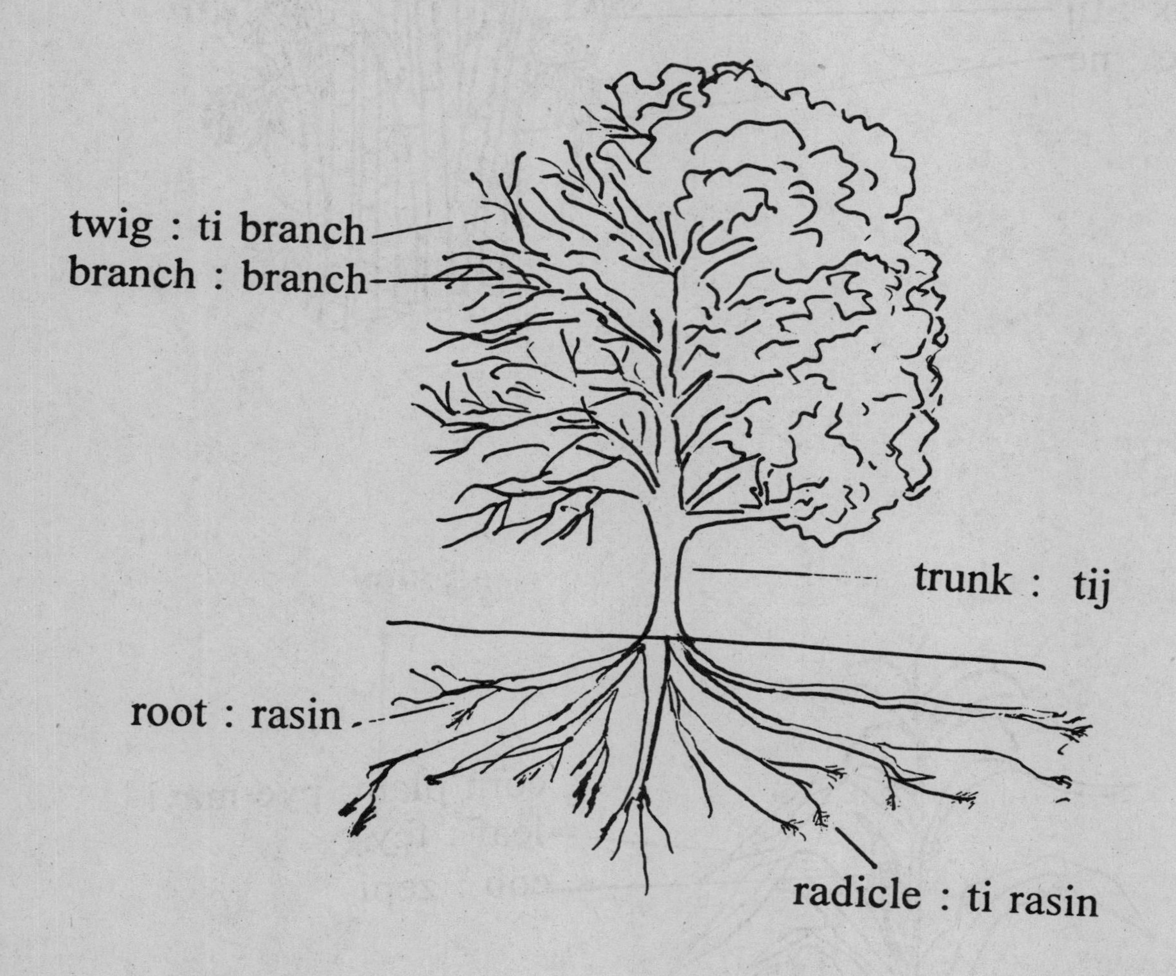
twig : ti branch
branch : branch
trunk : tij
root : rasin
radicle : ti rasin

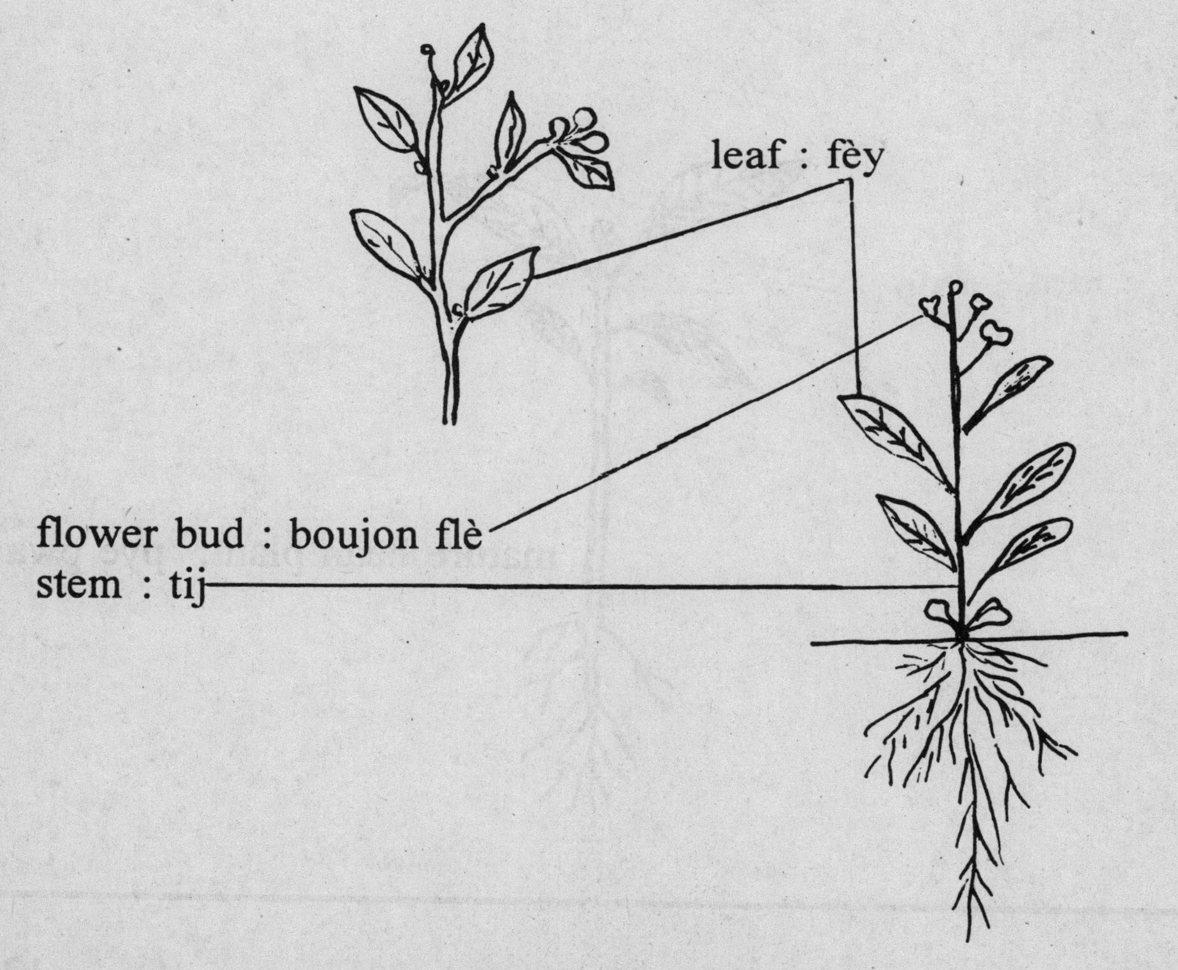
leaf : fèy
banana bunch : rejim bannann
banana tree : pye bannann
leaf : fèy
flower bud : boujon flè
stem : tij

Beans/Pwa

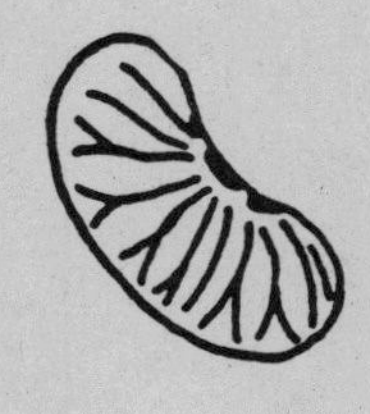

bean : pwa

germination : gèmen

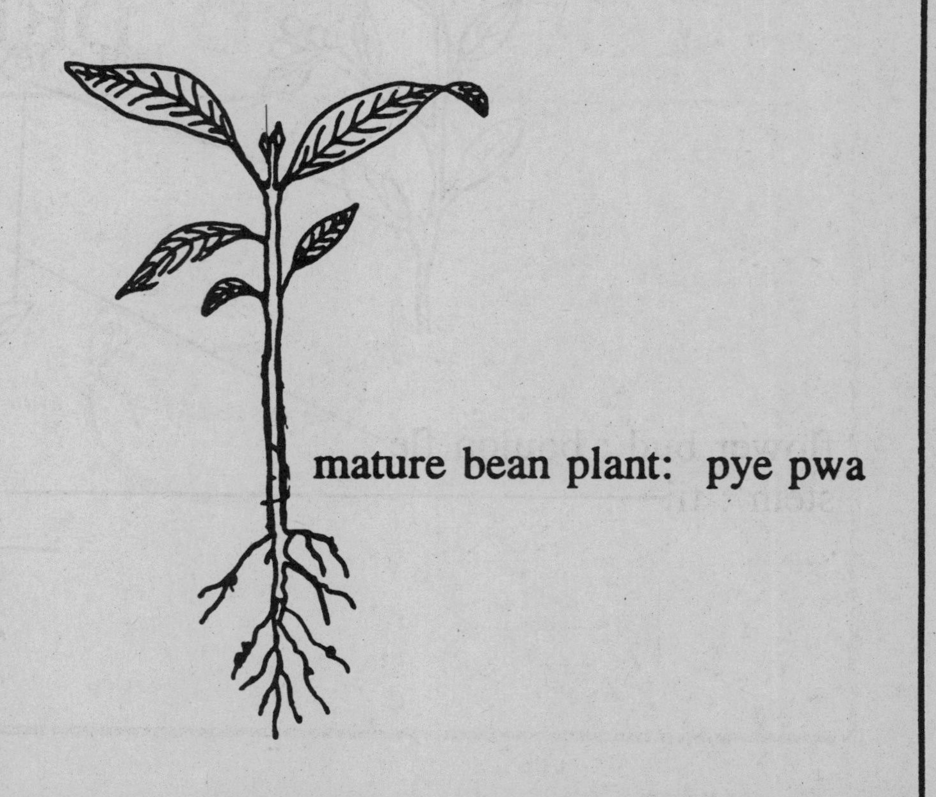

mature bean plant: pye pwa

  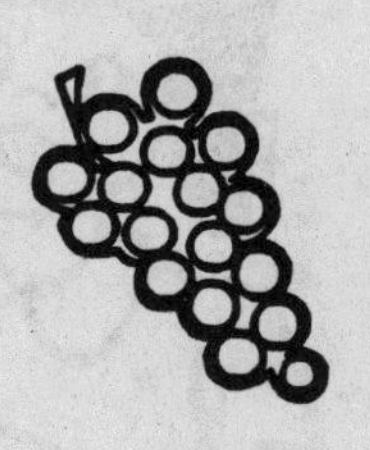

MANJE AK BWASON
FOOD AND DRINKS

Meal time

Lè manje

orange : zoranj	**peach: pèch**	**banana: fig**
grape: rezen	**pear: pwa**	**apple: pòm**
strawberry: frèz	**cherry: seriz**	lemon : sitwon

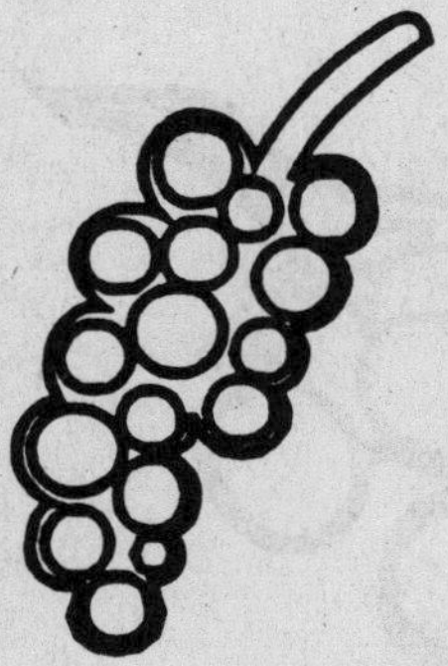

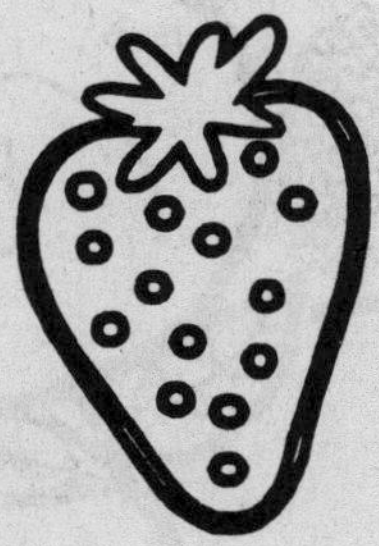

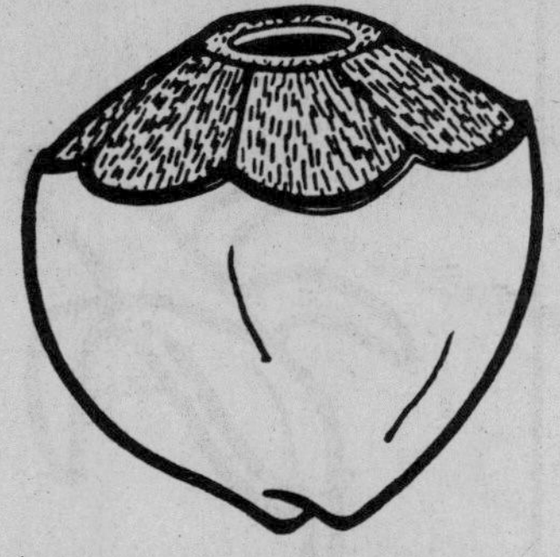

coconut fruit :
kokoye

mango : mango

banana : bannann

watermelon : melon

guineps: kenèp

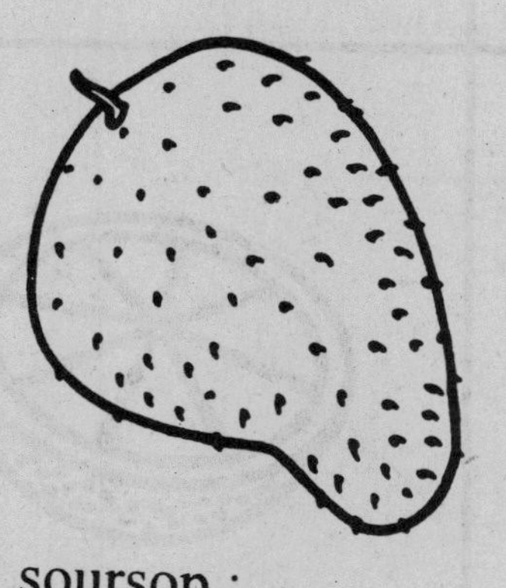

soursop :
kowosòl

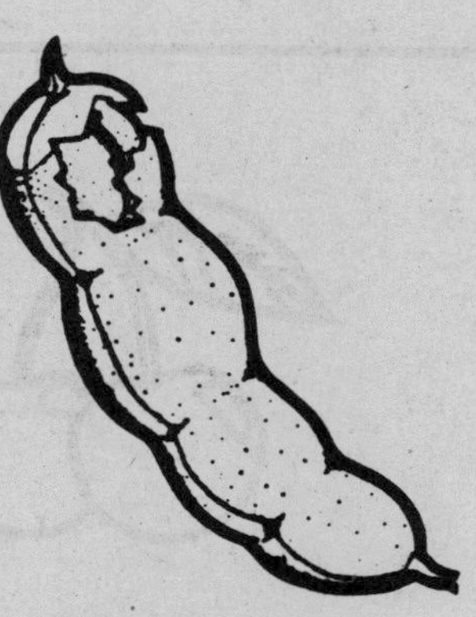

tamarind:
tamaren

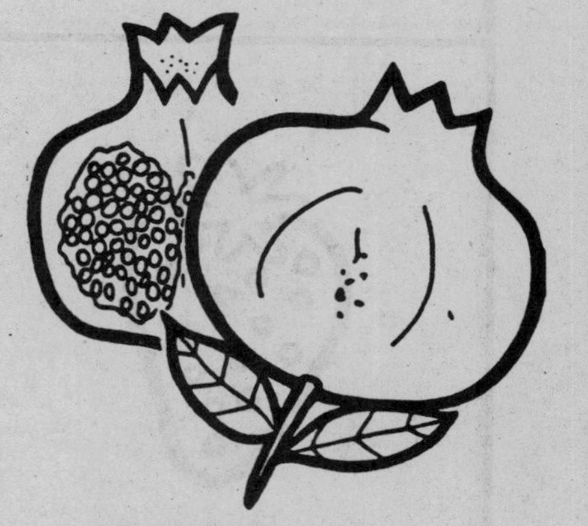

pomegrenate:
grenad

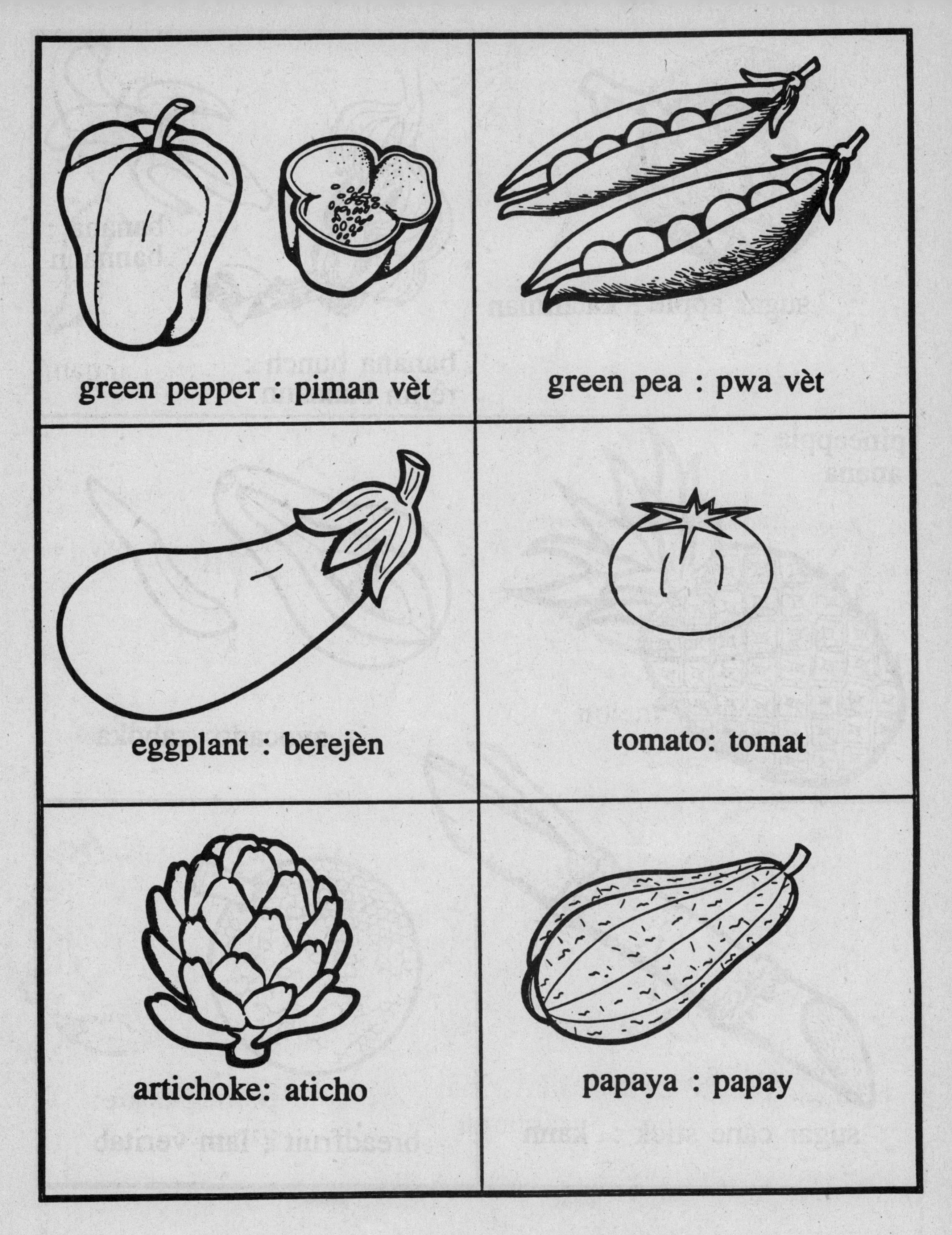
green pepper : piman vèt
green pea : pwa vèt
eggplant : berejèn
tomato: tomat
artichoke: aticho
papaya : papay

sugar apple : kachiman

banana : bannann

banana bunch : rejim bannann

pineapple : anana

sugar cane stick : kann

avocado: zaboka

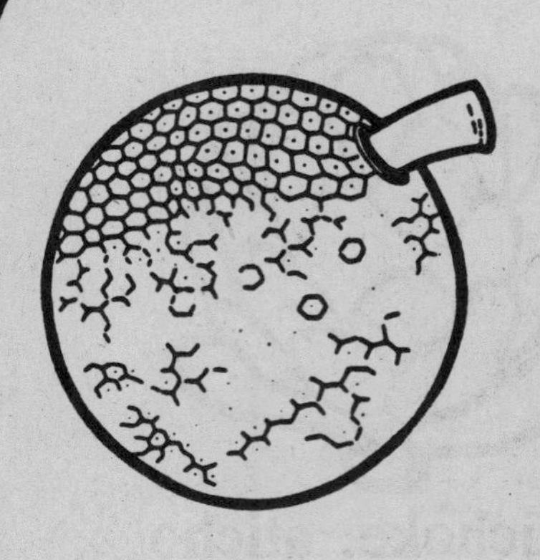

breadfruit : lam veritab

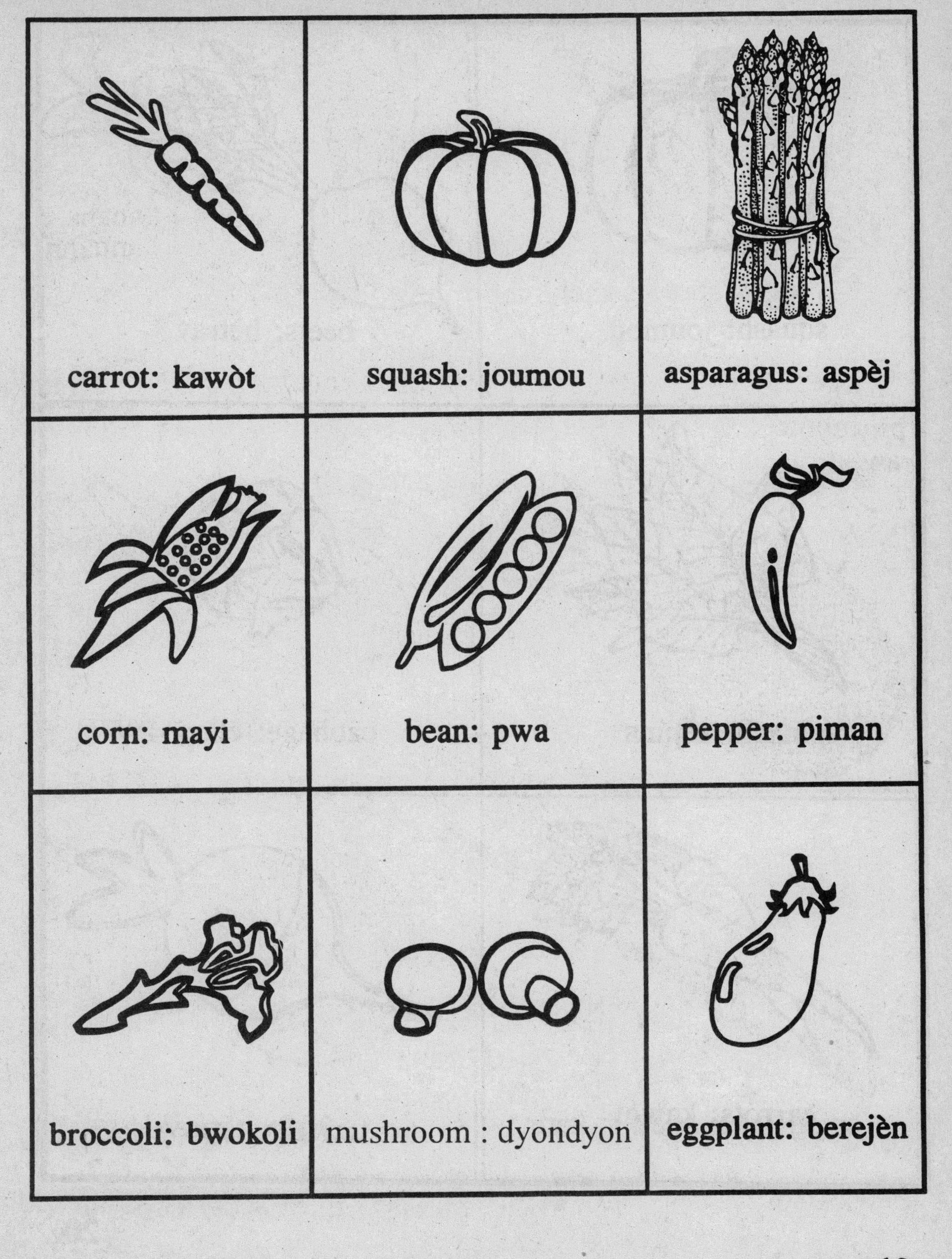
carrot: kawòt
squash: joumou
asparagus: aspèj
corn: mayi
bean: pwa
pepper: piman
broccoli: bwokoli
mushroom : dyondyon
eggplant: berejèn

squash: joumou

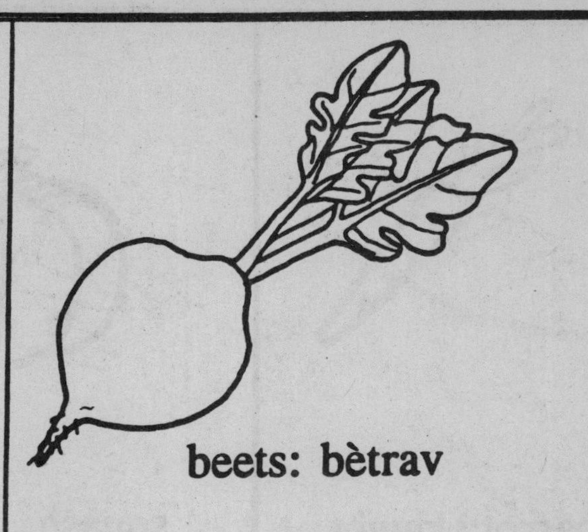

beets: bètrav

spinach: zepina

cabbage: chou

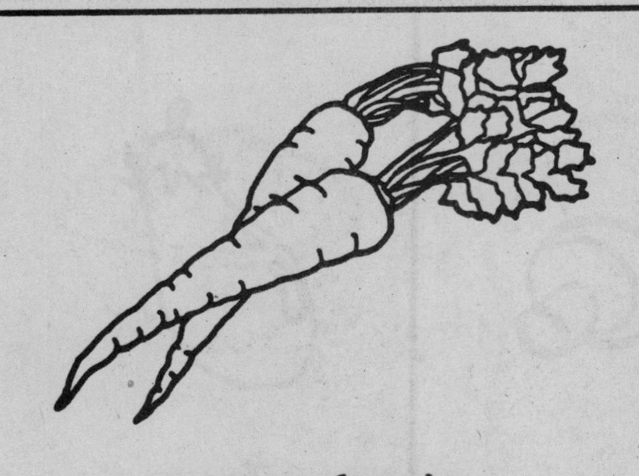

carrots: kawòt

turnip : nave

bread: pen
croissant: kwasan
sandwich: sandwich
hot dog: òtdòg
macaroni: makawoni
muffin: ponmkèt
pizza: pitza
potato: pòmdetè
rice: diri

beer: byè	tea: te	coffee: kafe
water: dlo	milk: lèt	orange juice: ji zoranj
candy: sirèt	popsicle: krèm	ice cream: krèm

chicken: poul
cheese: fwomaj
egg: ze
fried egg: ze fri
MILK
milk: lèt
YOGURT
yogurt: yogout
steak: biftèk
shrimp: krevèt
pork: kochon

chicken: poul
cattle: bèf
Goat : kabrit
fish: pwason

Seafoods,

fish
pwason

Manje ki sòt nan lanmè

shrimp
chevrèt

lobster
oma

conch
lanbi

MILK
YOGURT

dairy products :
manje ki fèt ak lèt

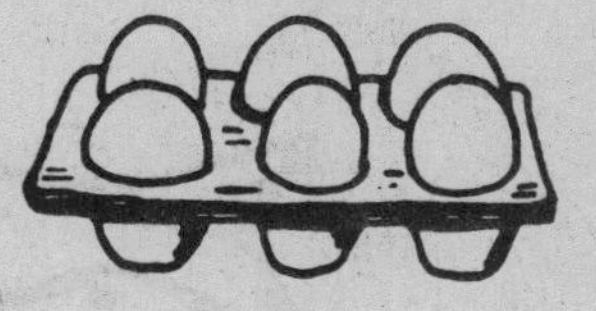

egg : ze

protein
pwoteyn

1 meat: vyann

2 steak: biftèk

turkey : kodenn

chiken : poul

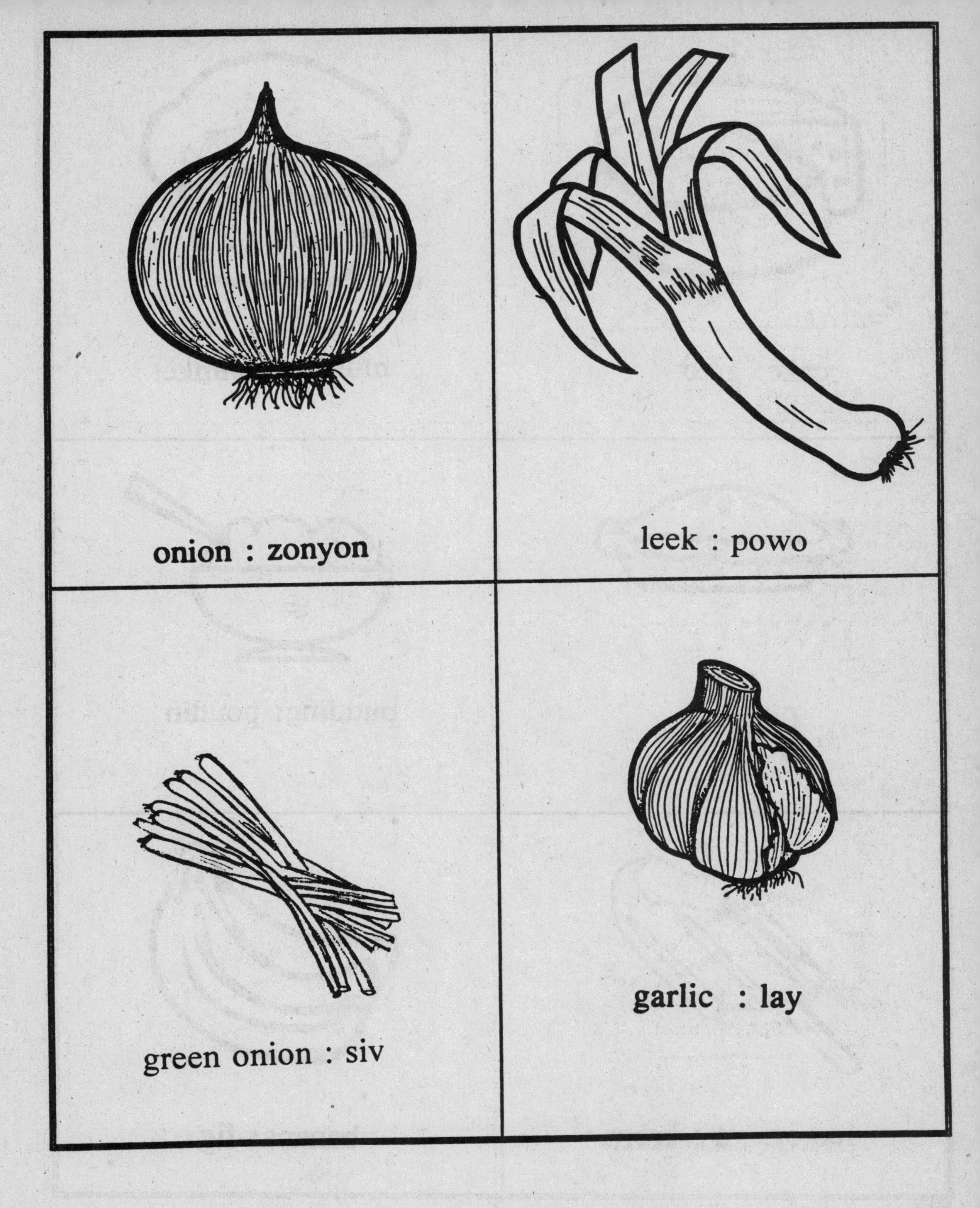
onion : zonyon
leek : powo
green onion : siv
garlic : lay

cake: gato
muffin: ponmkèt
pie: tat
pudding: poudin
ice cream : krèm
banana: fig

to eat: manje

to drink: bwè

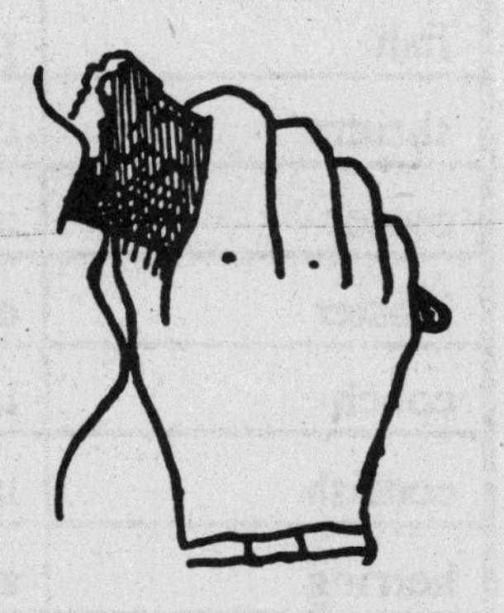

to eat: manje

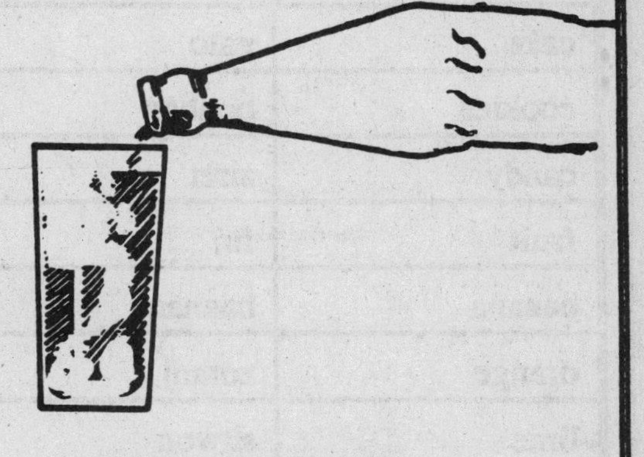

to fill up : plen

to bite : mòde

to chew : moulen

to swallow : vale

to choke : toufe, trangle

to digest : dijere

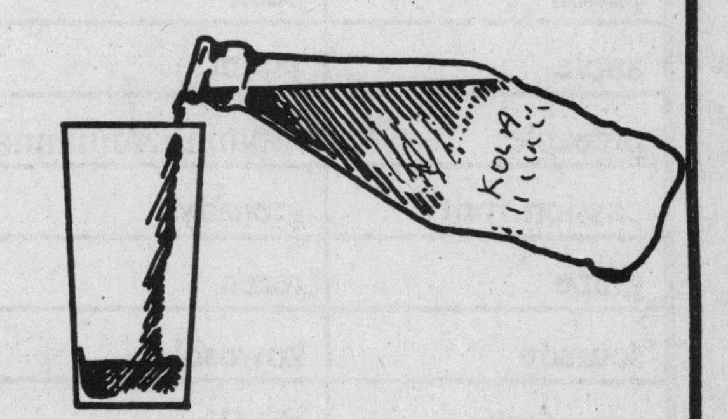
KOLA

to pour: vide

food	manje
milk	lèt
juice	ji
water	dlo
coffee	kafe
tea	te
bread	pen
patties	pate
cake	gato
cookies	bonbon
candy	sirèt
fruit	fui
banana	bannann
orange	zoranj
lime	sitwon
papaya	papay
mango	mango
peach	pèch
apple	ponm
pineaple	annana, zannanna
passion fruit	grenadya
grape	rezen
soursop	kowosòl
grapefruit	chadèk
watermelon	melon

eggs	ze
meat	vyann
rabbit	lapen
beef	bèf
goat	kabrit
lamb	mouton
chicken	poul
turkey	kodenn
fish	pwason
shrimp	chevrèt
oyster	zwit
lobster	oma
conch	lanbi
codfish	lanmori
herring	aran
sardines	sadin
tomato	tomat
salad	salad
lettuce	leti
water cress	kreson
brocoli	bwokoli
oil	luil
butter	bè
cheese	fwomaj
yogurt	yogout
ice cream	krèm

animals

bèt

They are all animals

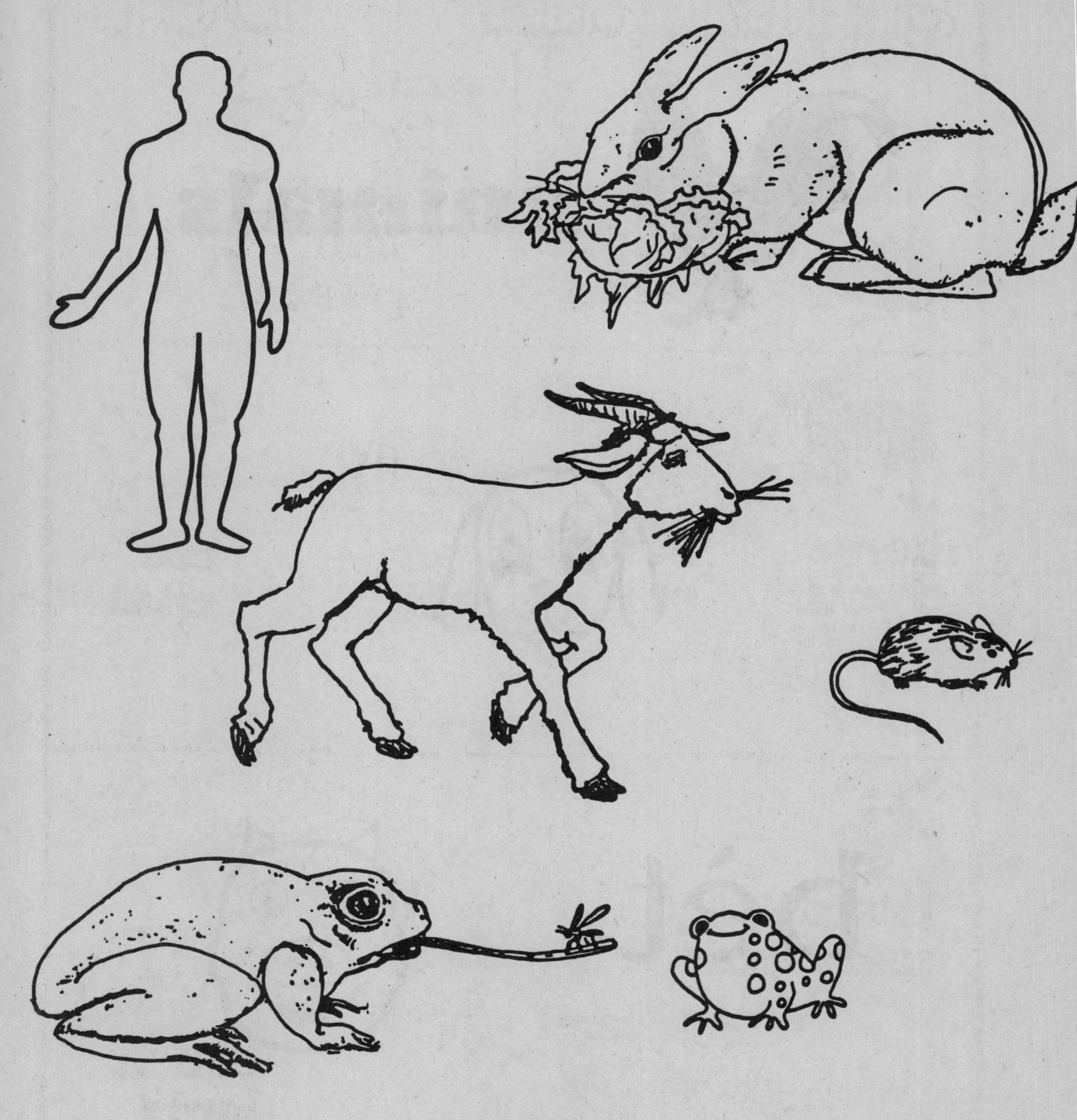

Yo tout se bèt

animals bèt

dog
chyen

rabbit
lapen

fish
pwason

horse
cheval

oyster
zwit

turtle
tòti

cat
chat

lizard
mabouya

squirel
ekirèy

frog
krapo

conch
lanbi

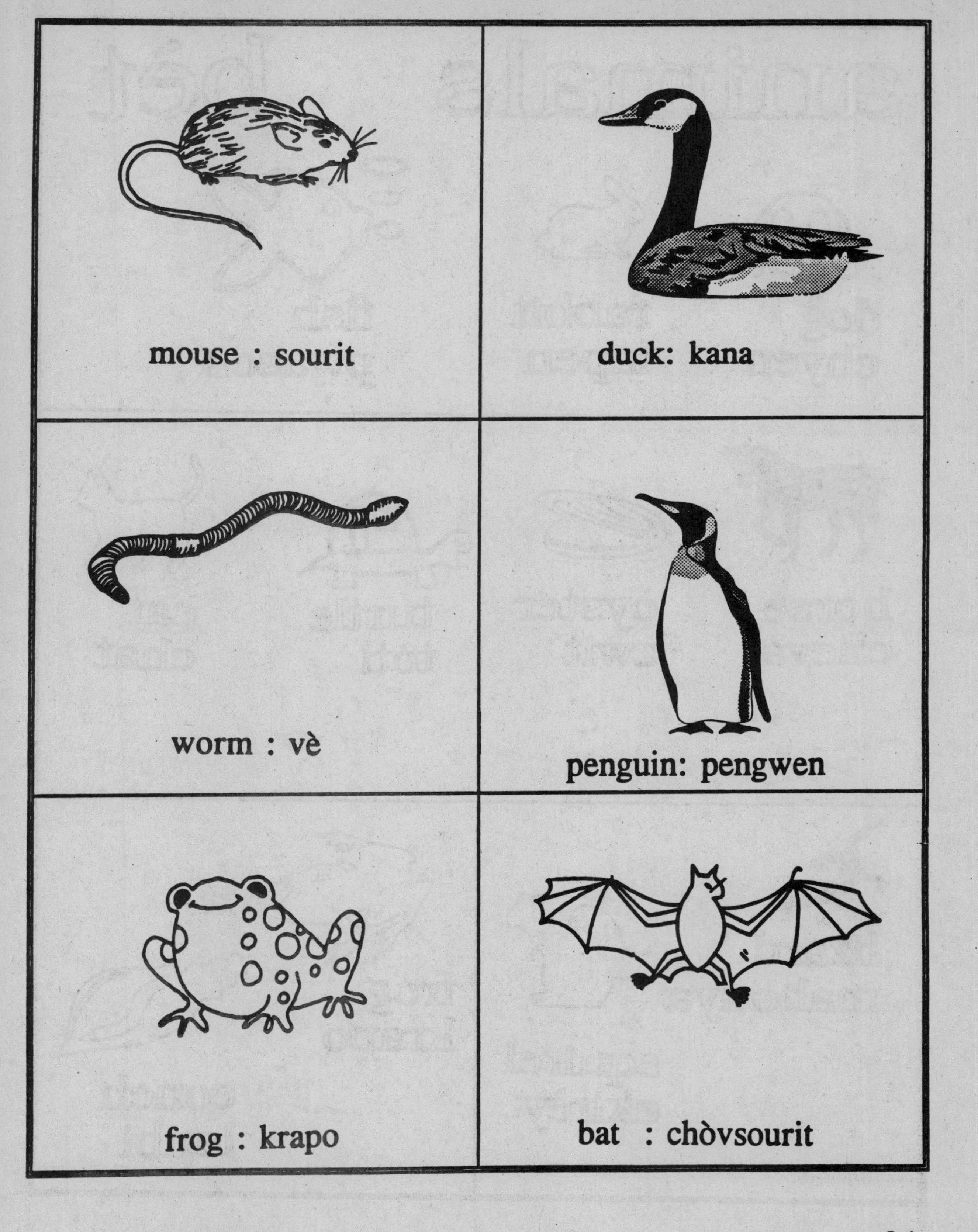
mouse : sourit
duck: kana
worm : vè
penguin: pengwen
frog : krapo
bat : chòvsourit

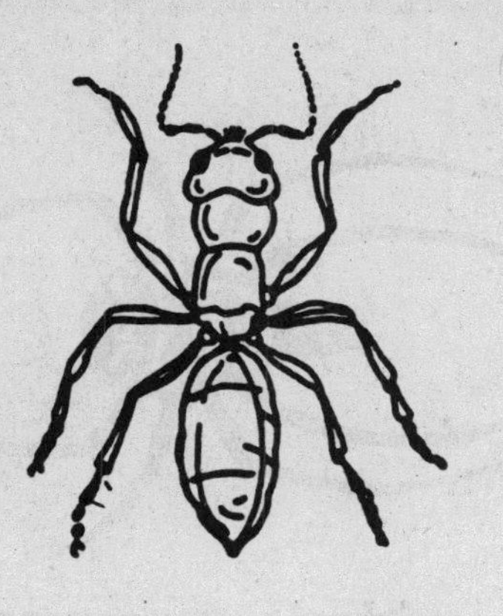

ant : foumi

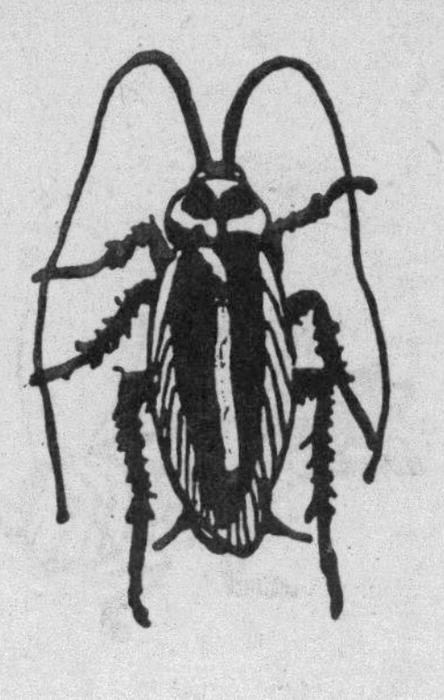

cockroach : ravèt

butterfly : papiyon

dragon fly : madmwazèl

fly : mouch

lady bird: koksinèl

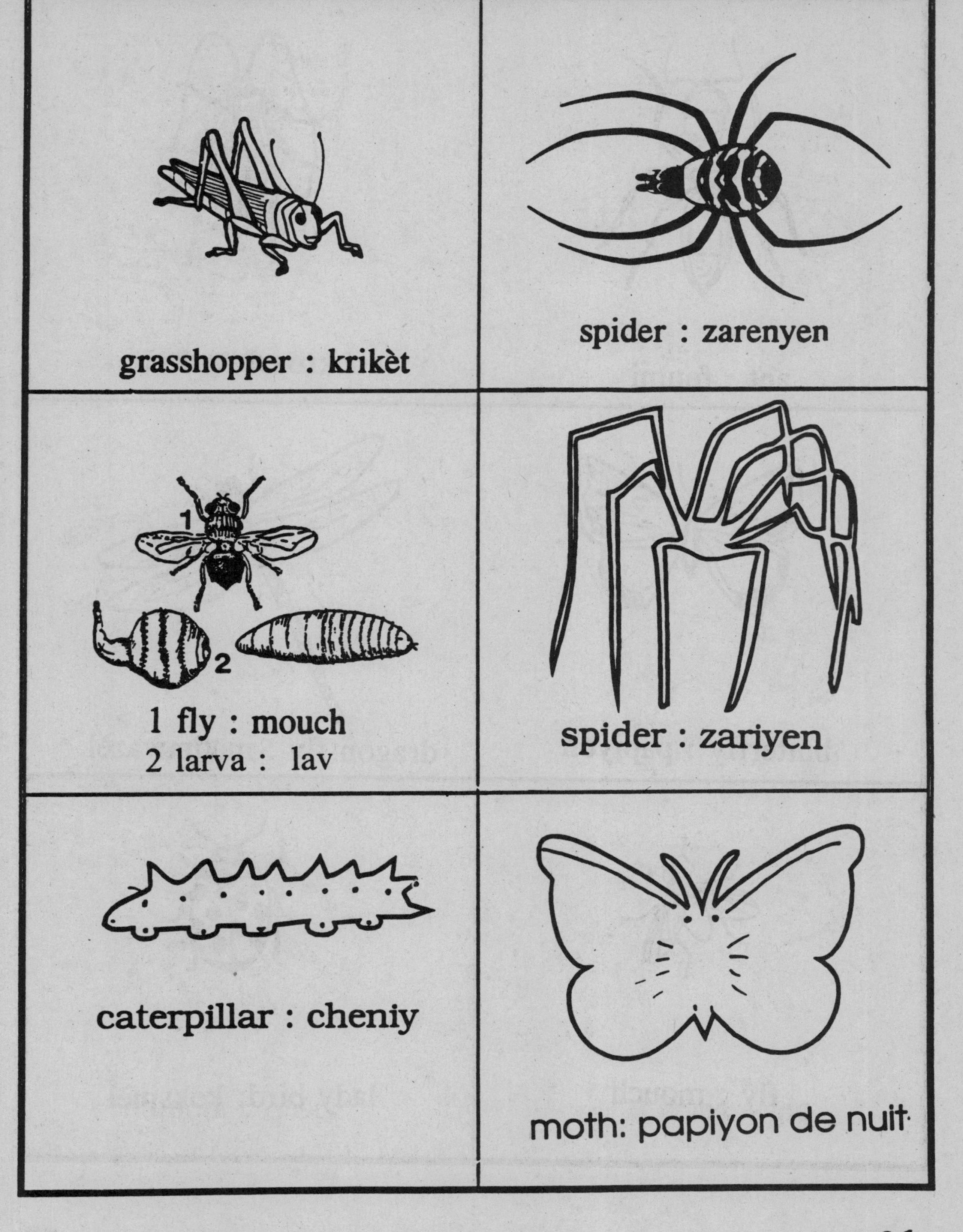
grasshopper : krikèt
spider : zarenyen
1
2
1 fly : mouch
2 larva : lav
spider : zariyen
caterpillar : cheniy
moth: papiyon de nuit

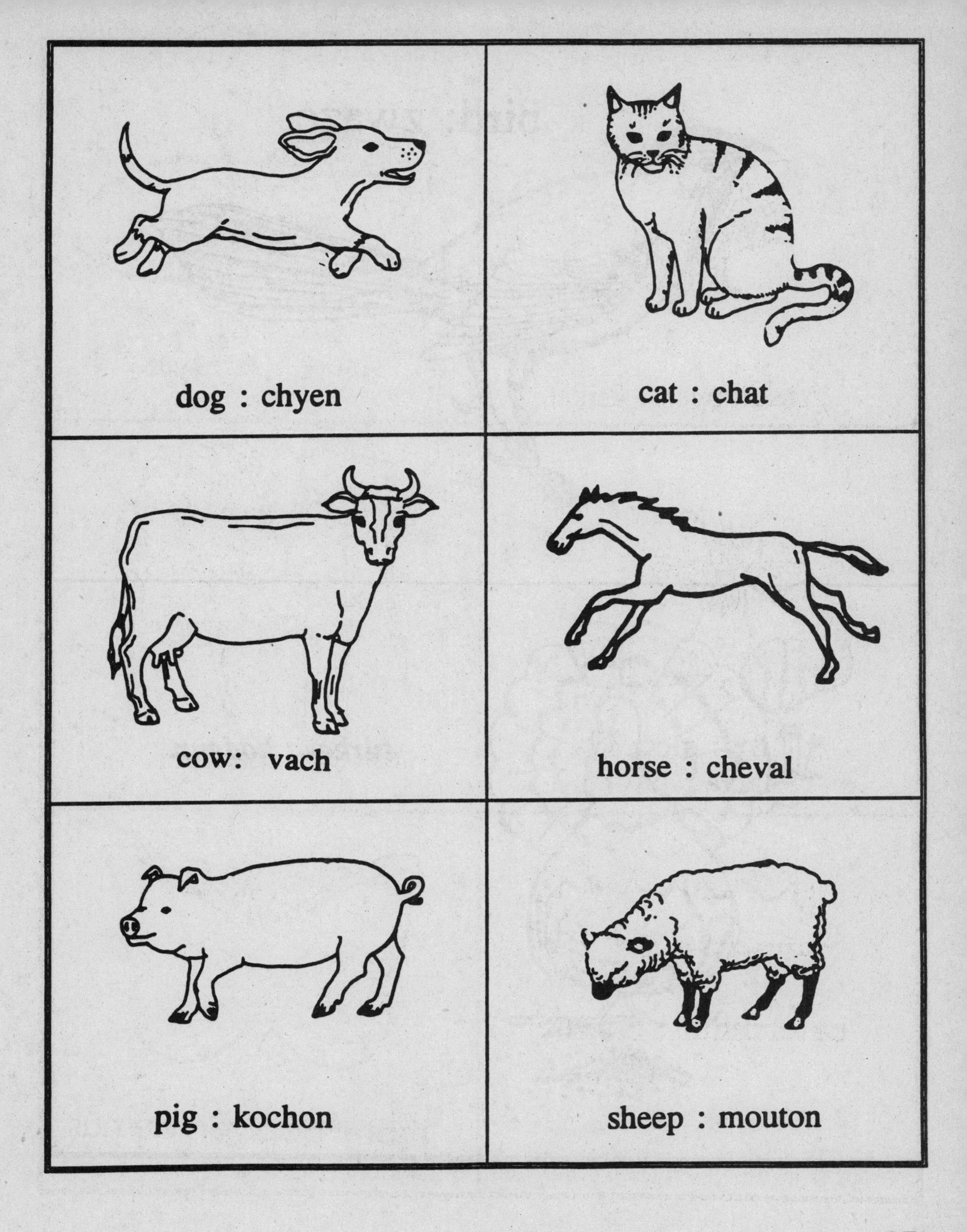
dog : chyen
cat : chat
cow: vach
horse : cheval
pig : kochon
sheep : mouton

bird: zwazo
turkey : kodenn

egg: ze
duck: kanna
foot: pat
beak: bèk
feather: plim
wing: zèl

chicks : ti poul
rooster : kòk
bird : zwazo
duck : kana
parrot : jako
owl : koukou

monkey: makak
snake: koulèv
bear : lous
elephant: elefan
kangouroo: kangouwou
lion: lyon

people
moun

People
Photo
foto
moun

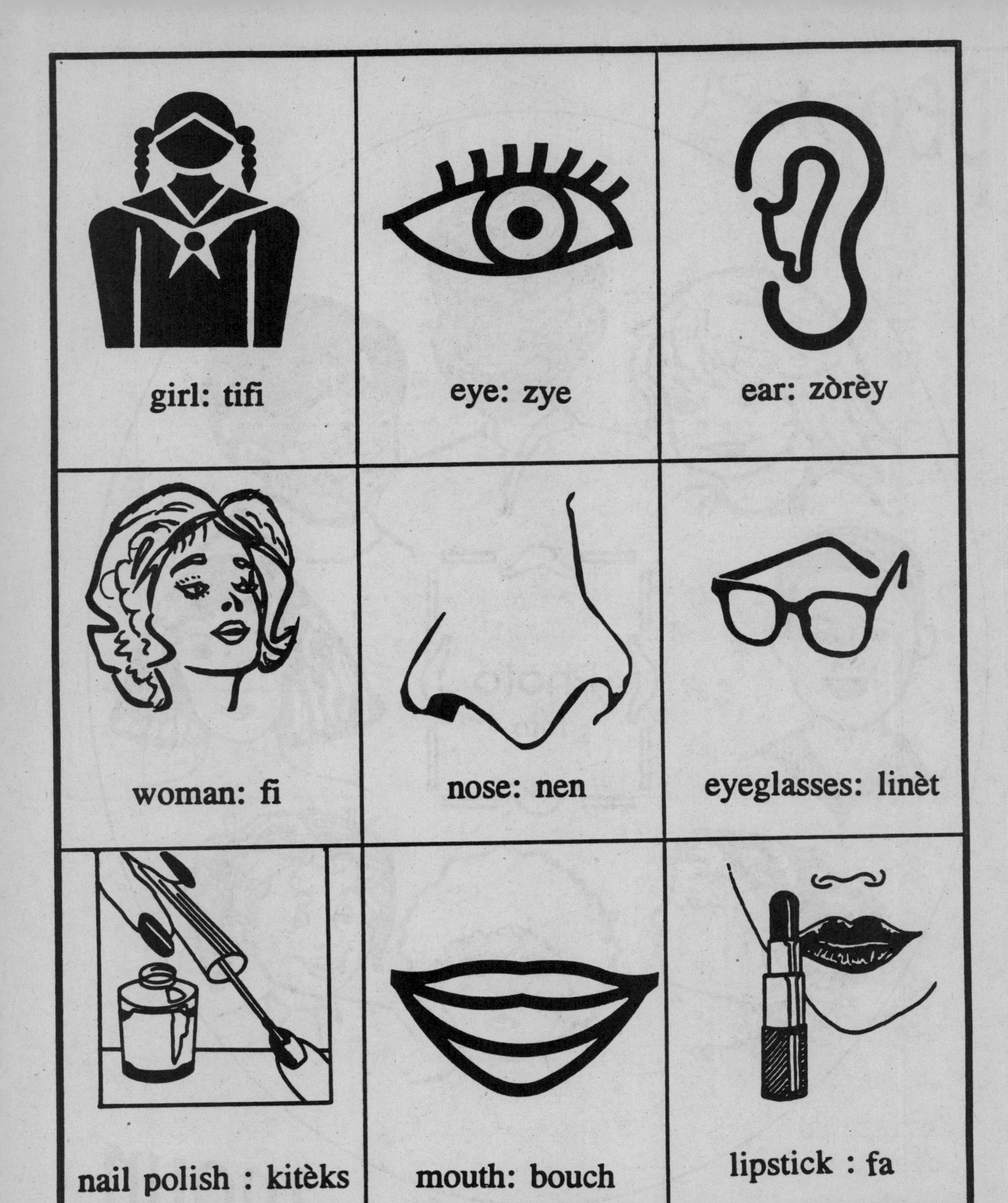
girl: tifi
eye: zye
ear: zòrèy
woman: fi
nose: nen
eyeglasses: linèt
nail polish : kitèks
mouth: bouch
lipstick : fa

baby car seat:
chèz tibebe
crib : bèso
baby food :
manje tibebe
stroller : charyo
tibebe
1 bottle : bibwon
2 nipple : tetin
baby : tibebe
carriage stroller:
charyo tibebe
diapers : kouchèt
play pen : pak

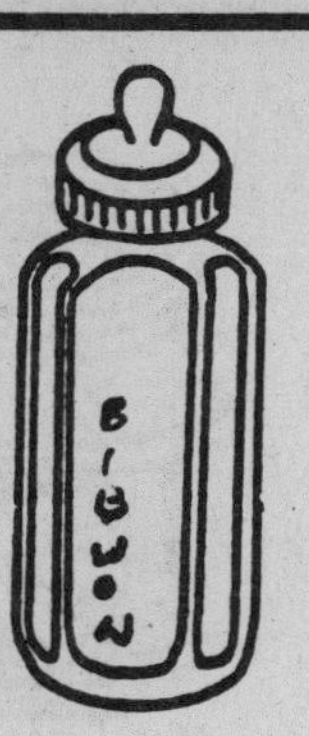
BIBWON

baby bottle: bibwon

to sterilize baby bottle:
bouyi bibwon

to feed a baby:
bay tibebe manje

to nurse: bay tete
fè tibebe rann gaz

crib : bèso

closet : plaka

high chair :chèz tibebe

to babysit : gade tibebe

lullaby : chante pou fè
timoun dòmi

nursery : jaden danfan,
gadri

bib : bavèt
rattle: jwèt
pacifier : sison
baby : tibebe
cart: charyo
dolls: pope
swing: balansin
bicycle: bisiklèt
baby : tibebe

girls: tifi
boys: tigason
women: fi
men: gason
baby: tibebe
family : fanmi

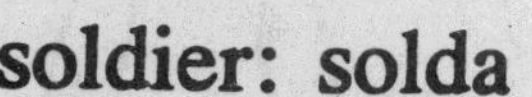

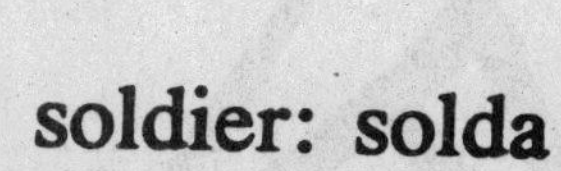

soldier: solda

gun: revolvè

soldier: solda

security guard:
gadyen sekirite

fingerprint: anprent

handprint: makmen

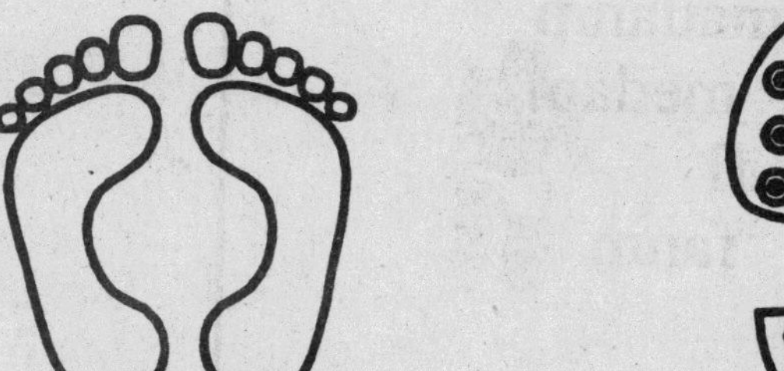

boyscout : eskout

footprint: makpye

shoeprint:
mak soulye

women: fi
female: fanm (pop)
lady: madanm
ladies: medam
chick: fi
broad: fanm

stand up: kanpe
to lean: panche
march: mach
kneel down : ajenou
sit down: chita
lay down: kouche

to lie on the back:
kouche sou do

position : pozisyon

restless : san pozisyon

on the side : sou kote

on the back : sou do

to stand up : kanpe

to sit down : chita

to crouch down : akoupi

to lay on the side:
kouche sou kote

to lay face down:
kouche sou vant

to sleep : dòmi
sleep: dòmi
sleeping: ap dòmi

to smile: souri
smile: souri
smiling: ap souri

to cry: kriye
cry: rele
crying: ap rele
ap kriye

to be sad: tris
sad: tris
sadness: tristès

to shiver: tranble
shivering: tranble
shiver: tranbleman

to measure temperature:
pran tanperati

heat: chalè
high temperature:
gwo chalè

hot : cho
chalè
cold : frèt
fredi

kisa ou santi ?
what do you feel ?

tris sad

kontan happy

tifi girl

tigason boy

to be scared: gen laperèz

scare: pè

scaring: fè pè

to be in shock: fè sezisman

shock: sezisman

shocking : chokan

to think: panse

thought: panse

thinking : ap panse

to laugh: ri

to enrage:
anraje

to be exhausted: fatige

to kiss : bo
kiss : bo

to cry: kriye
crying

to be happy:
kontan
happy: kè kontan

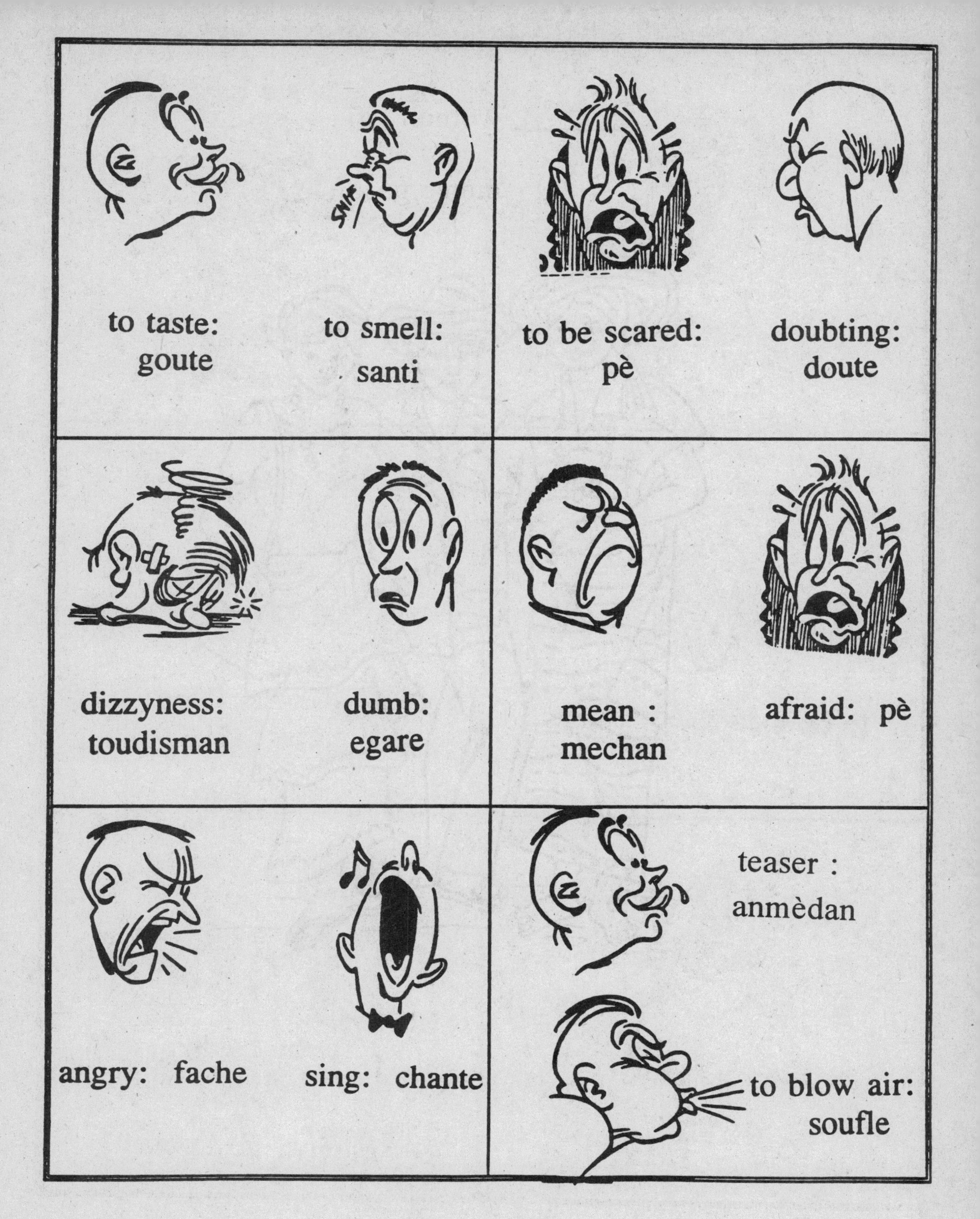
SNIFF
to taste:
goute
to smell:
santi
to be scared:
pè
doubting:
doute
dizzyness:
toudisman
dumb:
egare
mean :
mechan
afraid: pè
angry: fache
sing: chante
teaser :
anmèdan
to blow air:
soufle

woman : fi
man : gason

from everywhere

nou sòti tou patou

kote fanm vanyan yo?

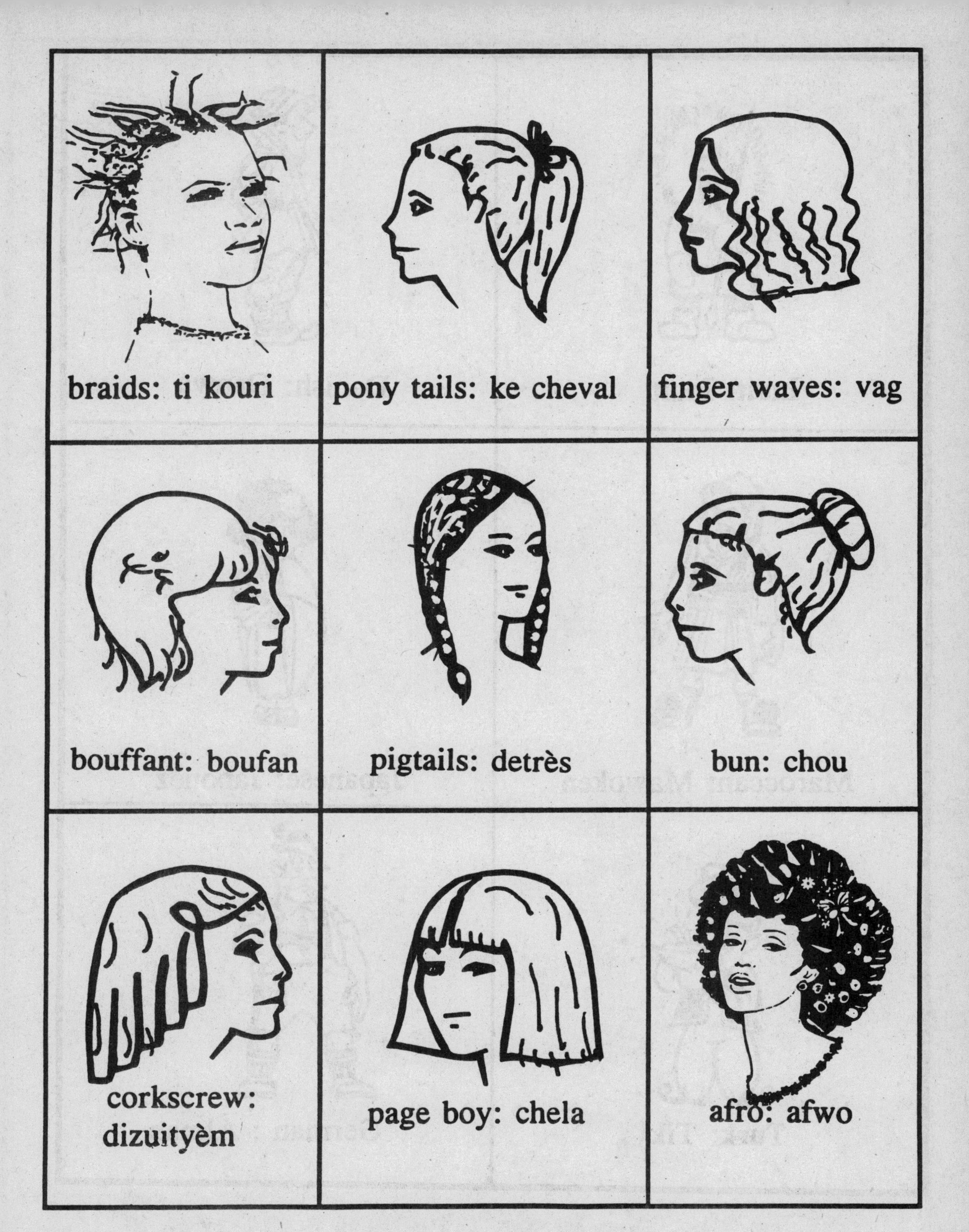
braids: ti kouri
pony tails: ke cheval
finger waves: vag
bouffant: boufan
pigtails: detrès
bun: chou
corkscrew: dizuityèm
page boy: chela
afro: afwo

Inuit: Inuit

Danish: Danwa

Maroccan: Mawoken

Japanese: Japonèz

Turk: Tik

German : Alman

Mexican: Meksiken

Egyptian: Ejipsyèn

Indian: Endyen

Native American: Endyen

Spaniard : Espayòl

Iranian: Iranyèn

Chinese: Chinwa

Russian: Ris

Arab: Arab

Scottish: Ekosè

Hawaïan: Awayèn

Dutch: Olandè

African: Afriken

Arab: Arab

Asian: Azyatik

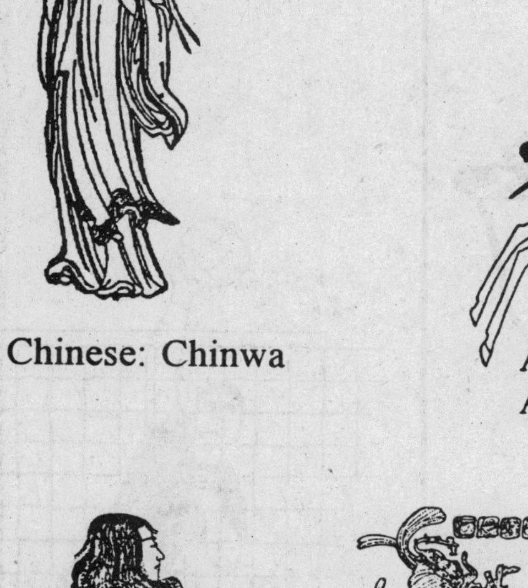

Chinese: Chinwa

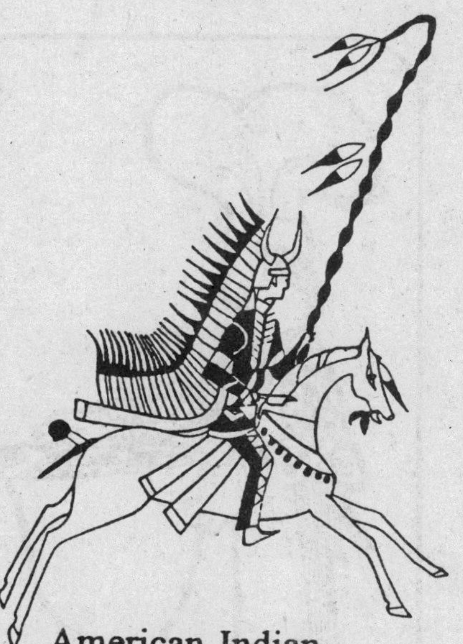

American Indian
Amerendyen

Indian: Endyèn

Japonese:
Japonèz

Mayan:
Maya

Norwegian:
Nòvejyen

Australian:
Ostralyen

cowboy
kòbòy

crowd
foul

cook
kuizinye

soccer player
foutbolè

volleyball player
voleyè

girls and boys
tifi ak tigason

mother, father and child
manman, papa ak pitit

World map : Kat latè

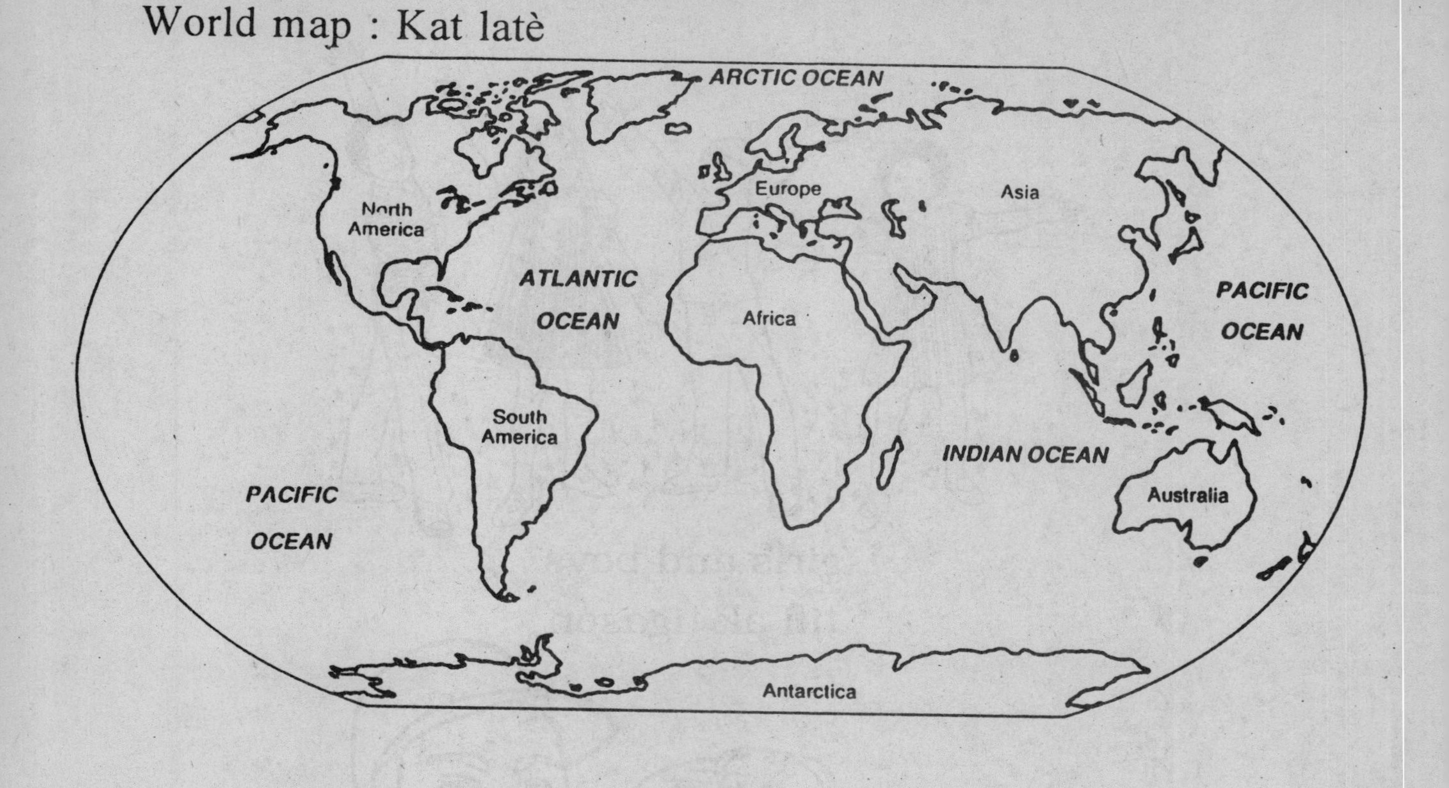
ARCTIC OCEAN
North America
Europe
Asia
ATLANTIC OCEAN
PACIFIC OCEAN
Africa
South America
INDIAN OCEAN
Australia
PACIFIC OCEAN
Antarctica

Europe : Ewòp

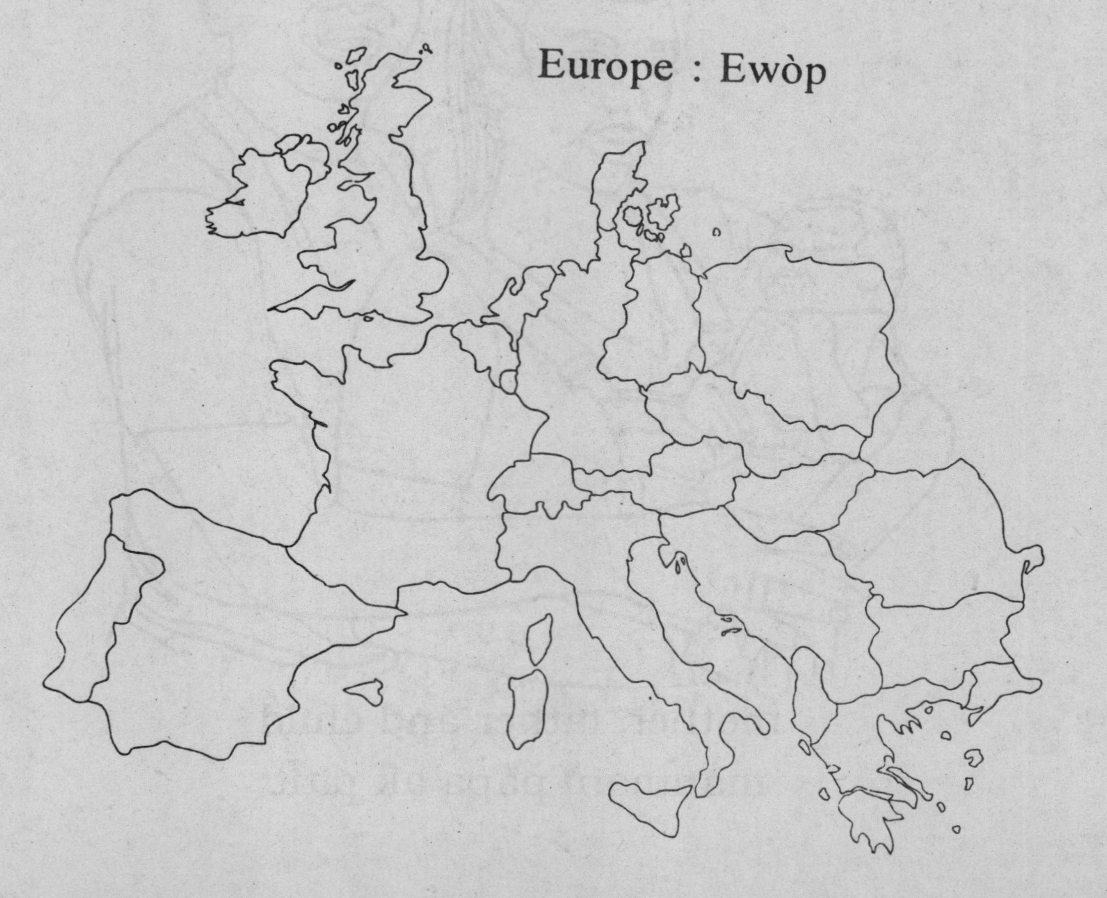

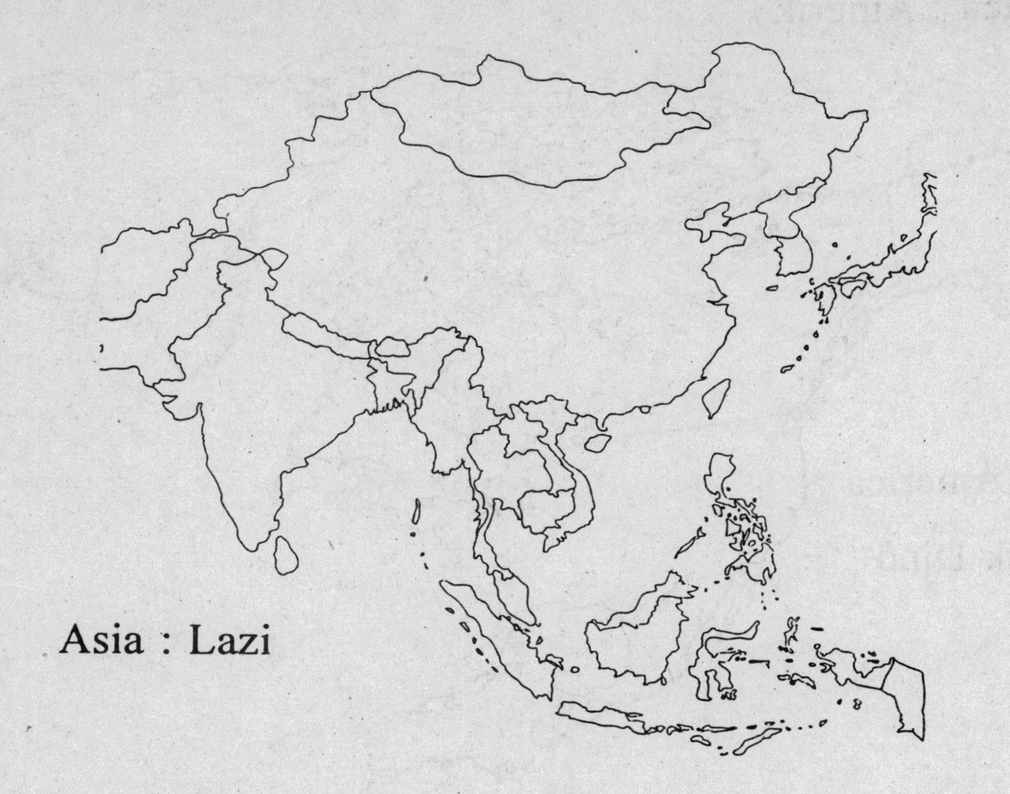

Asia : Lazi

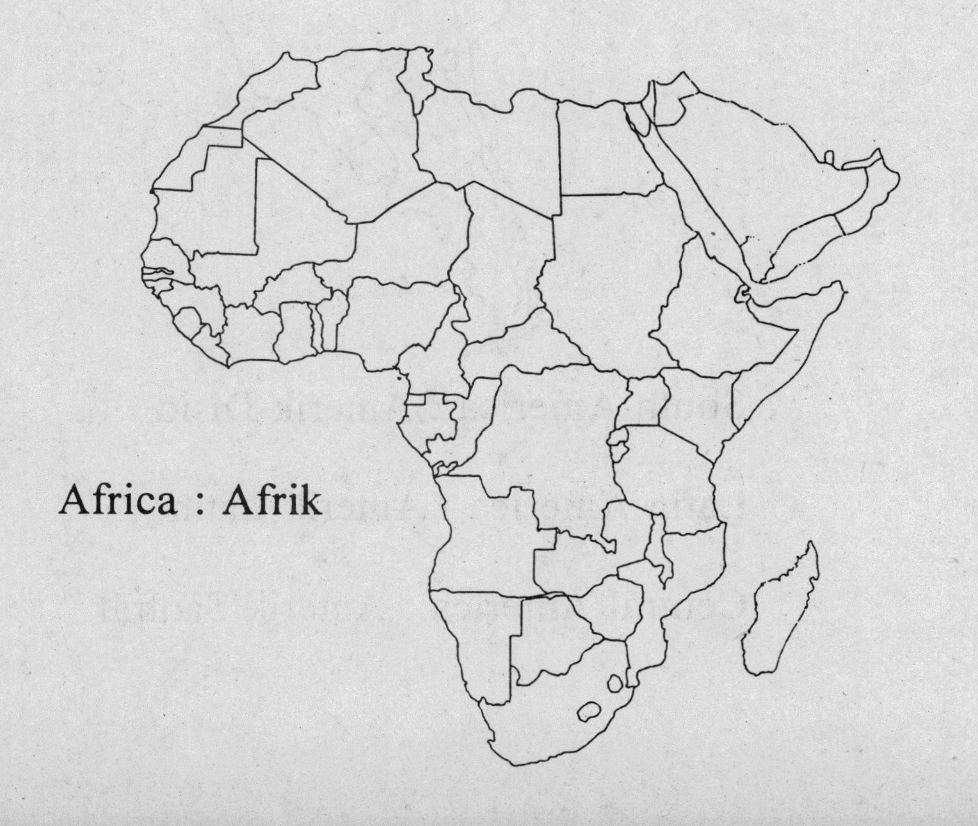

Africa : Afrik

America : Amerik

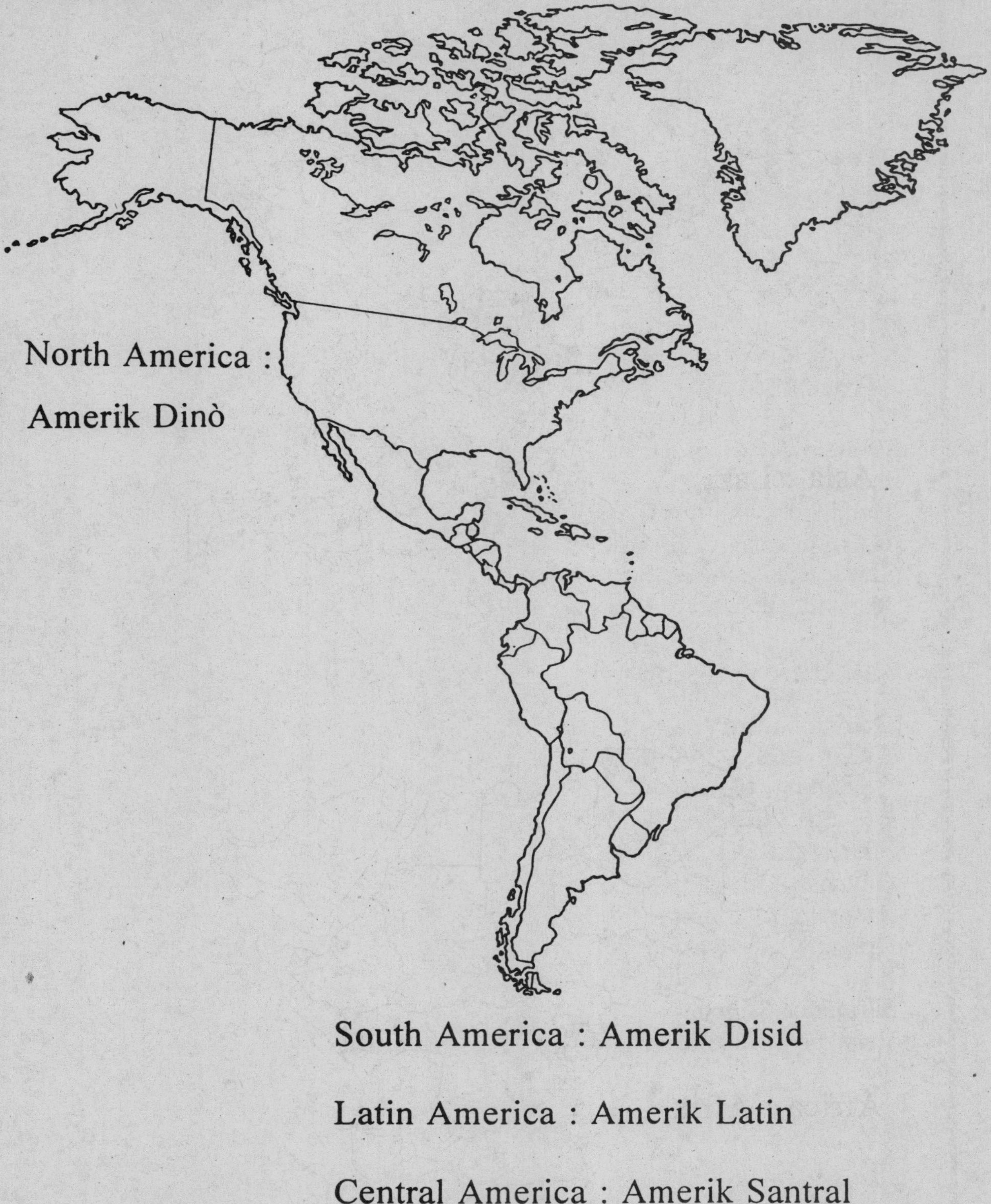

North America :

Amerik Dinò

South America : Amerik Disid

Latin America : Amerik Latin

Central America : Amerik Santral

Latin America : Amerik Latin

Mexico : Meksik

Guatemala : Gwatemala
Salvador : Salvadò
Honduras : Ondiras
Nicaragua : Nikaragwa
Costa Rica : Kostarica
Panama : Panama

Argentina : Ajantin
Bolivia : Bolivi
Brazil : Brezil
Colombia : Kolombi
Ecuador : Ekwatè
French Guyana : Giyàn Franse
Guyana : Giyàn
Paraguay : Paragwe
Uruguay : Irigwe
Peru : Pewou
Surinam : Sirinam
Venezuela : Venezwela

South America : Amerik disid

- Argentina
- Bolivia
- Brazil
- Chile
- Colombia
- Ecuador
- French Guiana
- Guyana
- Paraguay
- Peru
- Surinam
- Uruguay
- Venezuela

Central America : Amerik Santral

Caribbean : Karayib

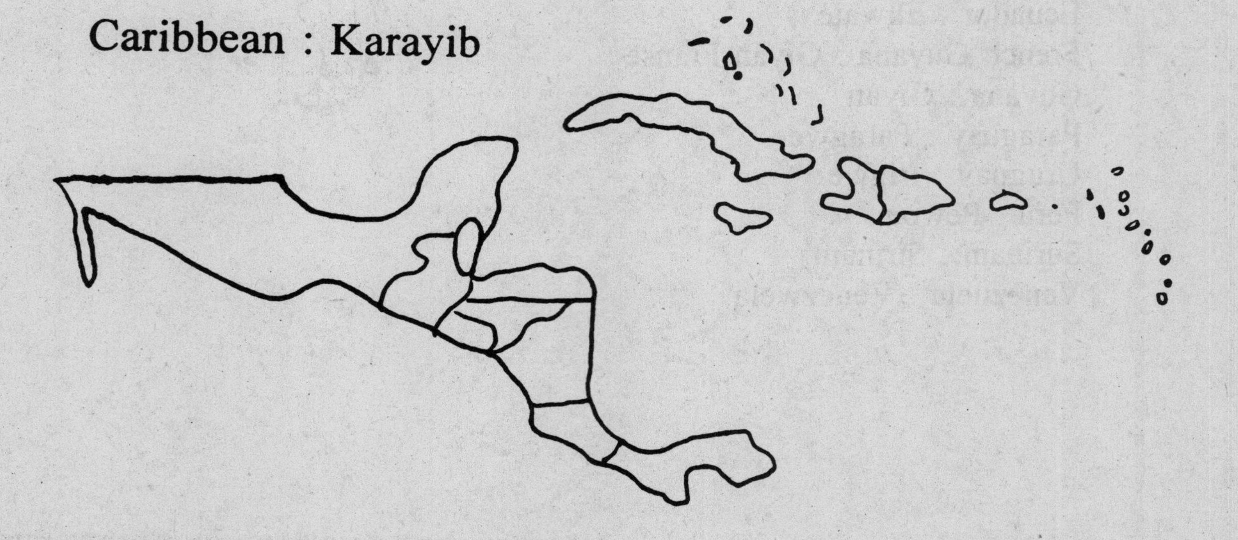

clothes / rad

dress : rad, wòb

shirt : jip

blouse : kòsaj

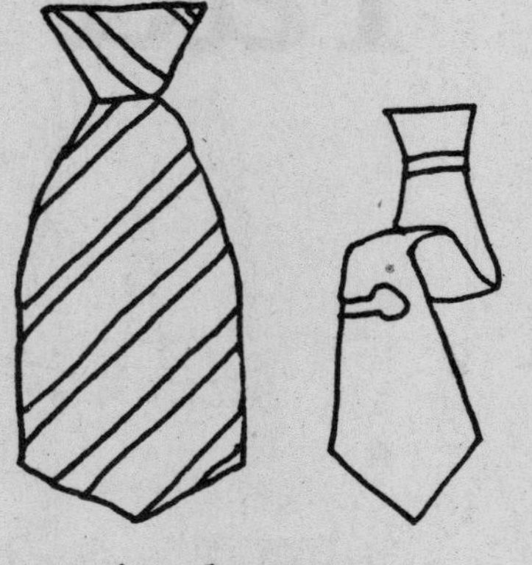

tie : kravat

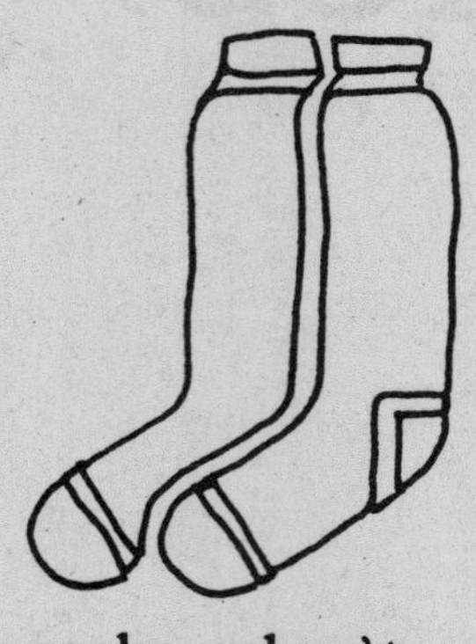

socks : chosèt

vest : vès

jacket : vès

blouse: kòsaj
shirt: chemiz
hat : chapo
skirt : jip
pants : pantalon
jumper: salòpèt
dress : wòb
coat : manto
shoes : soulye

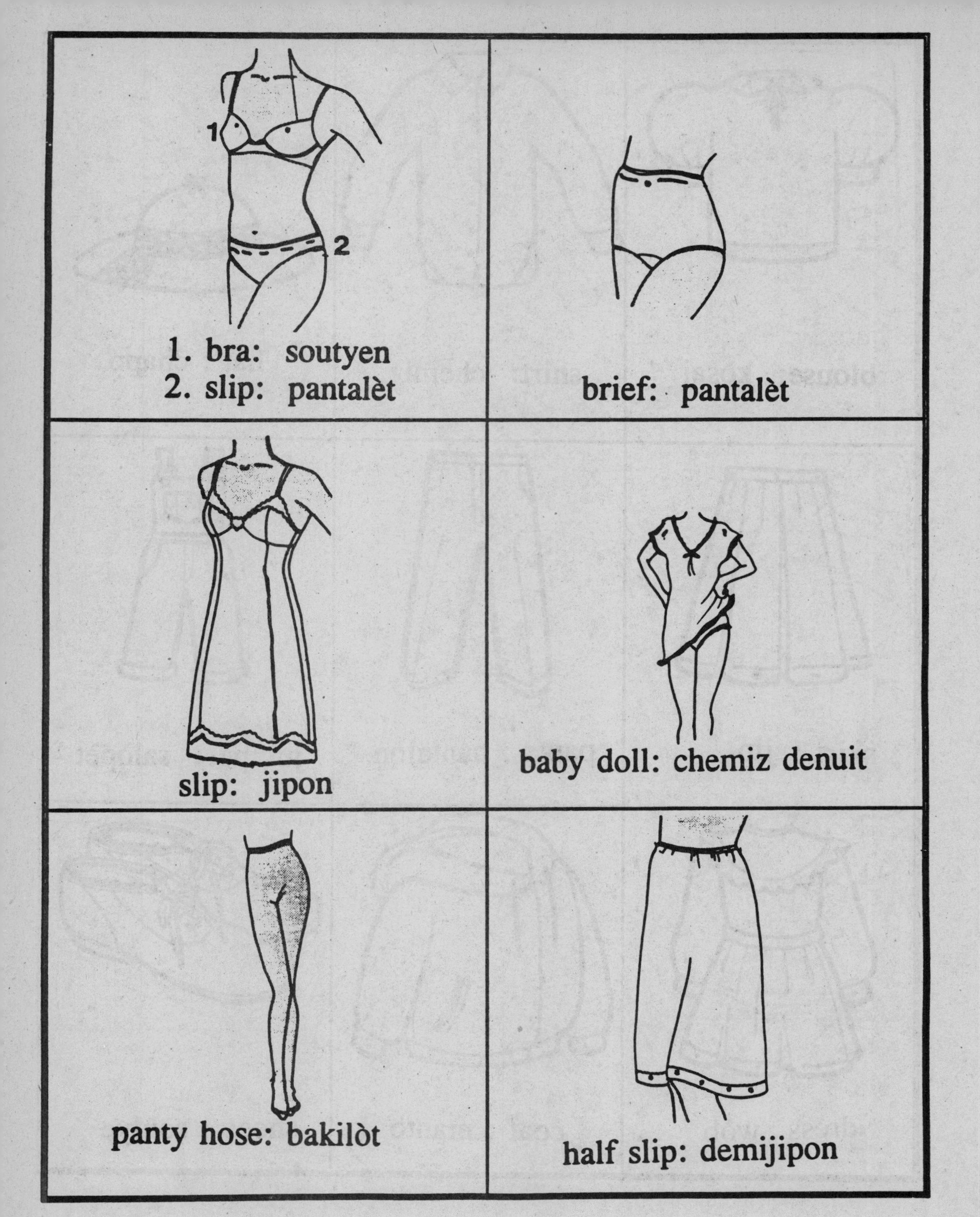
1
2
1. bra: soutyen
2. slip: pantalèt
brief: pantalèt
slip: jipon
baby doll: chemiz denuit
panty hose: bakilòt
half slip: demijipon

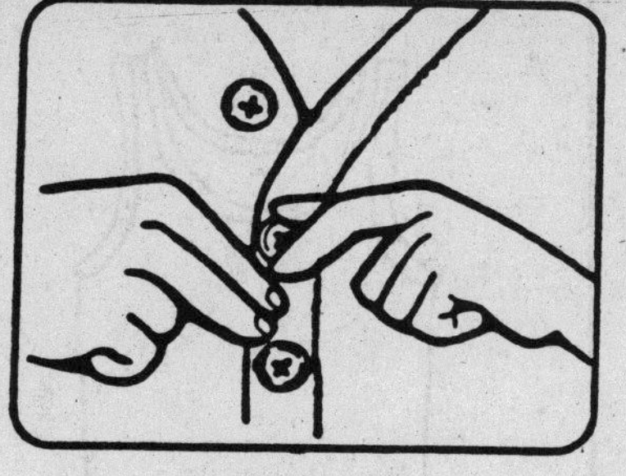

buttons : bouton
to button : boutonnen

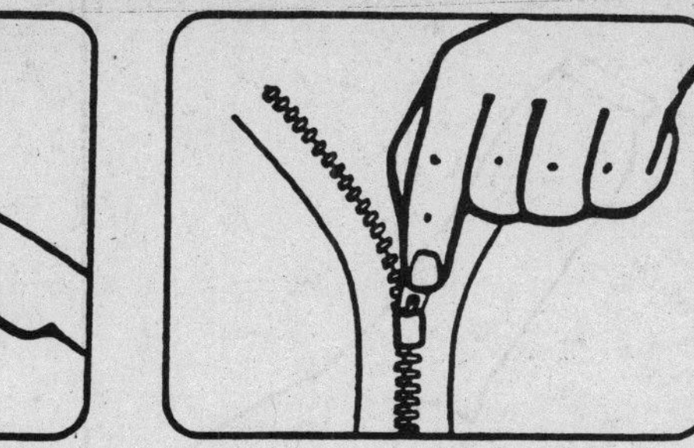

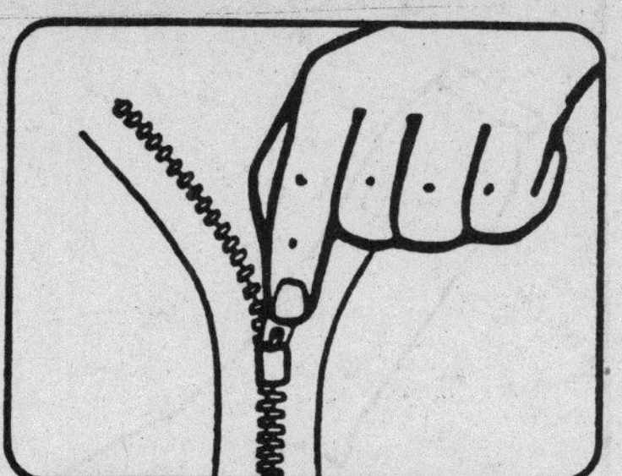

zipper : zip

safety pin : zepeng kwochèt

sewing : koud
to sew: koud

to hang: kwoke pandye

shoe lace : lasèt
to lace: lase

to wash: lave

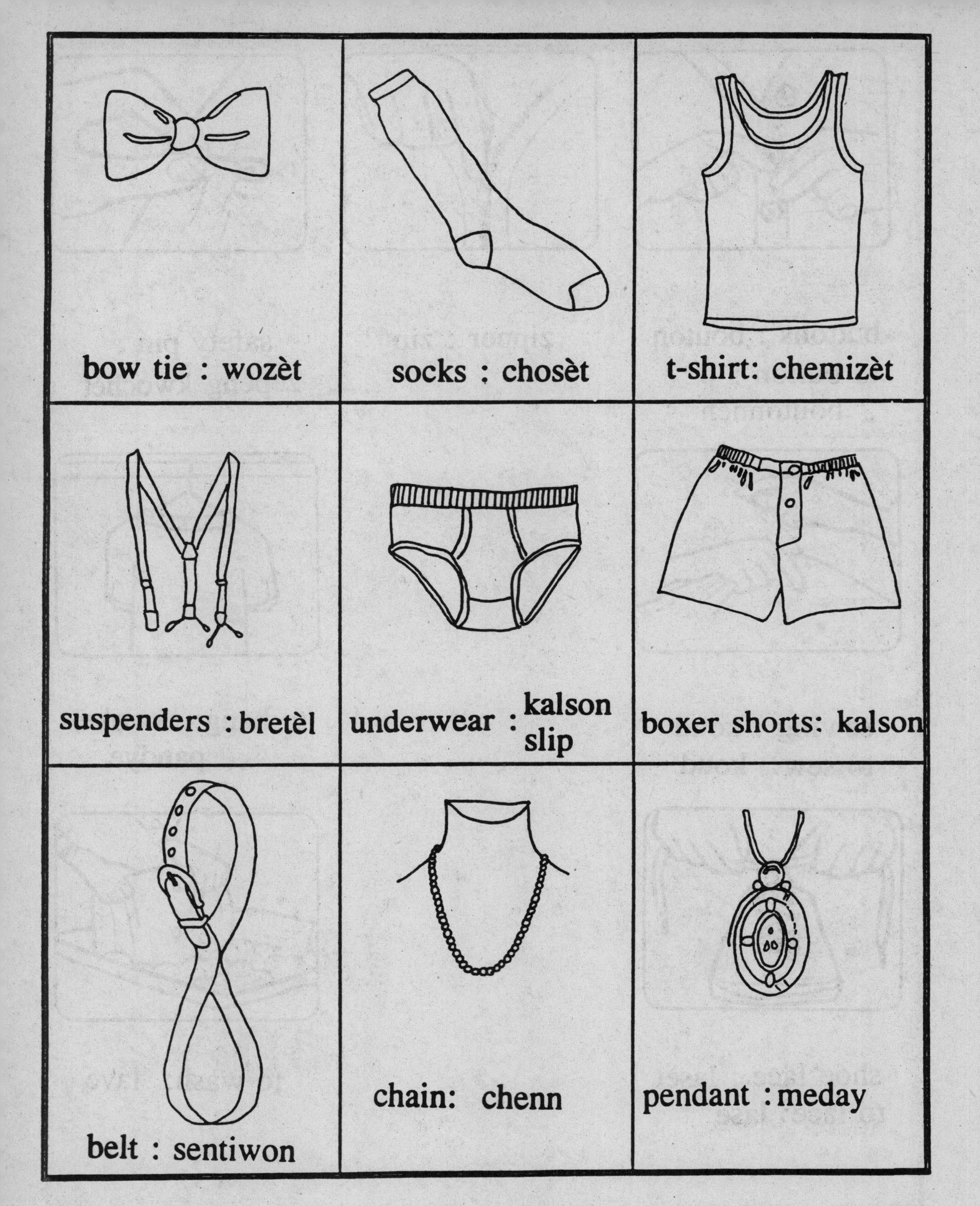
bow tie : wozèt
socks : chosèt
t-shirt: chemizèt
suspenders : bretèl
underwear : kalson slip
boxer shorts: kalson
belt : sentiwon
chain: chenn
pendant : meday

boots : bòt
high heels : talon kikit
moccasin : mokasen
sandals : sandal
mule :sapat
shoes
soulye

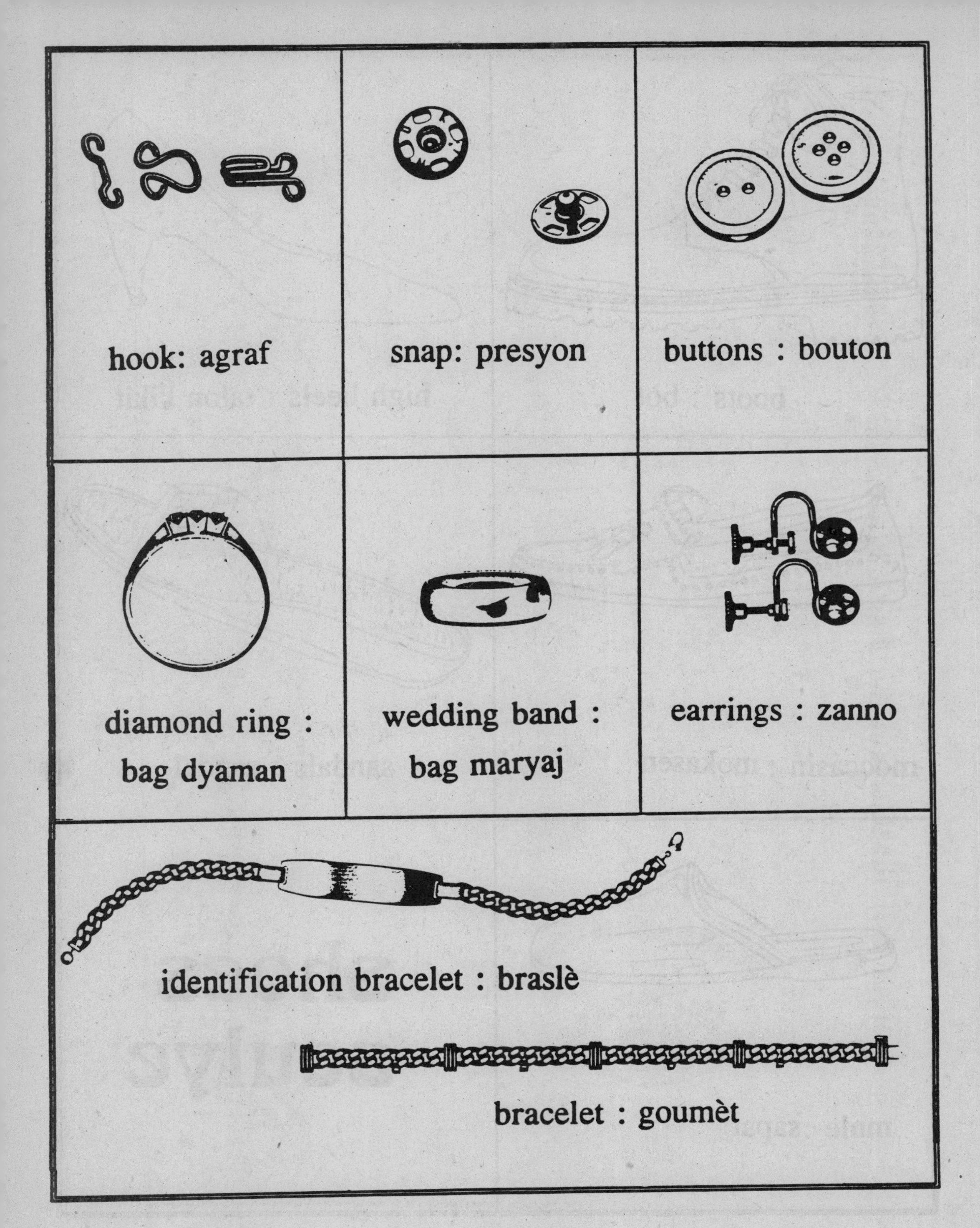
hook: agraf
snap: presyon
buttons : bouton
diamond ring : bag dyaman
wedding band : bag maryaj
earrings : zanno
identification bracelet : braslè
bracelet : goumèt

Parts of the body / Pati nan kò moun

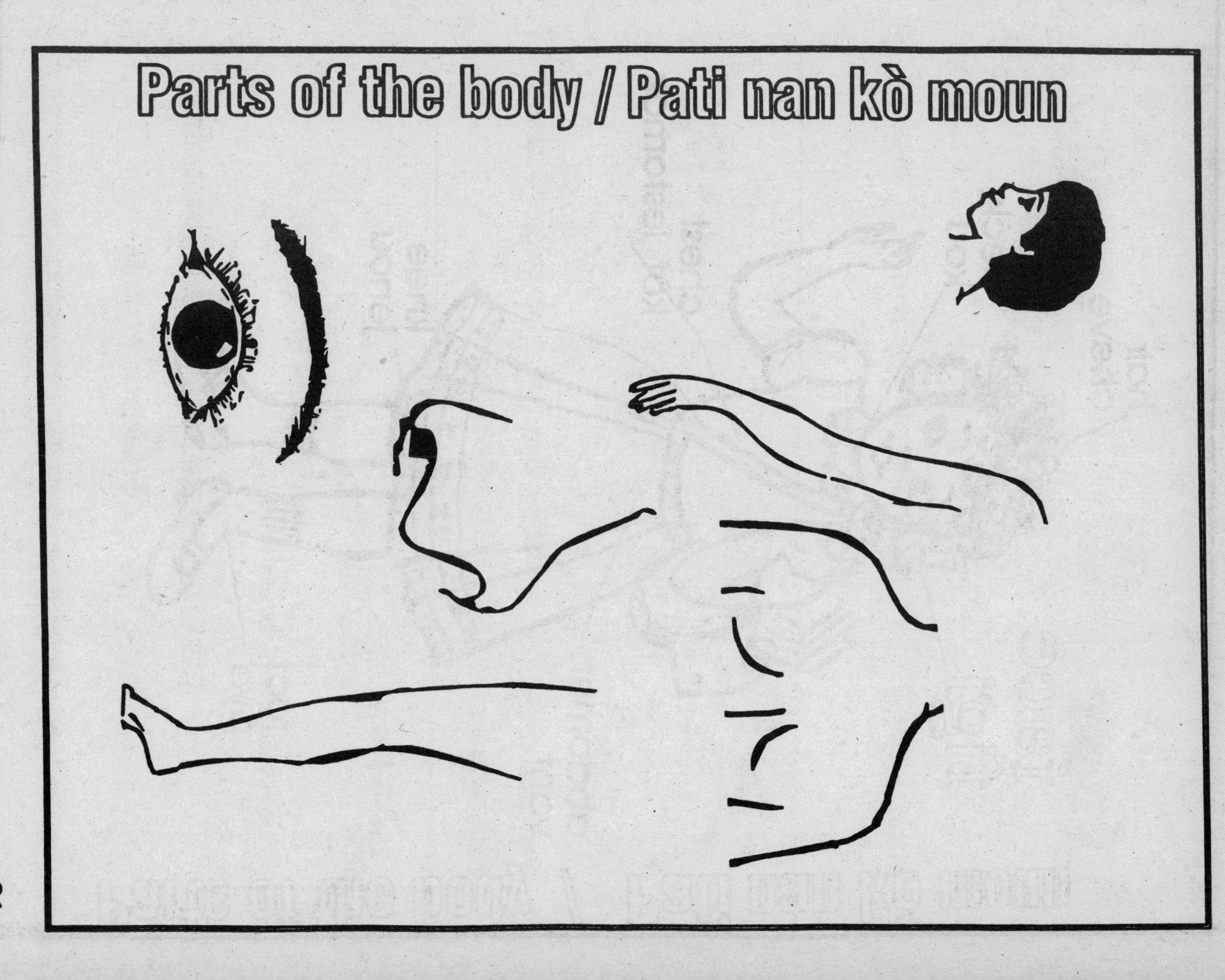

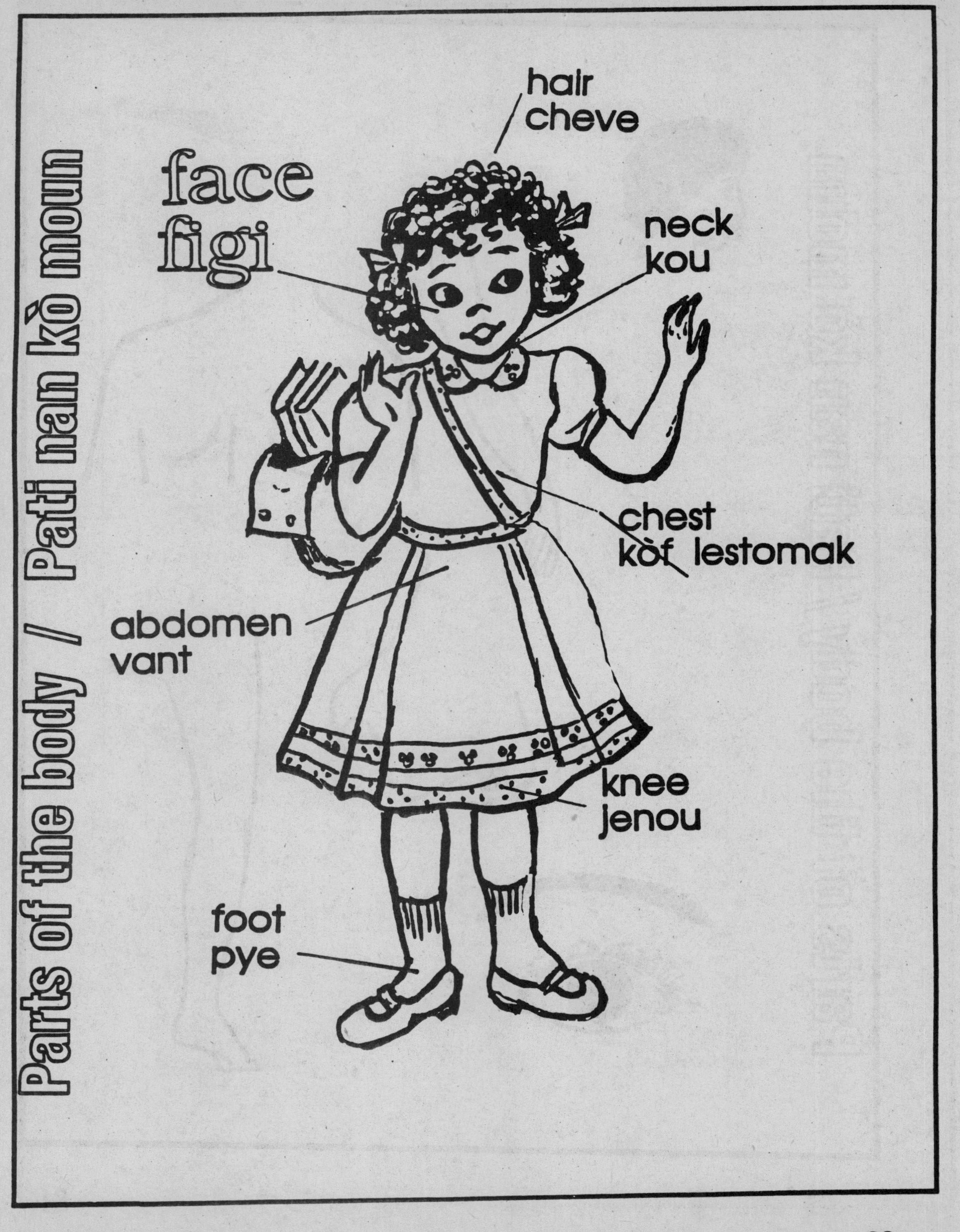
Parts of the body / Pati nan kò moun
hair
cheve
face
figi
neck
kou
chest
kòf lestomak
abdomen
vant
knee
jenou
foot
pye

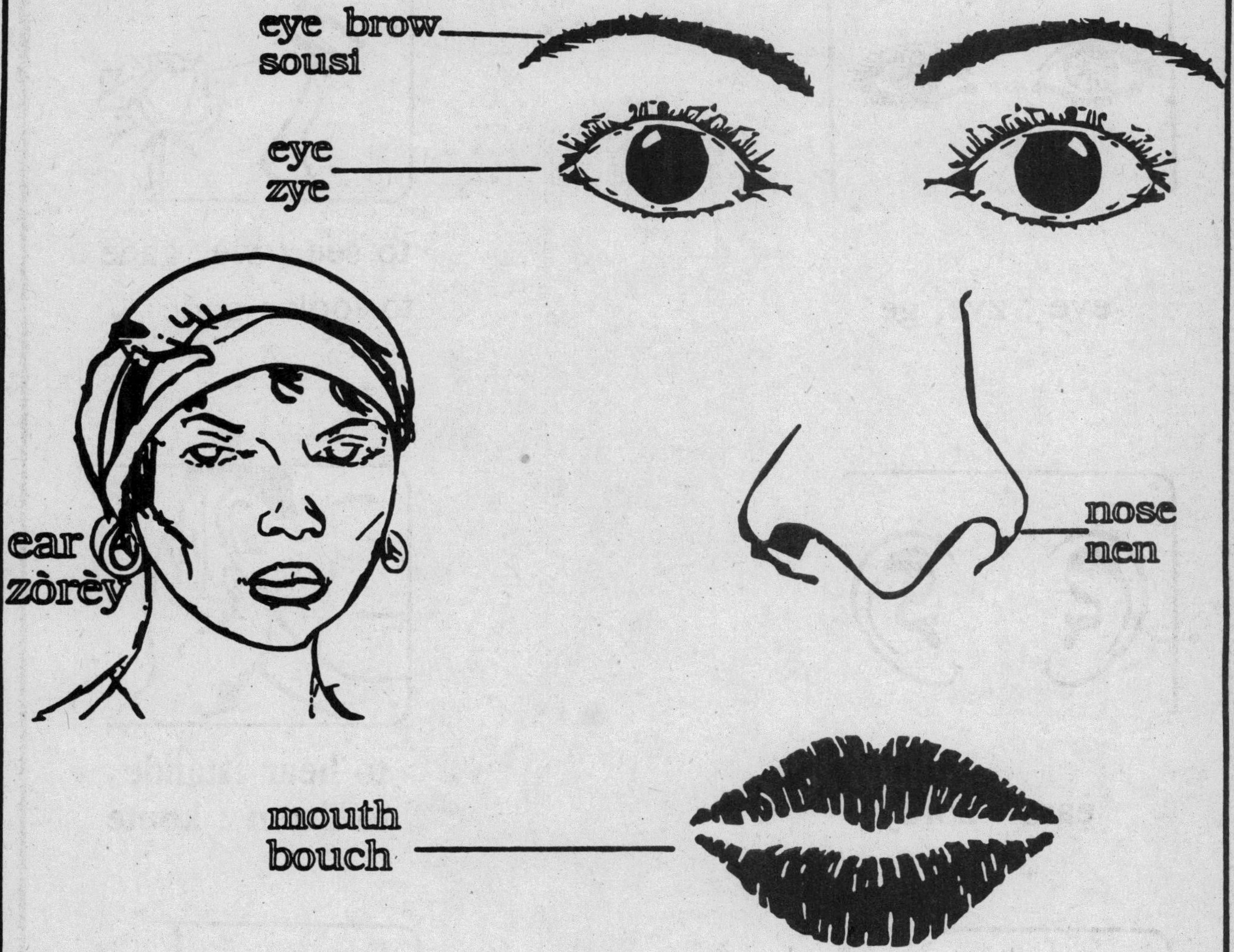

eye brow
sousi

eye
zye

ear
zòrèy

nose
nen

mouth
bouch

face / figi

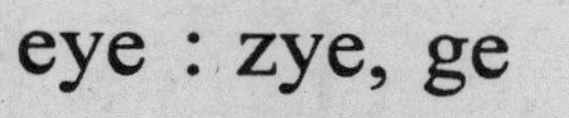

eye : zye, ge

to see : wè, gade

to look : gade

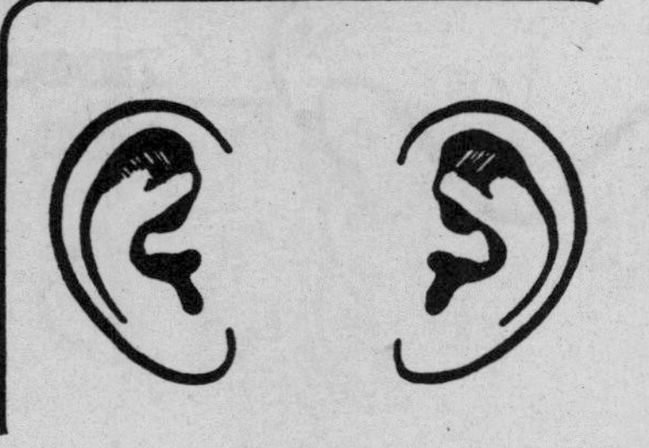

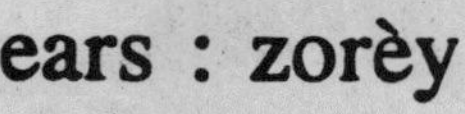

ears : zorèy

to hear : tande
to listen : koute

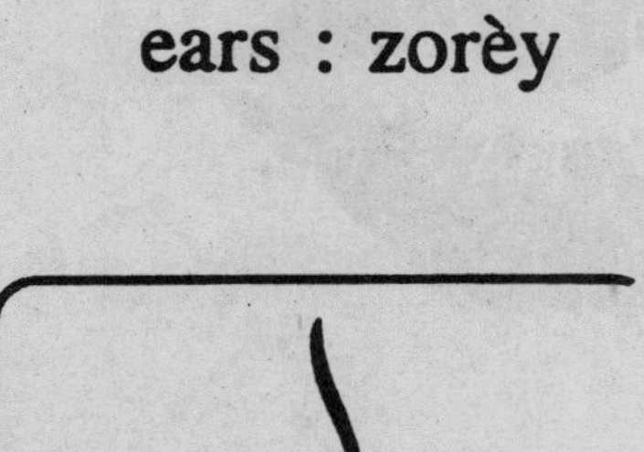

nose : nen

to smell : pran sant,
santi, pran odè

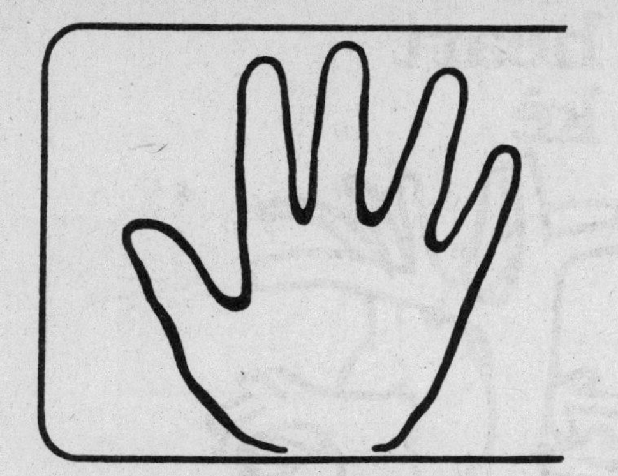

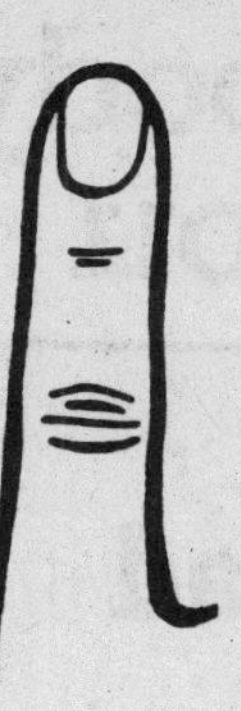

hand : men

finger : dwèt

to touch :
manyen, touche

arm : bra

to throw : voye

to catch : atrap

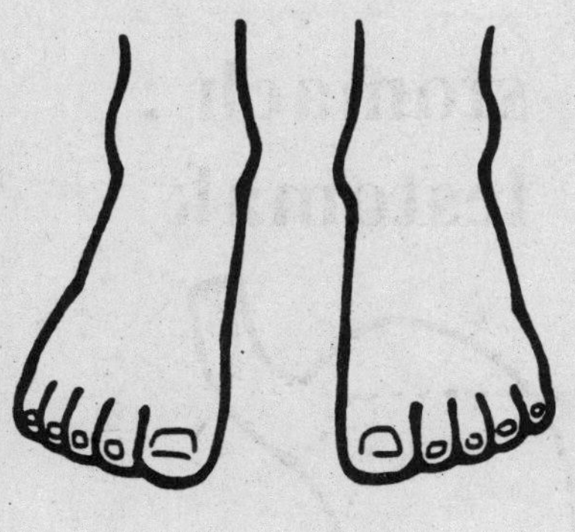

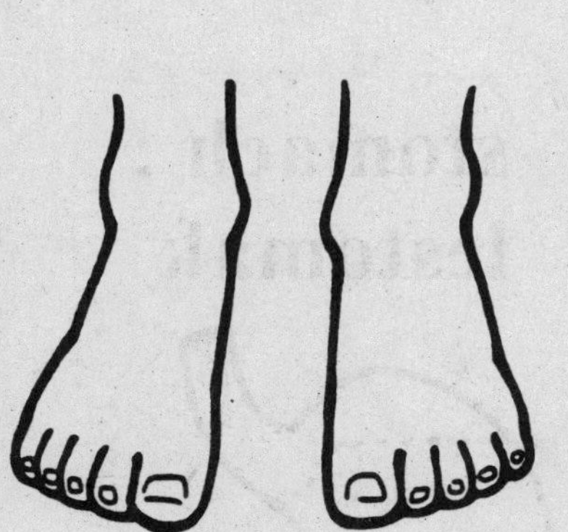

to walk : mache

run : kouri

feet : pye

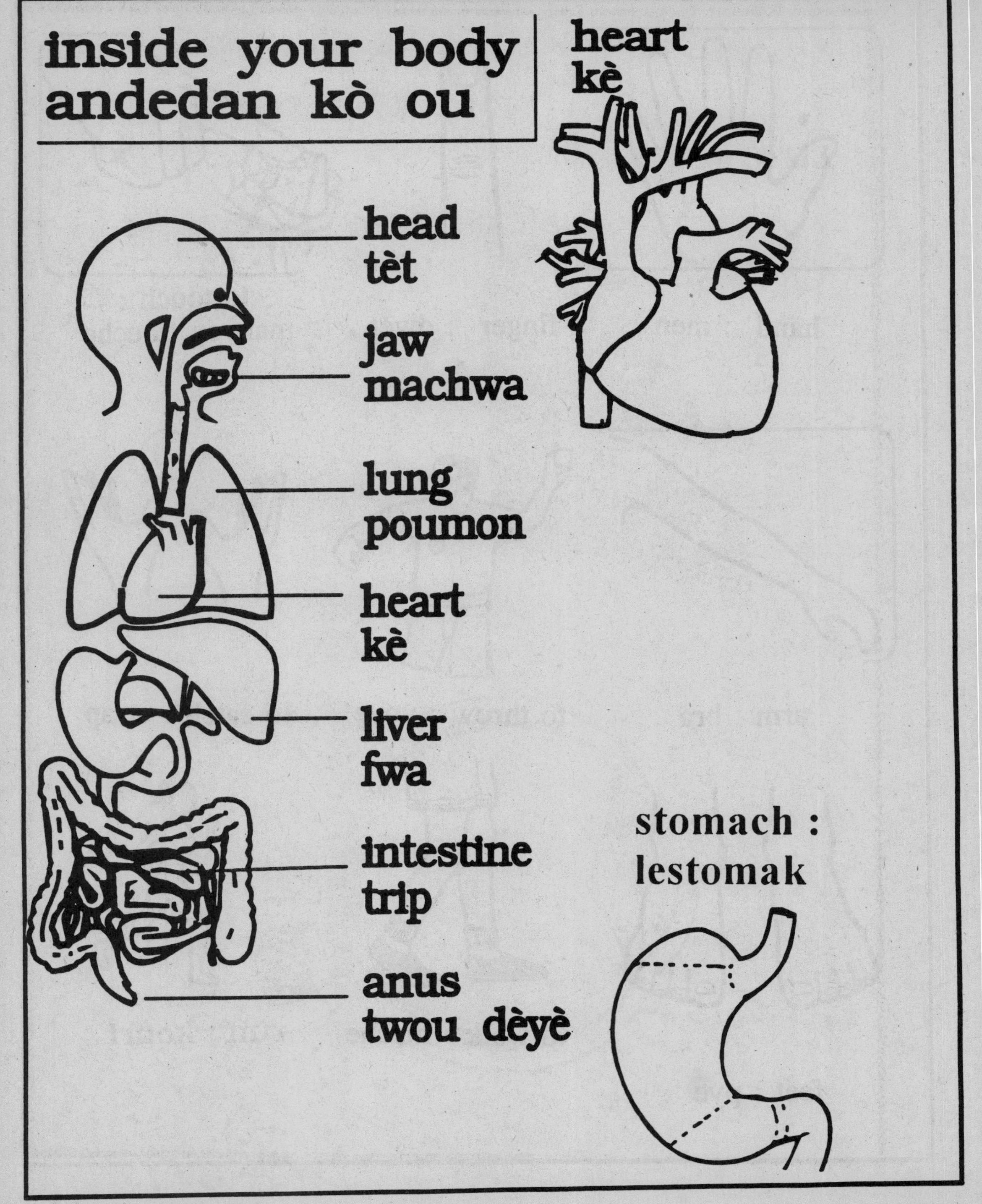
inside your body
andedan kò ou
heart
kè
head
tèt
jaw
machwa
lung
poumon
heart
kè
liver
fwa
intestine
trip
anus
twou dèyè
stomach :
lestomak

LUNG / POUMON

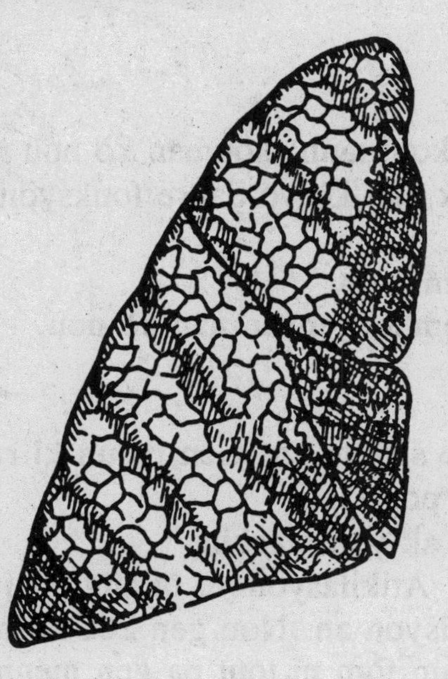

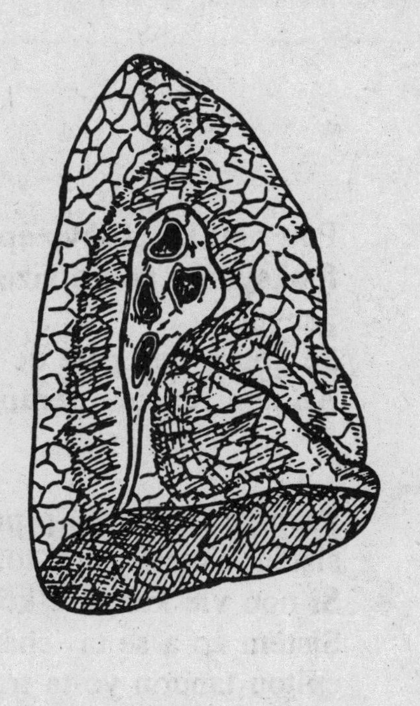

EYE : JE

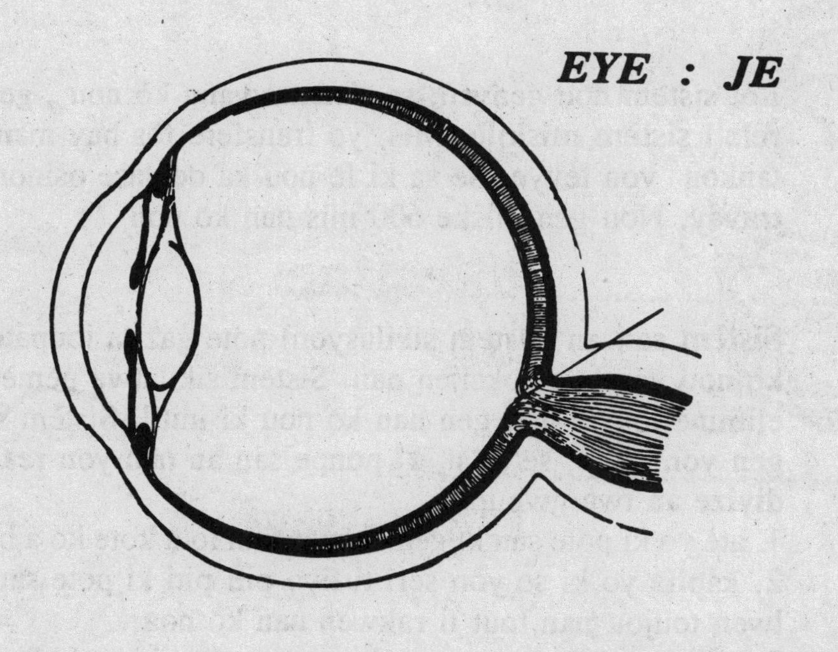

Sistèm kò nou

Pou nou ka obsève epitou konprann kouman kò nou fonksyone, nou divize chak pati kò yo dapre fonksyon yo genyen.
Se konsa nou pale de sistèm.
An nou revize diferan sistèm ki genyen nan kò nou.

Premye sistèm na p pale se **sistèm zo.** Gen moun ki rele l sistèm eskelèt; nou tou wè pou kisa.
Si nou vle konpare kò nou ak yon machin,
Sistèm zo a se ta chasi a. Atikilasyon yo ta angrenaj yo, epitou tandon yo ta transmisyon an. Nou gen 206 zo nan kò nou, men tout pa gen menm fòm ni tout pa gen menm gwosè.

Lòt sistèm nou genyen, se sistèm vyann kò nou , gen moun ki rele l **sistèm miskilè**. Mis yo transfere fòs bay manm yo, tankou yon levye. Se sa ki fè nou ka deplase osinon fè travay. Nou gen pliske 600 mis nan kò nou

Sistèm san an (sistèm sikilasyon) pote gaz la toupatou. Nan kò nou gaz la se oksijèn nan. Sistèm sikilatwa pèmèt kò nou elimine tou sa nou gen nan kò nou ki initil. Sistèm sikilatwa a gen yon ponp, se kè a, ki ponpe san an nan yon rezo tiyo ki divize an twa gwoup:
1, atè yo ki pote san ki gen oksijèn nan tout kote kò a bezwen
2, kapilè yo ki se yon seri ti tiyo piti piti ki pote san yo pi lwen toujou nan tout ti rakwen nan kò nou.
3, venn yo ki reprann san ki pa gen oksijèn ankò pou retounen al chaje yo ankò ak oksijèn nèf.

Sistèm respiratwa a limenm se li ki pote oksijèn pou san an ka rechaje . Li kòmanse ak twou nen yo, ale nan poumon yo.

Sistèm dijestif la brase epitou dijere tout sa nou manje. Sa nou bezwen yo, li kite yo antre andedan kò nou, andedan san nou pou ba nou fòs. Tout sa nou paka dijere osinon nou pa bezwen, li elimine yo lè nou al poupou. Sistèm dijestif la kòmanse nan bouch, pase nan lestomak, nan ti trip, nan gwo trip, ale nan twou dèyè.

Sistèm pipi a elimine dechè ki nan san nou. Sistèm sa a gen ladan l ren yo, tib ki pote pipi a nan blad pipi a epitou tib ki pran pipi a nan blad pipi a pou devèse l deyò. Si se yon fi, pipi a sòti nan yon ti twou ki pi wo antre vajen li. Si se yon gason, pipi a sòti nan pwent penis li.

Sistèm lenfatik la pwoteje nou kont tout kalite enfeksyon. Se nan sistèm sa a nou jwenn glann ki anfle lè nou gen lafyèv la.

Sistèm nè yo gen twa pati : sèvo a ki nan tèt nou, mwèl ki nan zo rèl do nou, epitou lòt koneksyon ki al tache nan tout rès kò a.

Sistèm andokrin kontwole trafik ant tout lòt sistèm yo. Li gen plizyè glann ladan l tankou pankreas, sirenal, grenn gason, ovè fi, timis, tiwoyd, ak lòt ankò.

Sistèm fè pitit, (Sistèm repwodiktif) se li ki pèmèt moun fè pitit. Pou fi ki genyen ovè, ovil, twonp, matris ak bouboun.
Pou gason, li genyen, grenn osinon testikil, jèm osinon espèmatozoyd, pijon.

system sistèm

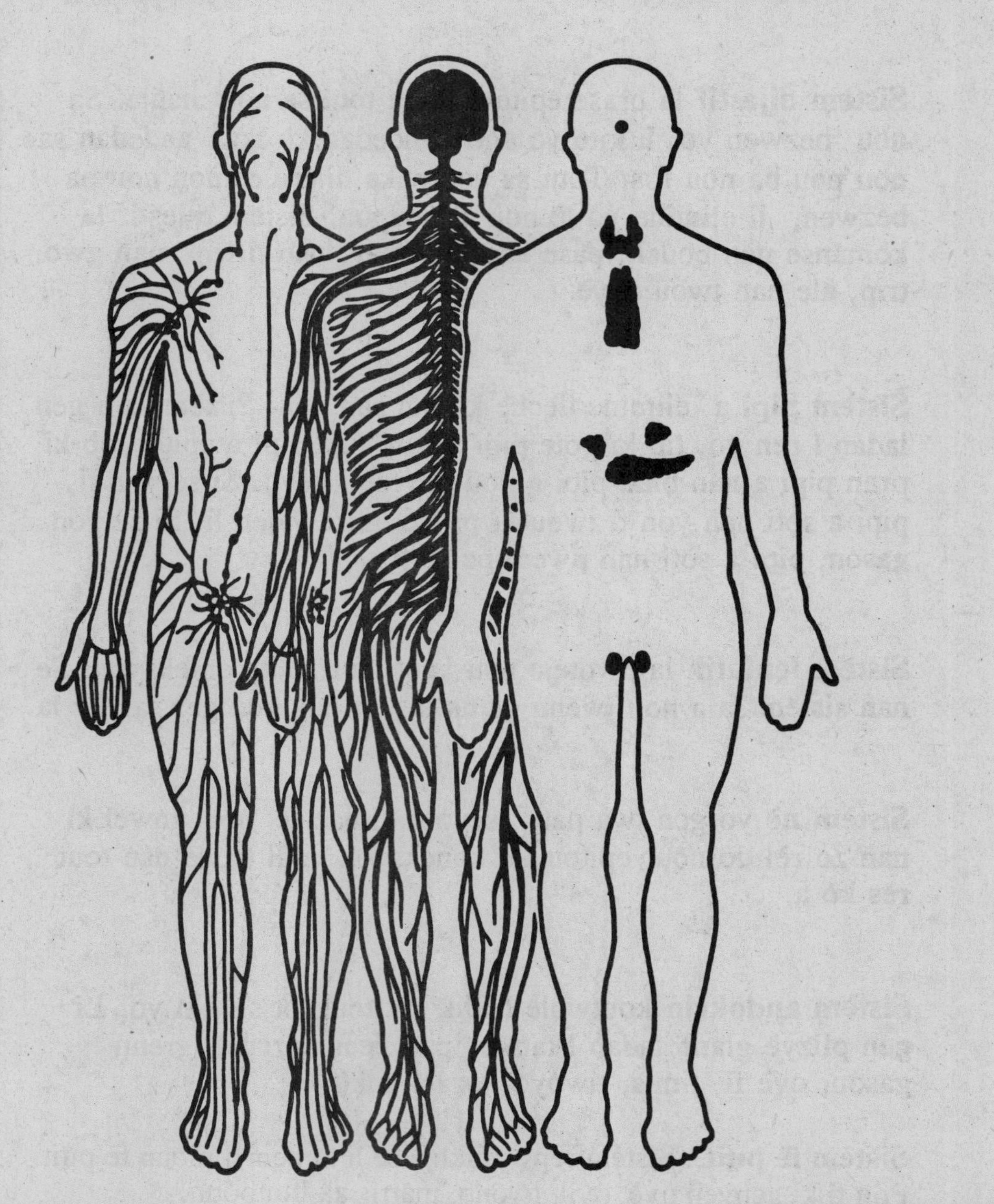
lymphatic
lenfatik
nervous
nè
endocrine
andokrin

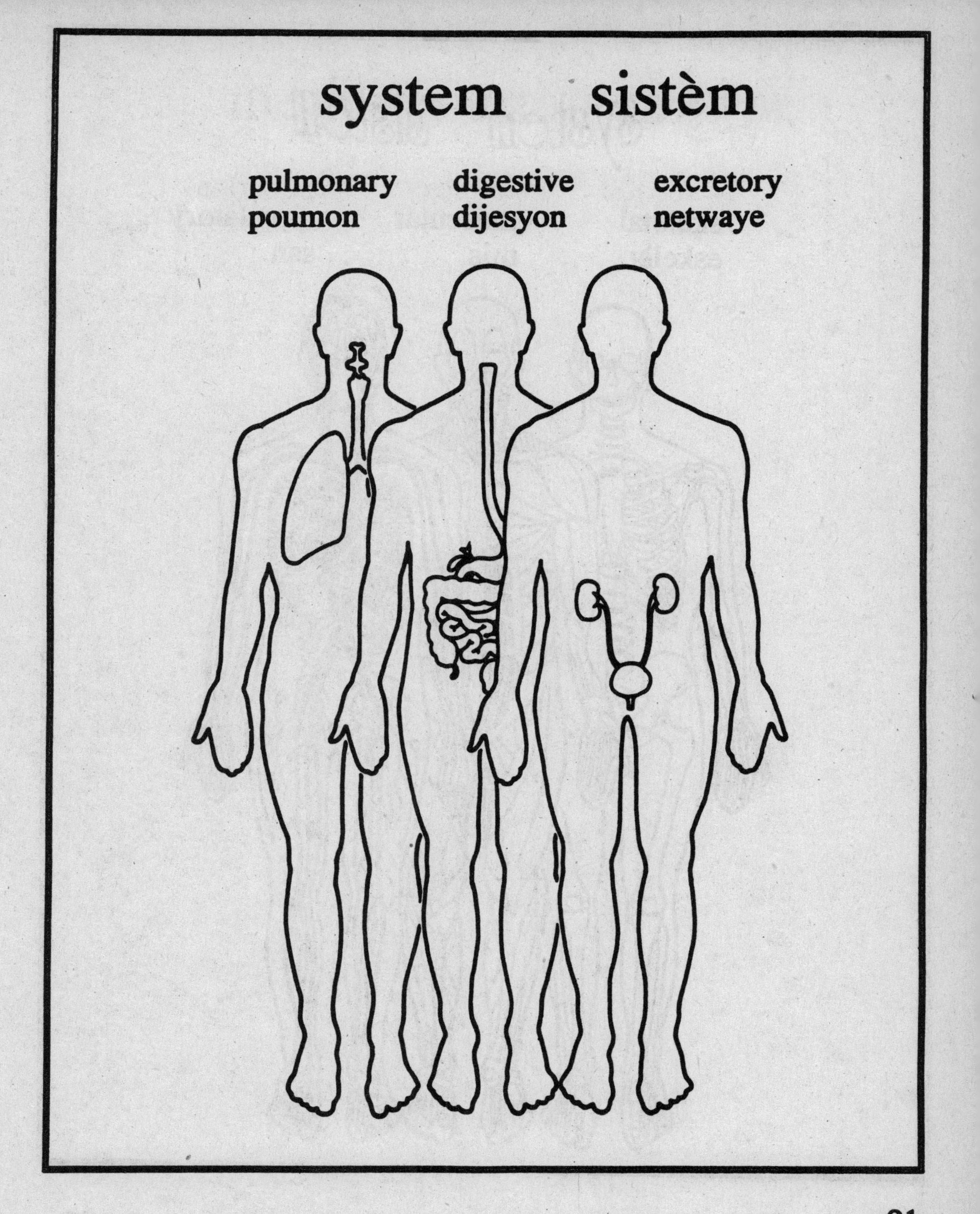
system sistèm
pulmonary
poumon
digestive
dijesyon
excretory
netwaye

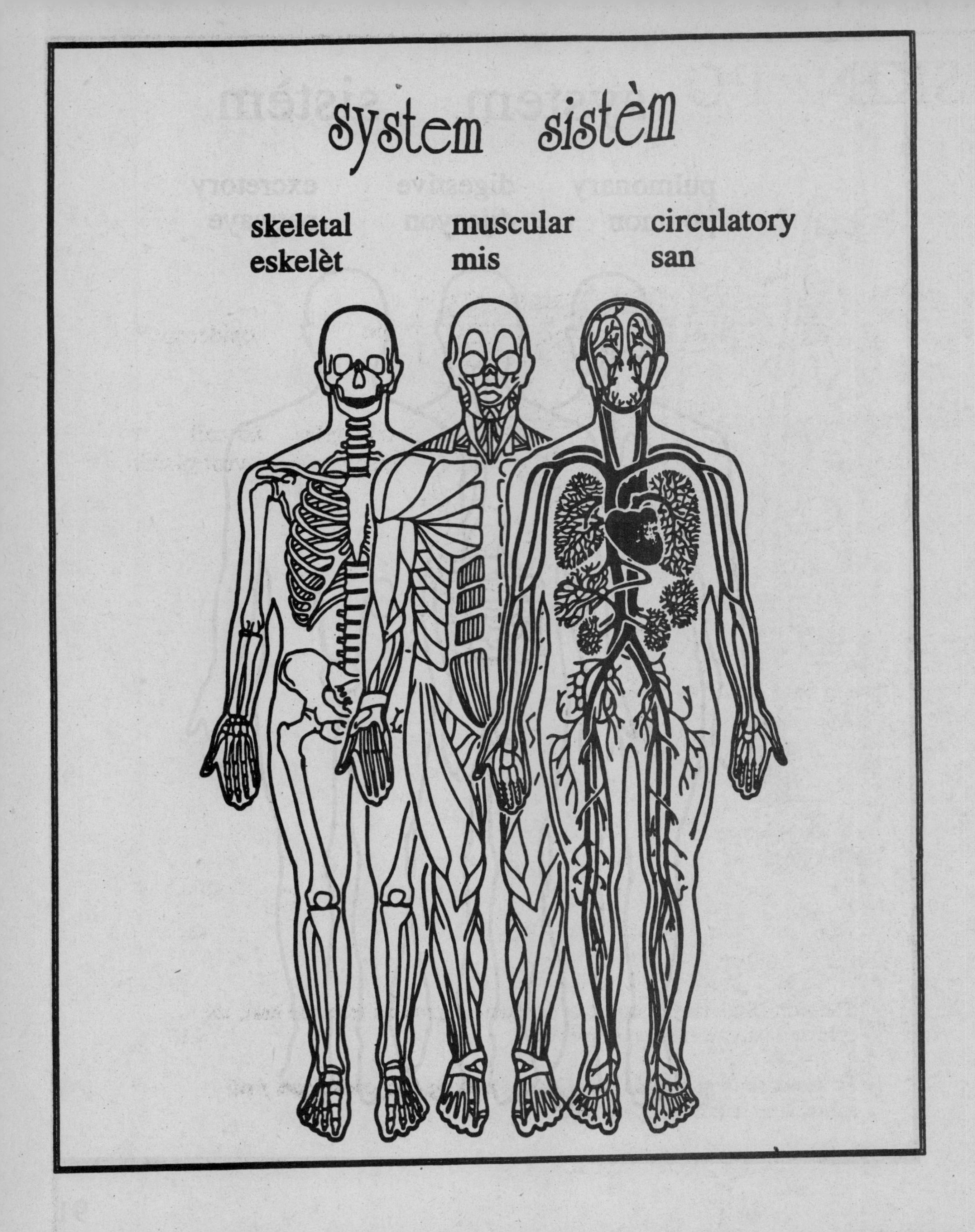
system sistèm
skeletal
eskelèt
muscular
mis
circulatory
san

SKIN: PO

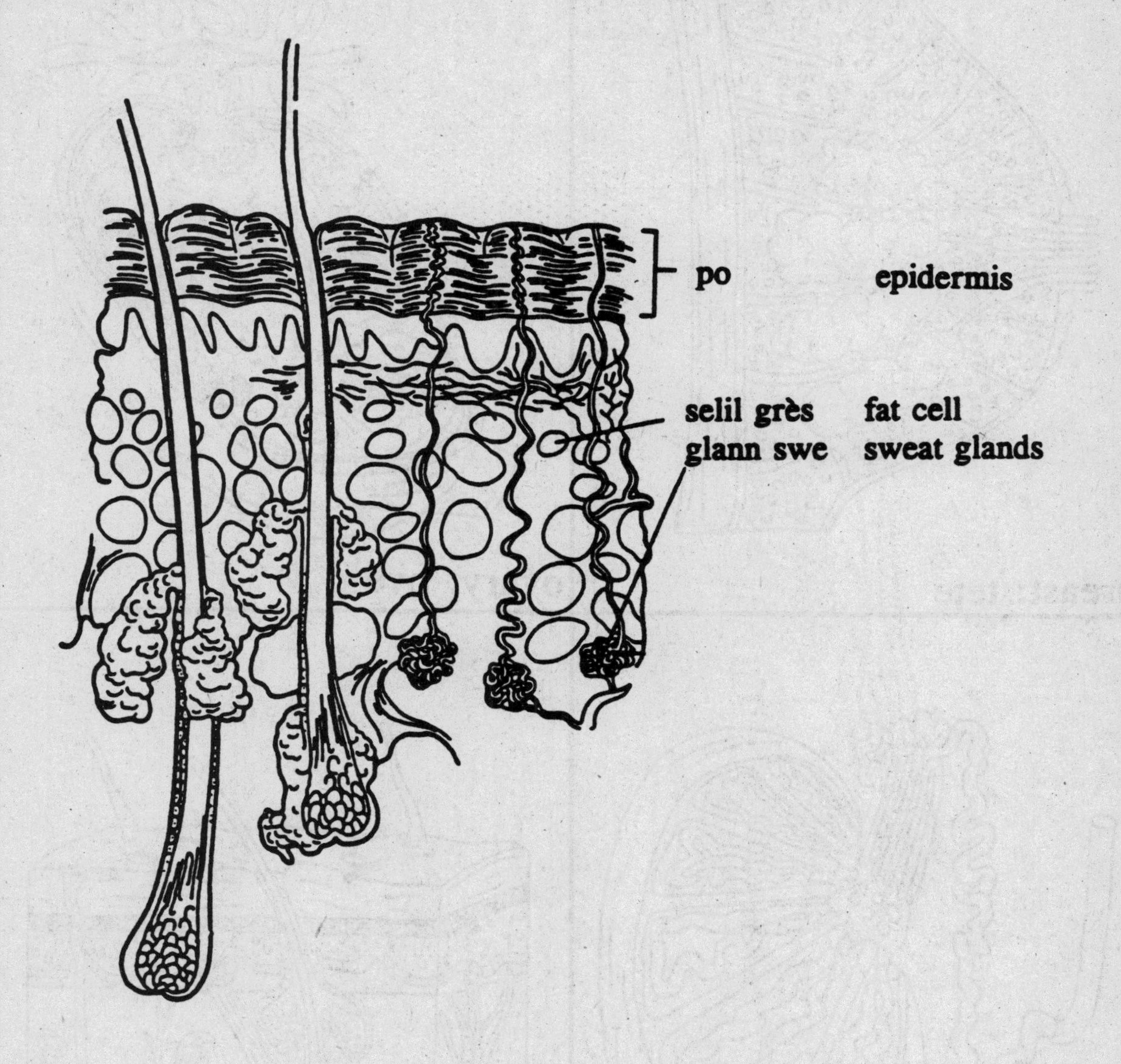
po
epidermis
selil grès
fat cell
glann swe
sweat glands

The skin is the largest organ in the body. It protects from the heat, the cold and various other intemperies.

Po moun se pi gwo ògàn nan kò a. Li pwoteje kont chalè, kont fredi epitou kont anpil lòt danje ankò.

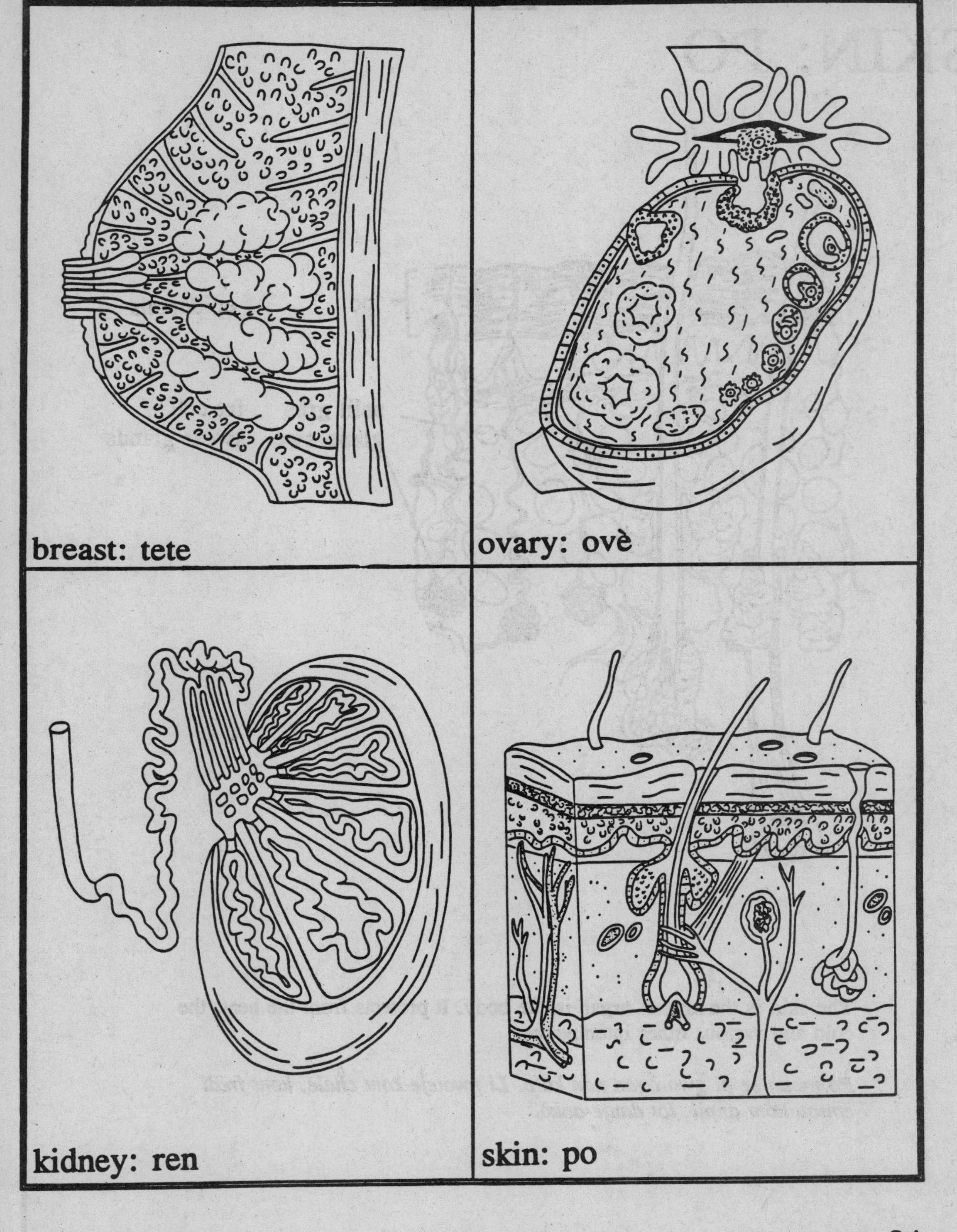
breast: tete
ovary: ovè
kidney: ren
skin: po

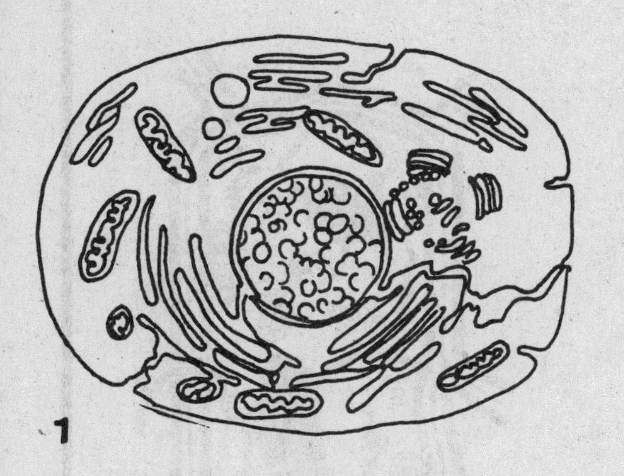
1

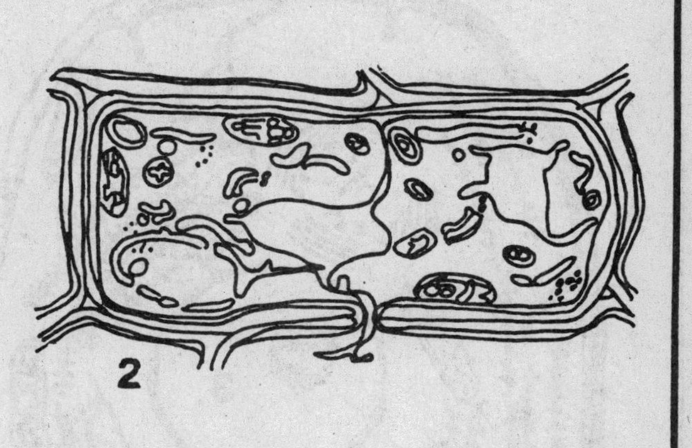
2

animal cell: selil bèt
plant cell: selil plant

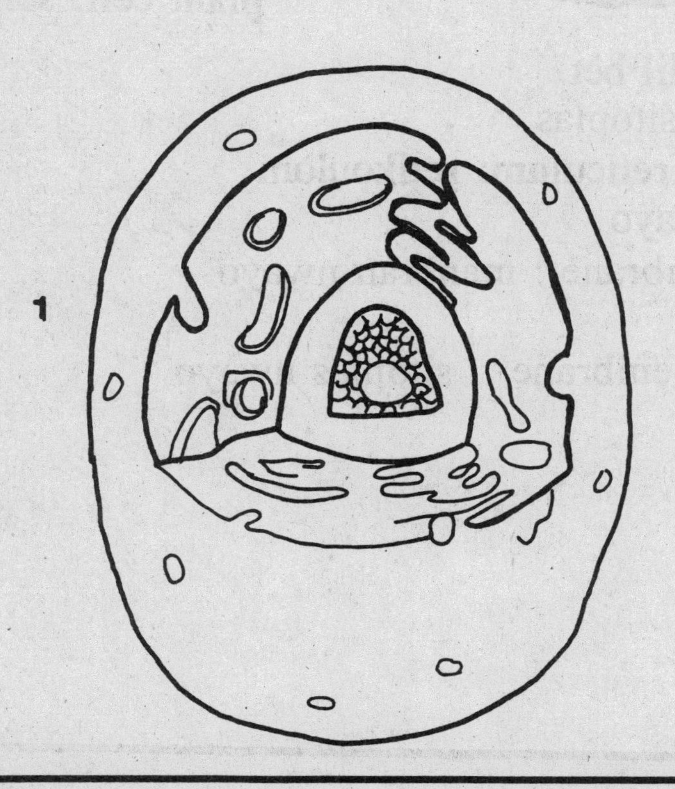
1

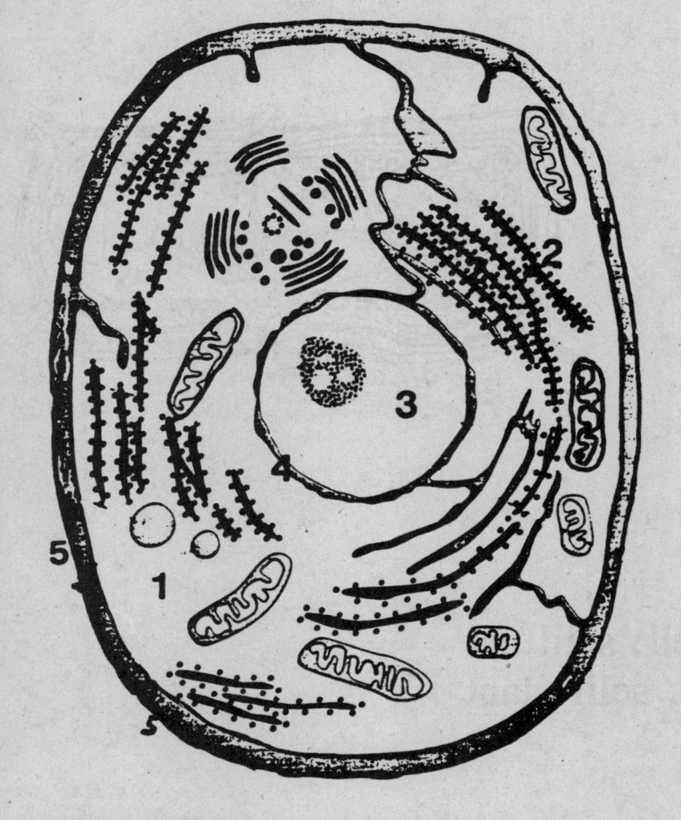

2
3
4
5
1
5

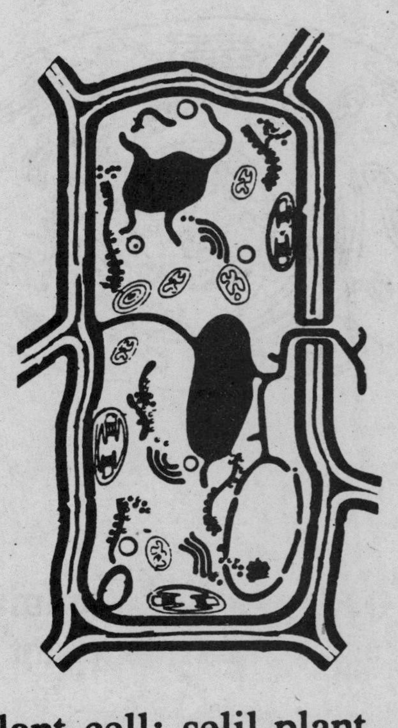

plant cell: selil plant

animal cell: selil bèt

1. Cytoplasm : sitoplas
2. **endoplasmic reticulum: retikoulòm**
3. **nucleus: nwayo**
4. nuclear membrane : manbràn nwayo

cytoplasm membrane : sitoplas nwayo

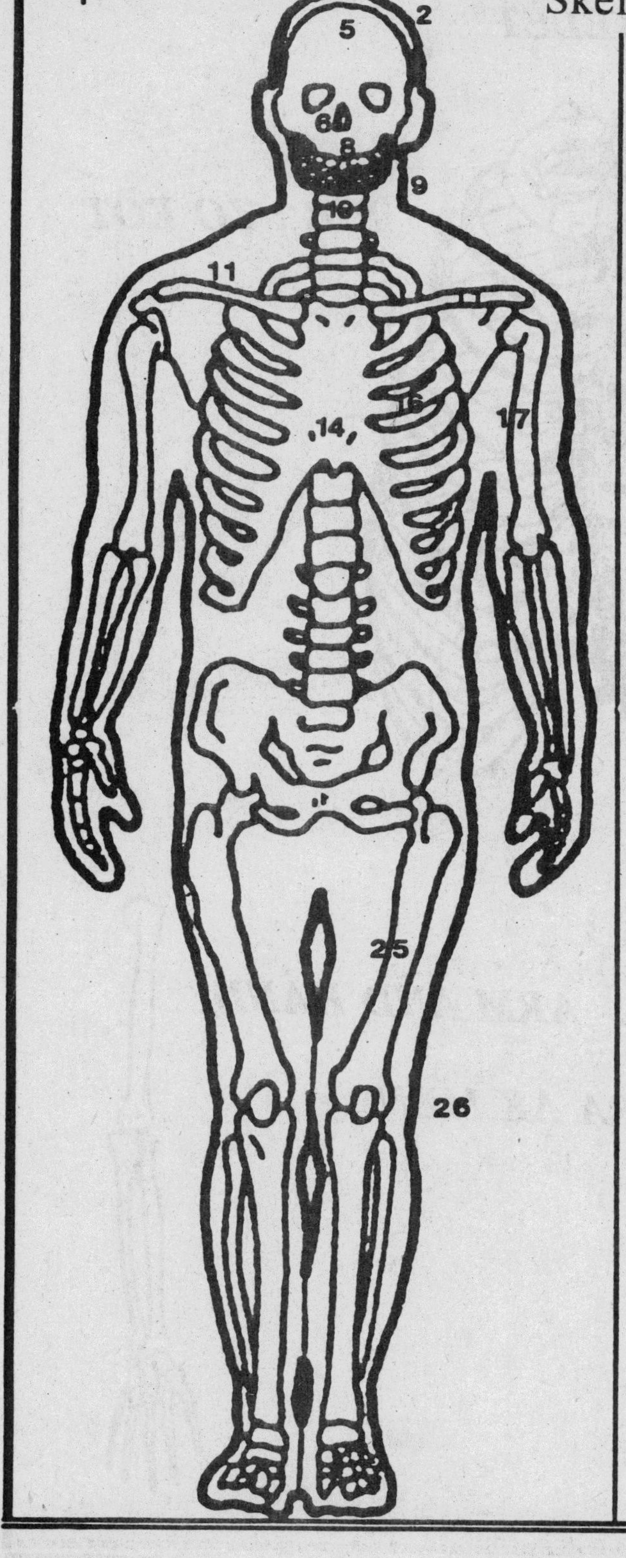
1
5
2
6
8
9
10
11
16
14
17
25
26

Skeletal System   Sistèm Eskelèt

The vital organs are protected by bones; the cranium protects the brain, the sternum,rib and vertebrae protect the organs in the chest. The body weight is supported by the hips

Pati ki frajil nan kò moun jwenn pwoteksyon nan zo eskelèt yo. Zo tèt la pwoteje sèvo a. Kòf lestomak la pwoteje kè, poumon ak lòt ògàn ki andedan l. Zo ren an pote chay kò a.

1. skeleton	1. eskelèt
2. parietal bone	2. zo tèt
3. occipital bone	3. zo dèyè tèt
4. temporal bone	4. zo tanp
5. frontal bone	5. zo fwon
6. nasal bone	6. zo nen
7. zigomatic bone	7. zo figi
8. maxilla	8. zo machwa anwo
9. mandible	9. zo machwa anba
10 cervical vertebrae	10 zo kou
11 clavicle	11 zo salyè
12 scapula	12 omoplat
13 manubrium	13 zo lestomak
14 body of the sternum	14 zo biskèt
15 xiphoid process	15 biskèt
16 true ribs	16 zo kòt
17 humerus	17 zo bra
18 radius	18 radiyis
19 ulna	19 kibitis
20 carpus	20 zo men
22 phalanges	22 zo dwèt
23 thoracic and lumbar vertebrae	23 zo do
24 coccyx	24 kòksis
25 femur	25 zo kuis
26 patella	26 kakòn jenou
27 tibia and fibula	27 zo janm
28 tarsus	28 tas
29 metatarsus	29 zo pye
30 phalanges	30 zo zotèy

SKELETON : ESKELÈT

THORAX : KÒF LESTOMAK

RIB : ZO KÒT

BONES : ARM AND HAND

ZO : BRA AK MEN

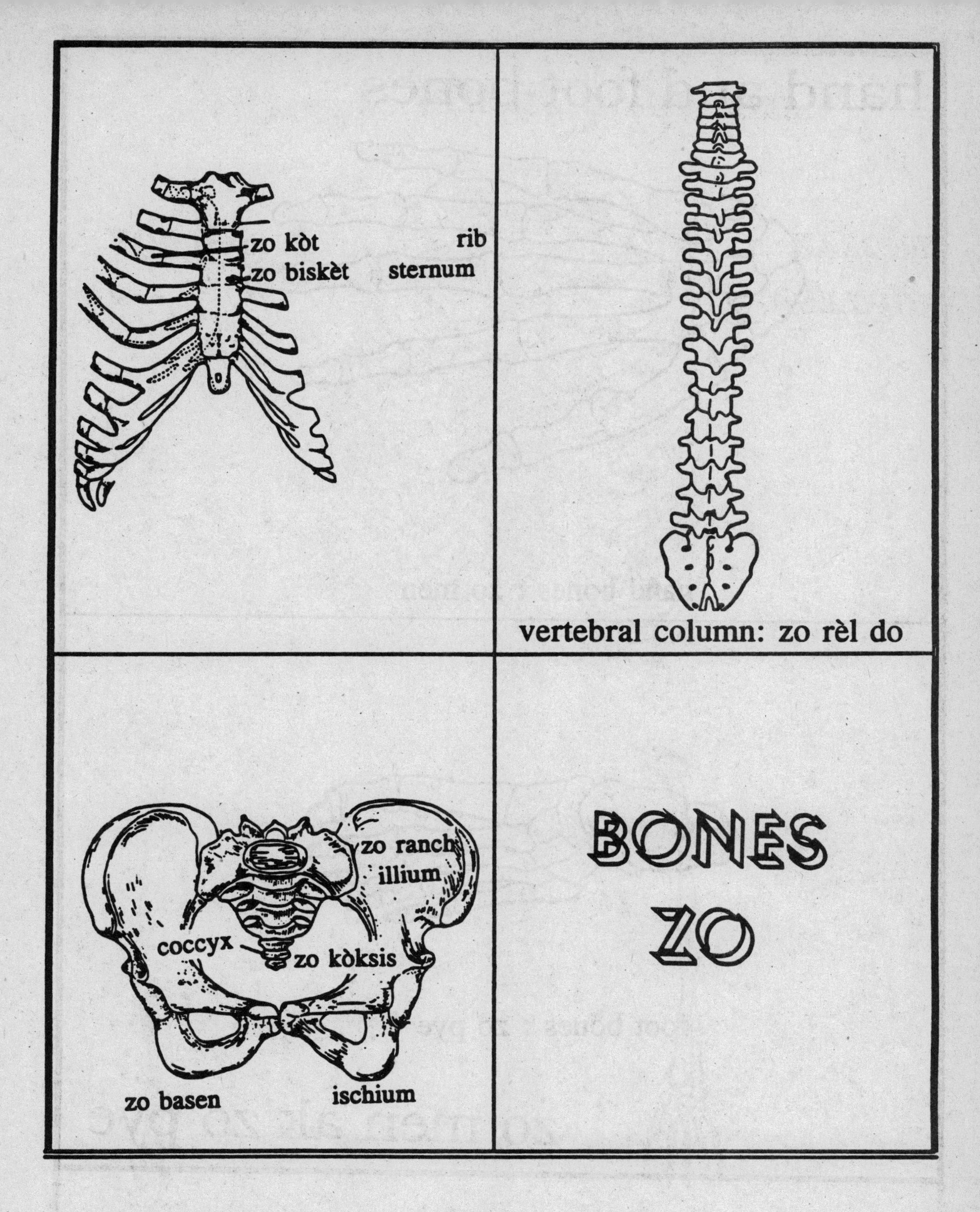
zo kòt
rib
zo biskèt
sternum
vertebral column: zo rèl do
zo ranch
illium
coccyx
zo kòksis
zo basen
ischium
BONES
ZO

hand and foot bones

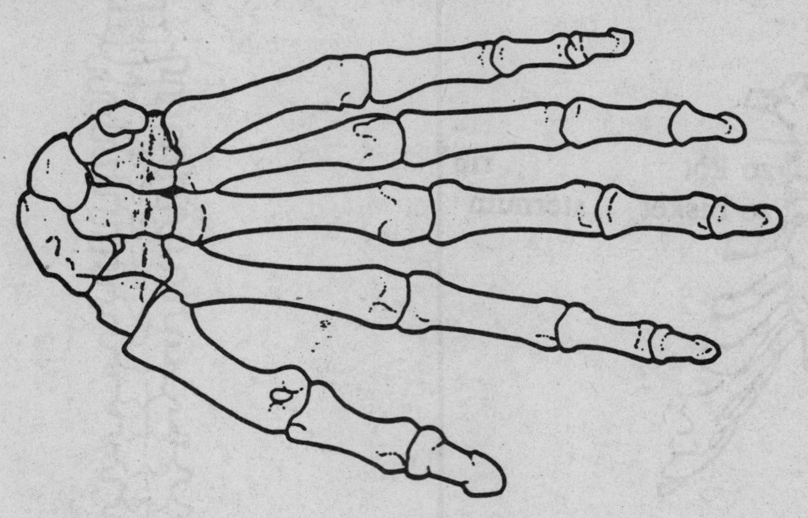

hand bones : zo men

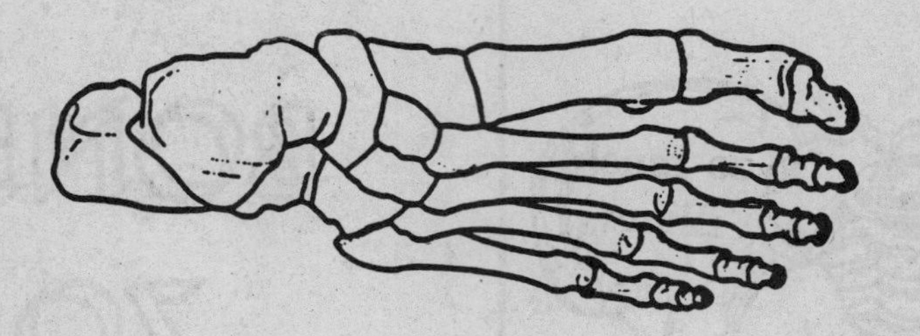

foot bones : zo pye

zo men ak zo pye

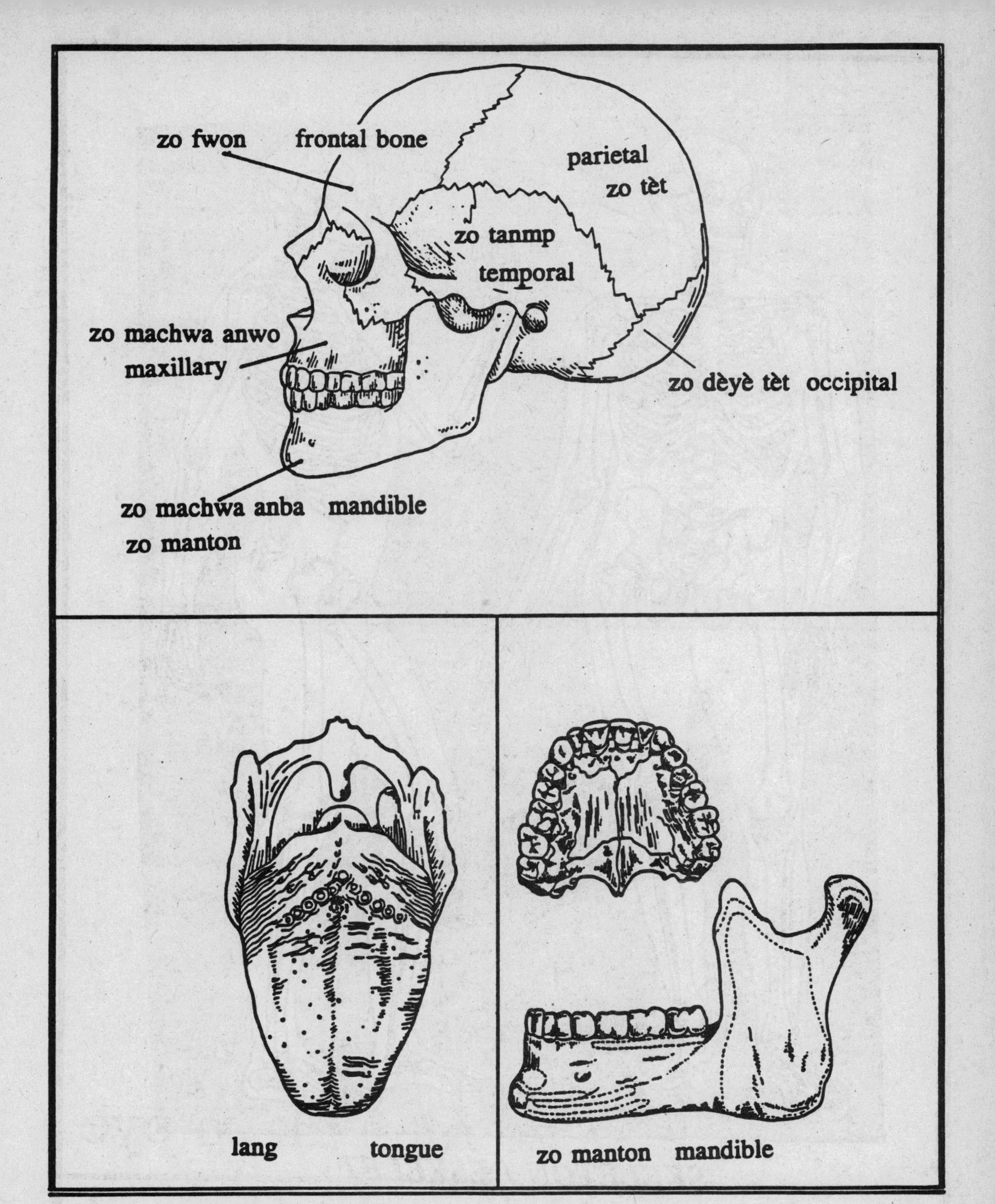
zo fwon
frontal bone
parietal
zo tèt
zo tanmp
temporal
zo machwa anwo
maxillary
zo dèyè tèt occipital
zo machwa anba mandible
zo manton
lang tongue
zo manton mandible

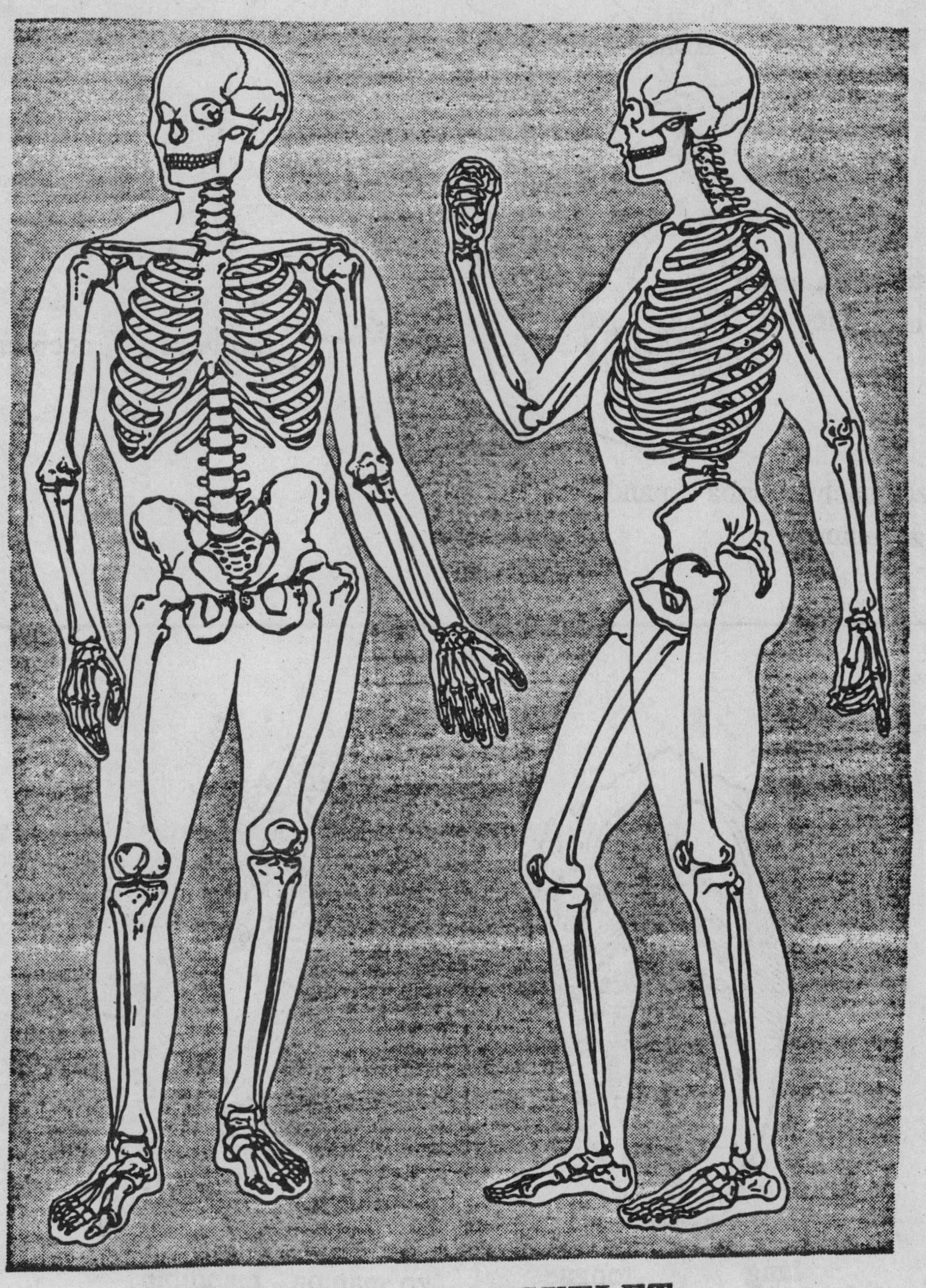

SKELETON / ESKELET

sistèm sikilatwa circulatory system

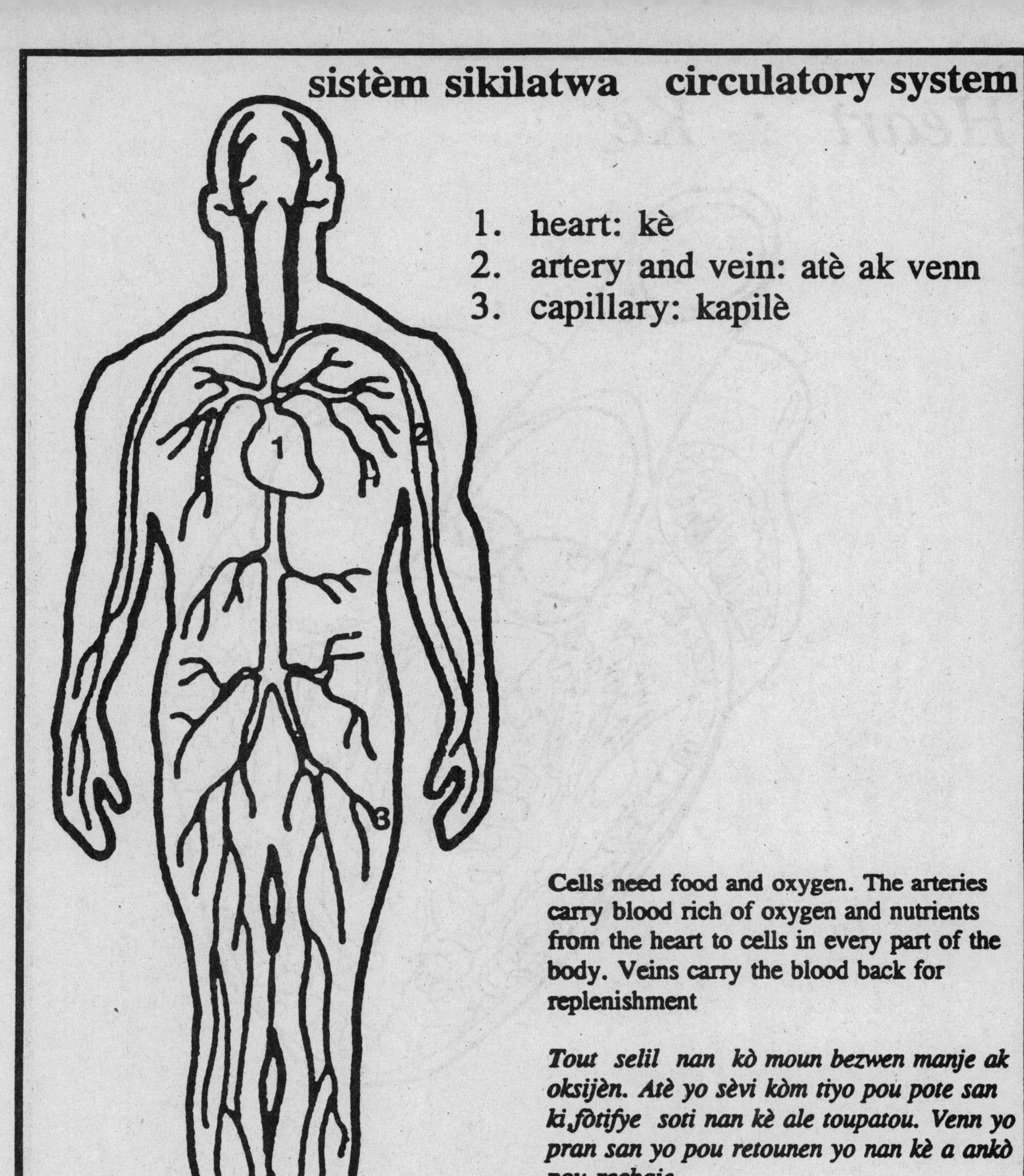
1
2
3

1. heart: kè
2. artery and vein: atè ak venn
3. capillary: kapilè

Cells need food and oxygen. The arteries carry blood rich of oxygen and nutrients from the heart to cells in every part of the body. Veins carry the blood back for replenishment

Tout selil nan kò moun bezwen manje ak oksijèn. Atè yo sèvi kòm tiyo pou pote san ki,fòtifye soti nan kè ale toupatou. Venn yo pran san yo pou retounen yo nan kè a ankò pou rechaje.

Heart : Kè

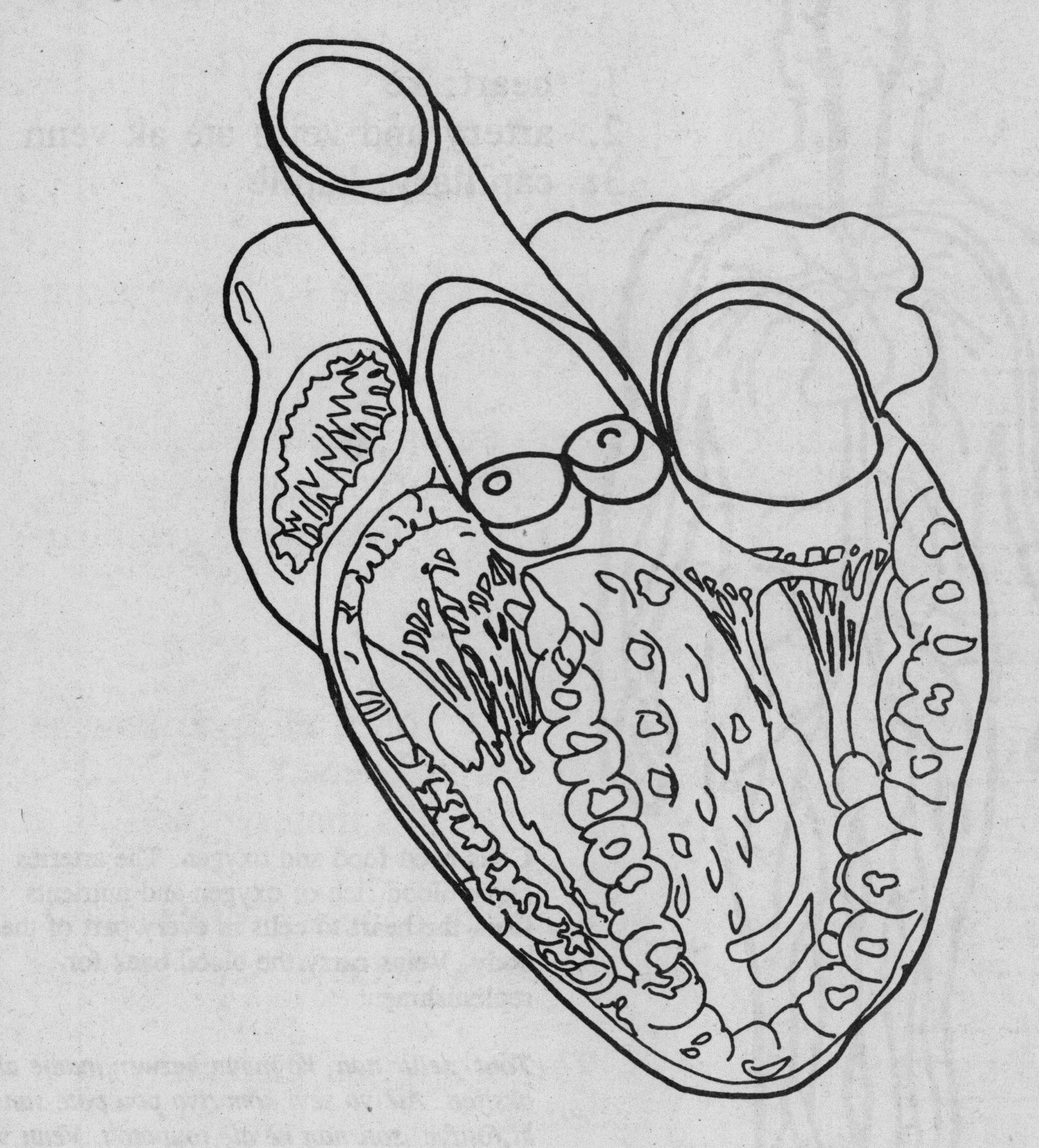

valves, cavities and muscle of the heart
valv, chanm ak mis ki gen nan kè

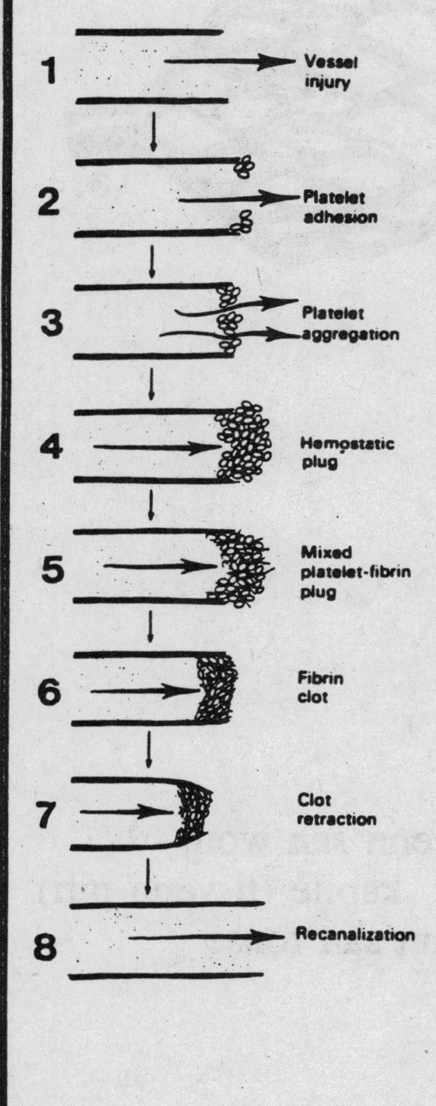
1
Vessel injury
2
Platelet adhesion
3
Platelet aggregation
4
Hemostatic plug
5
Mixed platelet-fibrin plug
6
Fibrin clot
7
Clot retraction
8
Recanalization

artery: venn san wouj
vein: venn san fonse
capillary: kapilè (ti venn piti, ti atè piti)

Lè yon moun blese, li koupe swa yon atè, swa yo venn oswa yon kapilè. Pou li ka geri, gen plizyè etap:

1. Kanal san an koupe
2. Kò a fè yon ti efò pou bouche kanal san ki koupe a
3. Kò a fè plis materyo pou bouche kanal la
4. Kanal la bouche, li fè yon kwout pou pwoteje kote ki blese a.
5. Reparasyon an kòmanse pa andedan.
6. Reparasyon an pi avanse
7. Wout kòmanse fèt pou san an pase nòmalman.
8. San pase nòmalman

1
2
3

1. red blood cells :
   globil wouj

2. plasma fluid :
   dlo plasma

3. white blood cells :
   globil blan

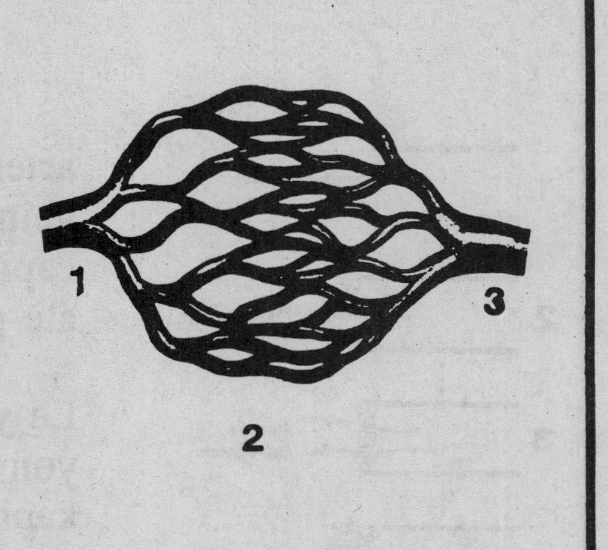
1
2
3

1. **artery: venn san wouj**
2. **capillary: kapilè (ti venn piti)**
3. **vein: venn san fonse**

sistèm dijestif   digestive system

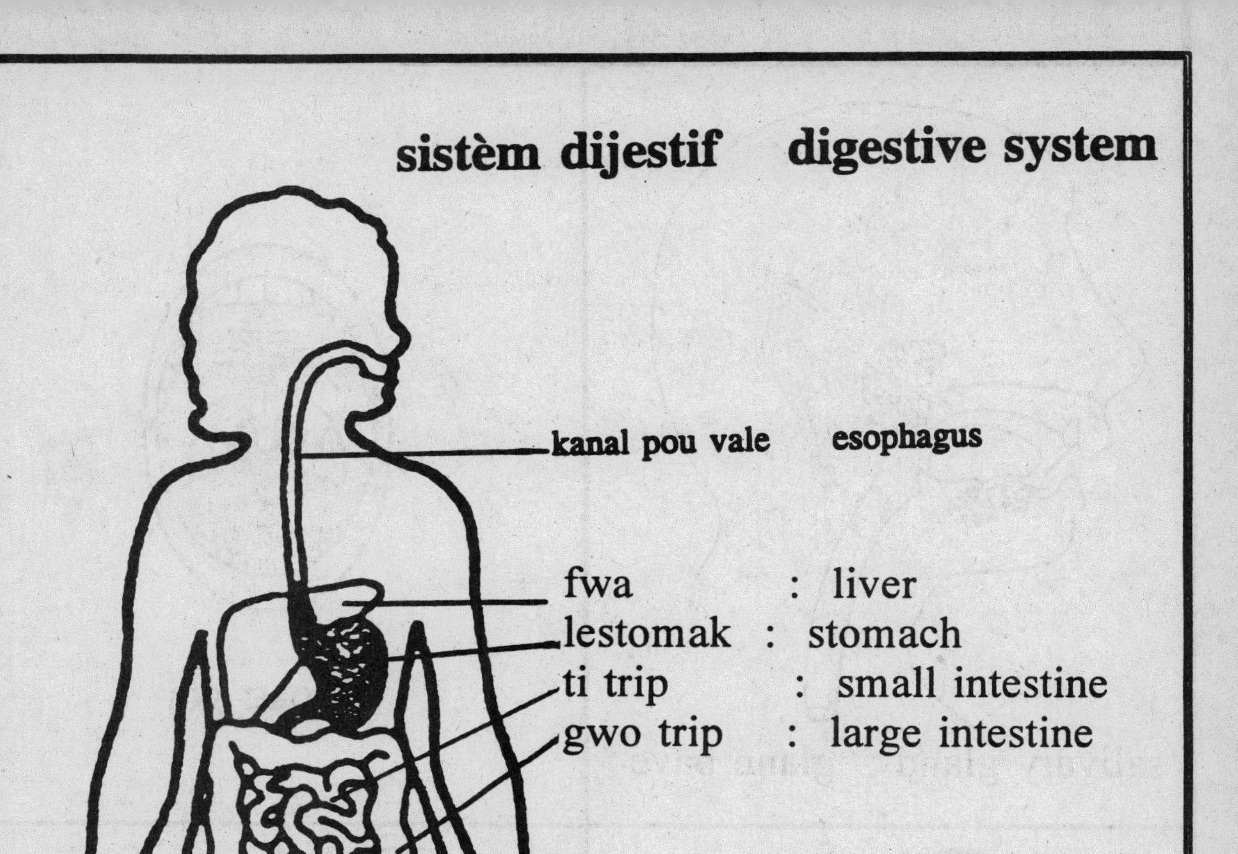

kanal pou vale   esophagus
fwa : liver
lestomak : stomach
ti trip : small intestine
gwo trip : large intestine

Dijesyon se mwayen pou retire fòtifyan nan manje. Li kòmanse nan bouch, al nan lestomak, al nan entesten. Fwa, pankreyas ak lòt ògàn founi pwodui chimik pou fè dijesyon mache.

Digestion is the process of breaking down food into nutrients usable by the body. It starts in the mouth then the esophagus, the stomach, the intestine. Liver, pancreas and other organs provide various chemical useful in the digestion process

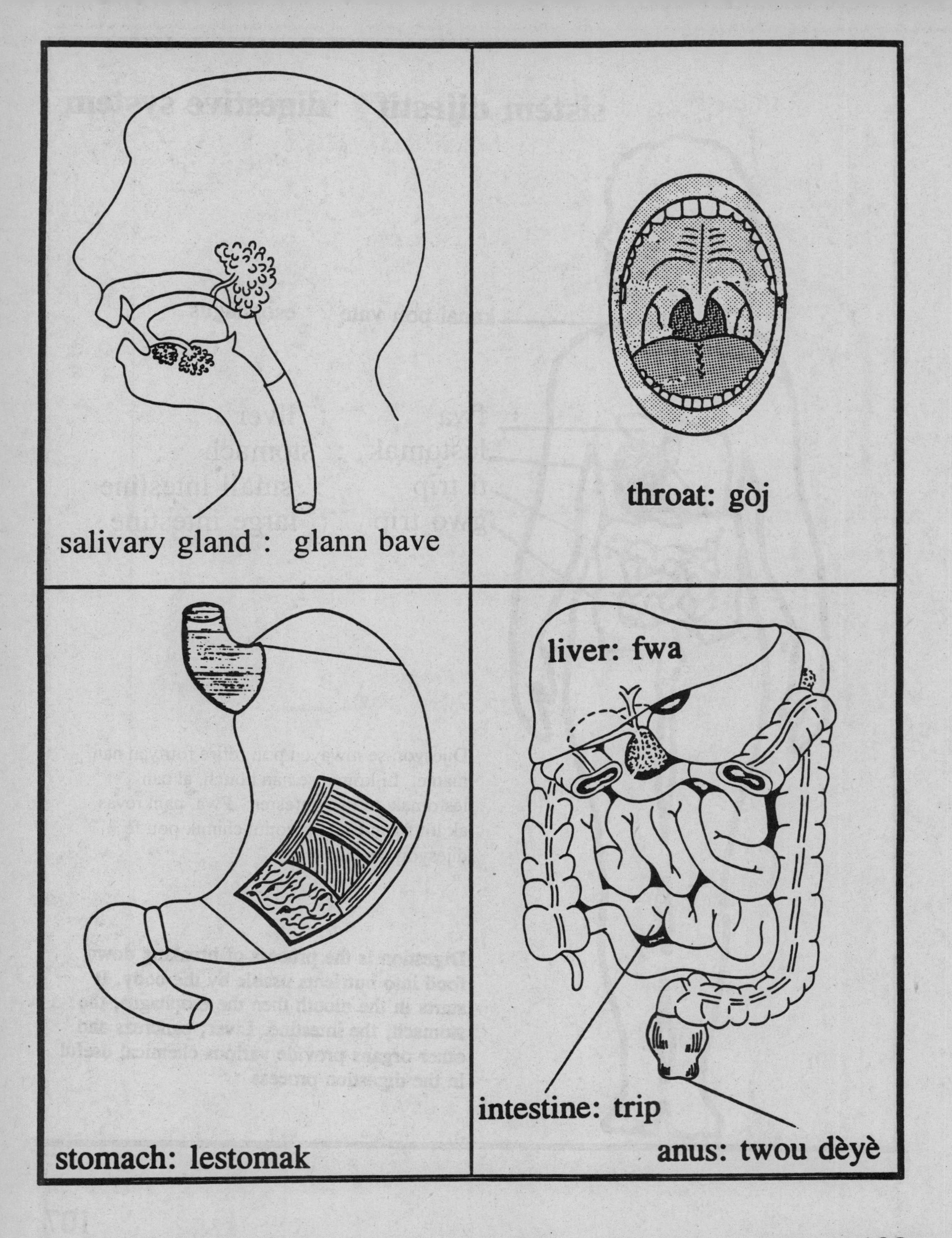
salivary gland : glann bave
throat: gòj
liver: fwa
stomach: lestomak
intestine: trip
anus: twou dèyè

urinary system
sistèm pipi

kidney
ren

bladder
blad pipi

sistèm nè nervous system

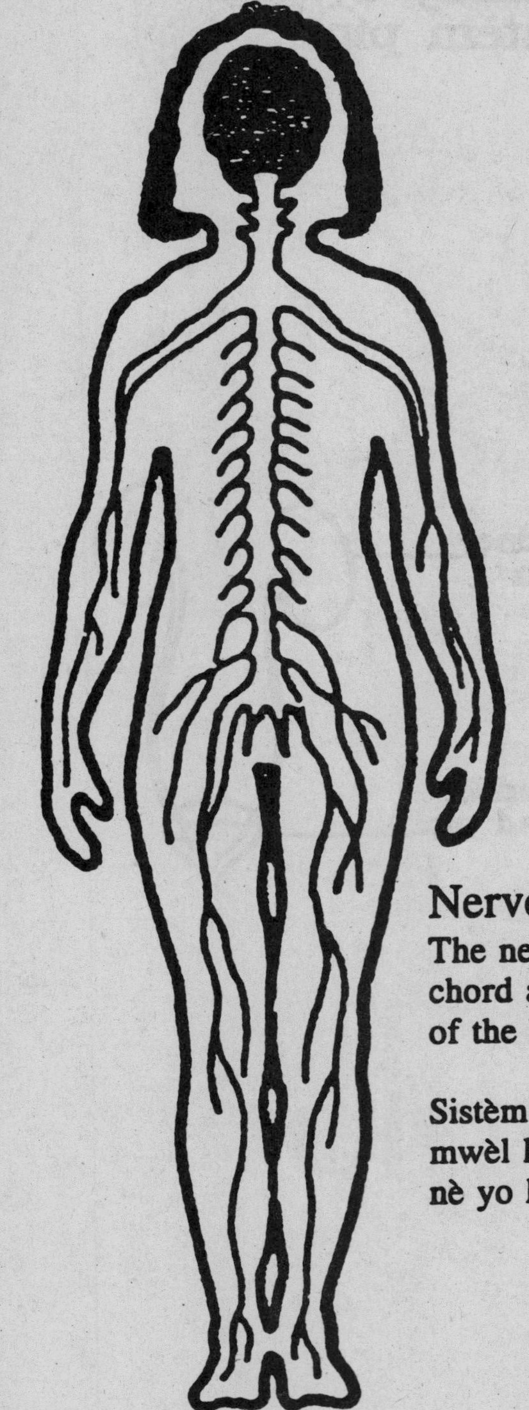

Nervous system: Systèm nè

The nervous system includes the brain, the spinal chord and the nerve tract connecting to the rest of the body.

Sistèm nè a gen twa pati : sèvo a ki nan tèt nou, mwèl ki nan zo rèl do nou, epitou lòt koneksyon nè yo ki al tache nan tout rès kò a.

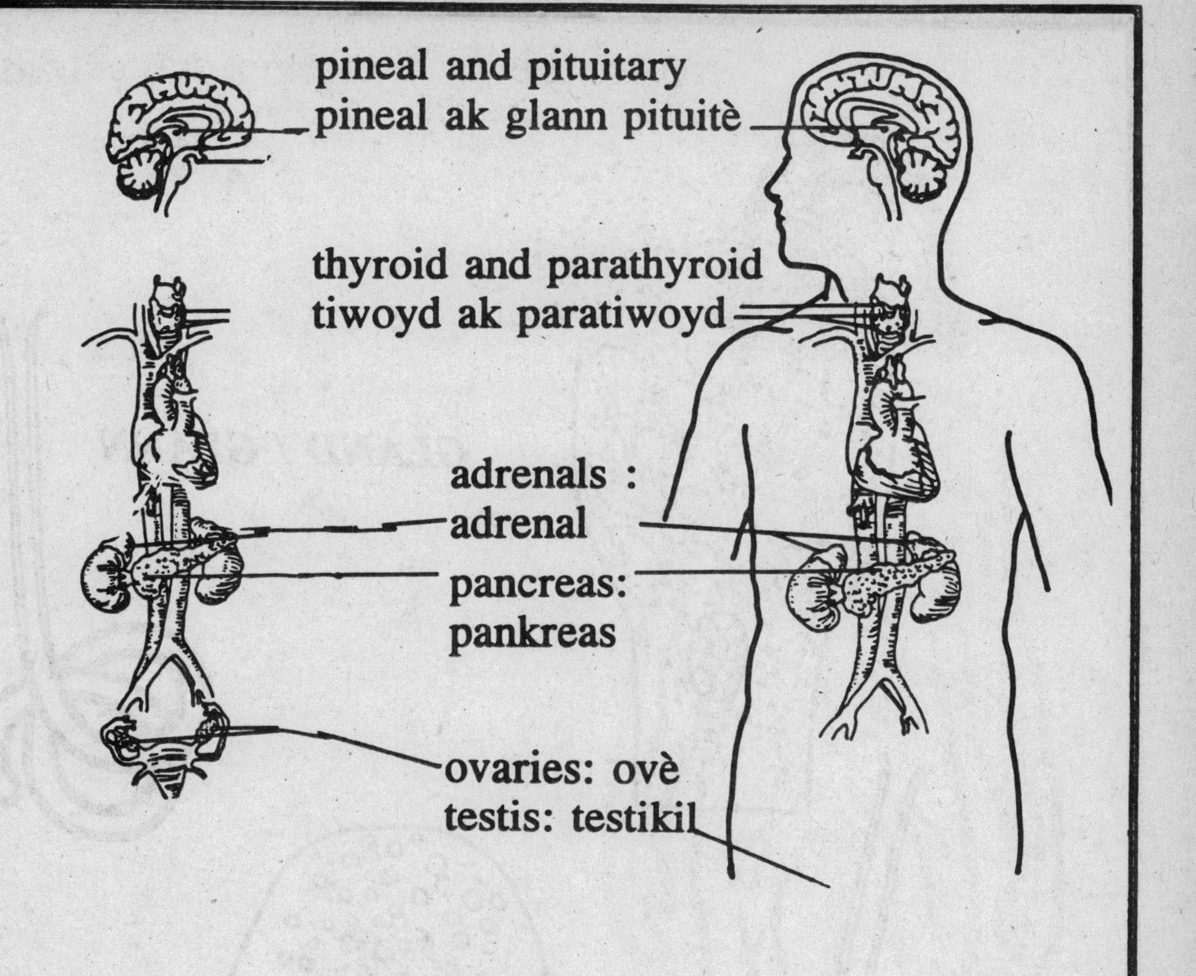
pineal and pituitary
pineal ak glann pituitè
thyroid and parathyroid
tiwoyd ak paratiwoyd
adrenals :
adrenal
pancreas:
pankreas
ovaries: ovè
testis: testikil

glands : glann

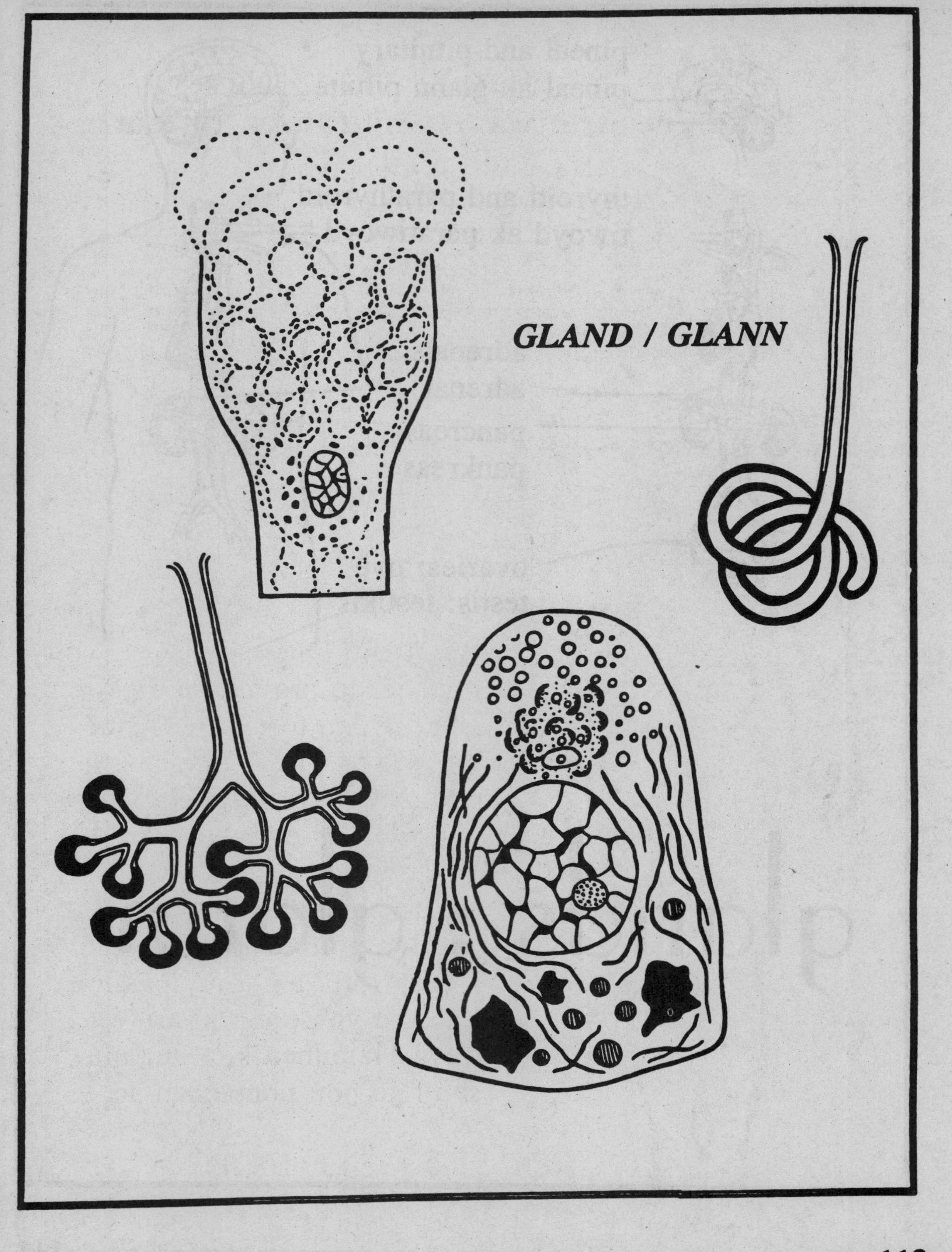
GLAND / GLANN

sistèm respiratwa   respiratory system

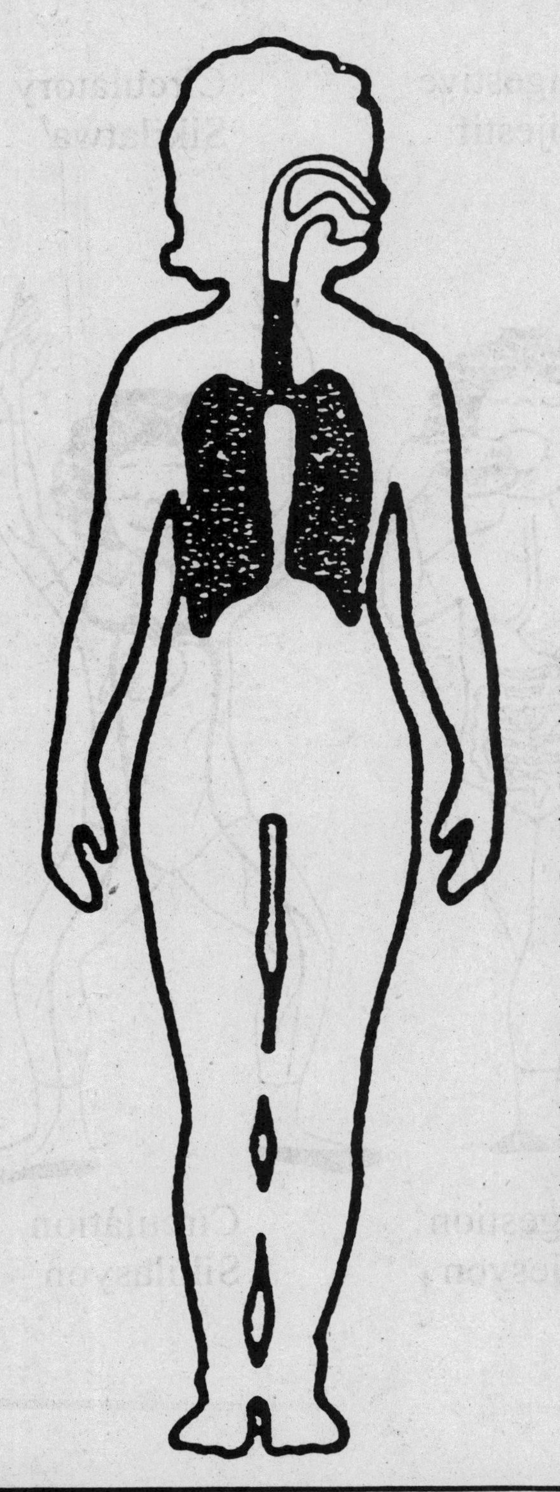

Heart and lungs work together to provide nutrients and oxygen to every part of the body. The heart contracts day and night to pump blood everywhere.

Kè ak poumon travay ansanm pou voye monte san ki gen fòtifyan an toupatou. Kè a se yon ponp ki ap travay lajounen kou lannuit san rete pou ponpe san an.

System: Sistèm

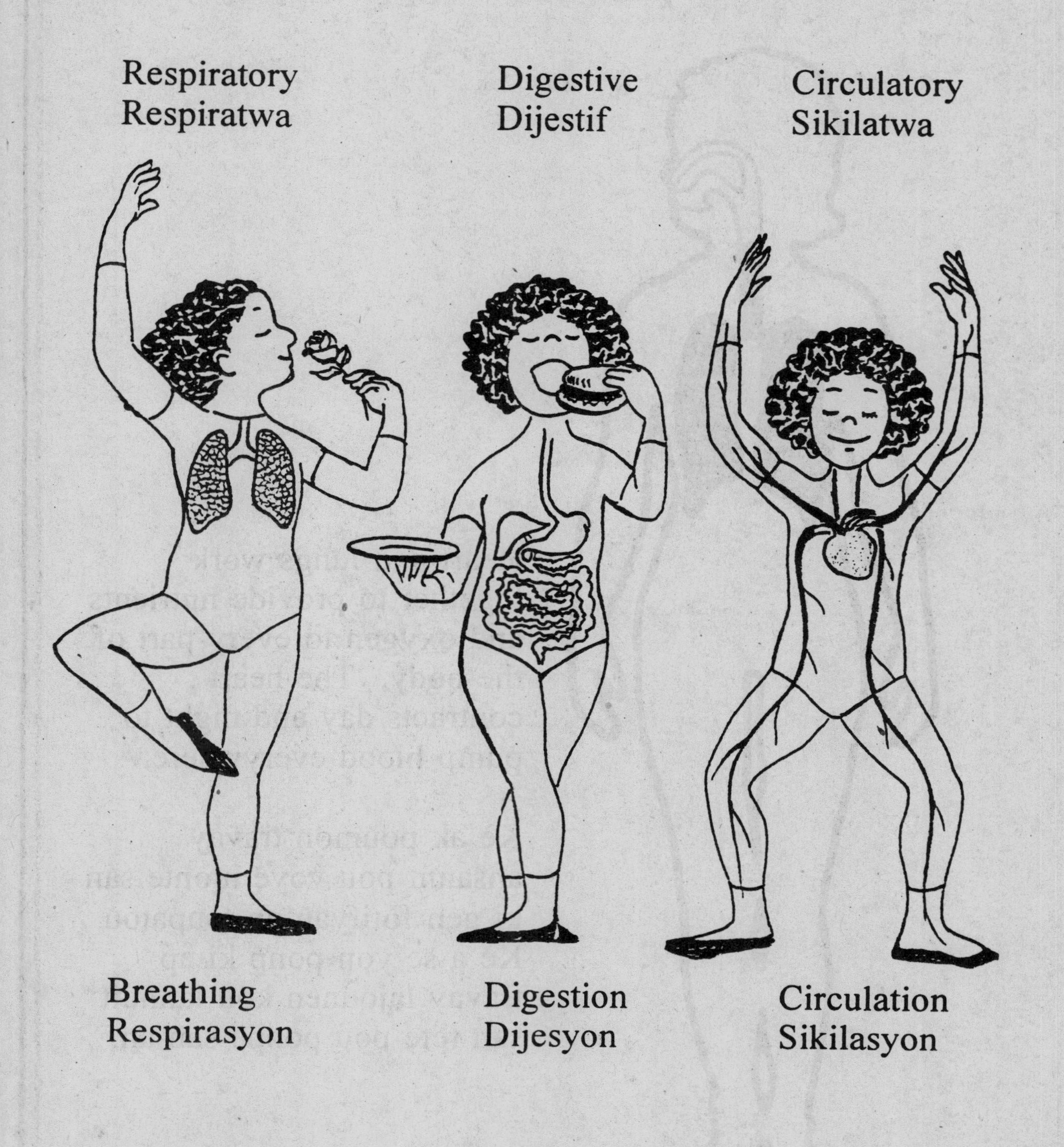
Respiratory
Respiratwa
Digestive
Dijestif
Circulatory
Sikilatwa
Breathing
Respirasyon
Digestion
Dijesyon
Circulation
Sikilasyon

first aid
hospital
health

premye swen
lopital
lasante

to fall : tonbe
falling : tonbe
to choke : toufe
choking : toufe
auto accident:
aksidan oto
fire : dife
to drown: nwaye
drowing: nwaye
fall : tonbe
falling: tonbe
first aid: pote sekou
premye swen
car collision :
kolizyon
scared: pè

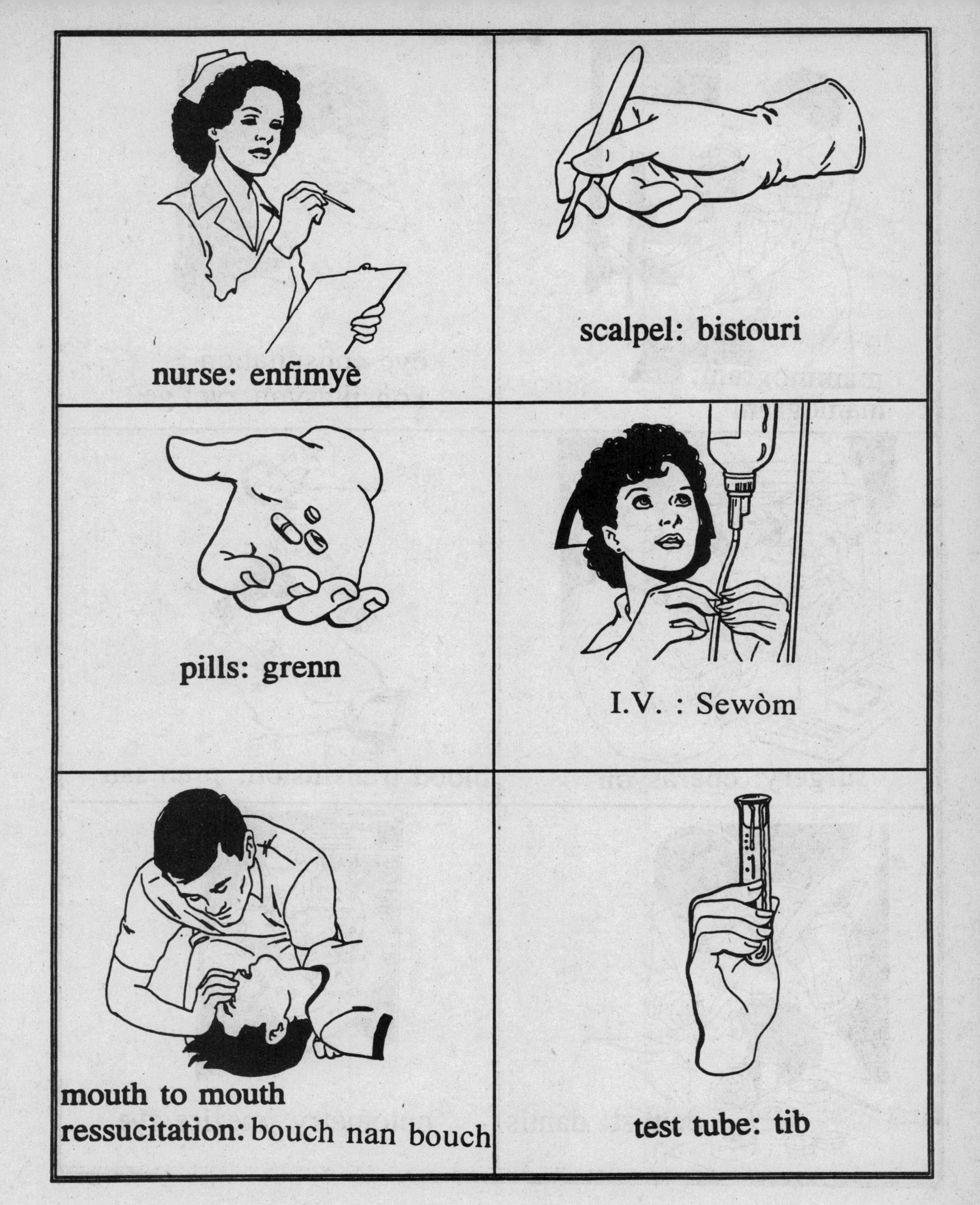
nurse: enfimyè
scalpel: bistouri
pills: grenn
I.V. : Sewòm
mouth to mouth
ressucitation: bouch nan bouch
test tube: tib

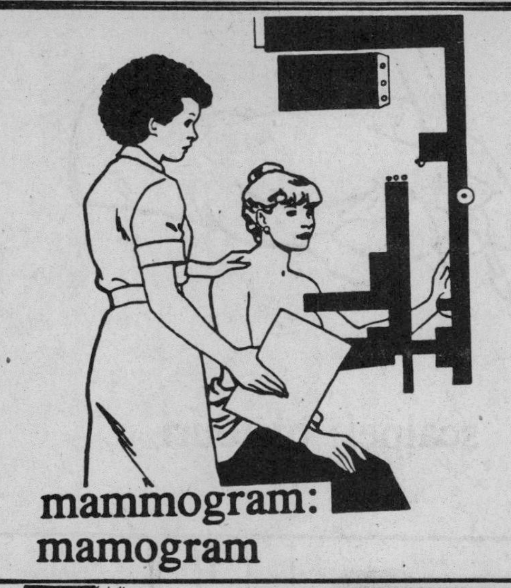

mammogram:
mamogram

eye consultation :
konsiltasyon zye, ge

surgery: operasyon

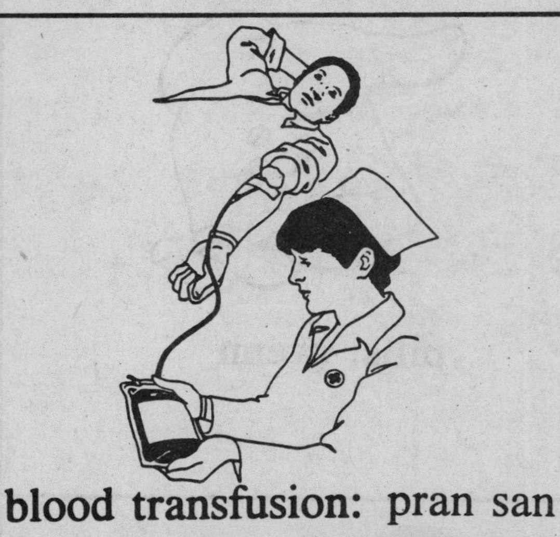

blood transfusion: pran san

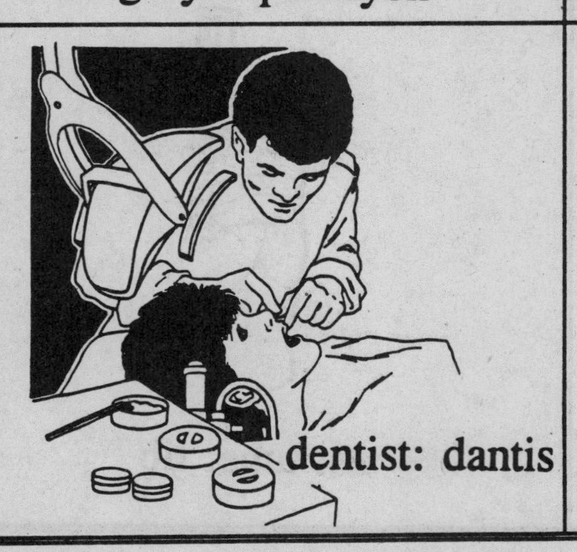

dentist: dantis

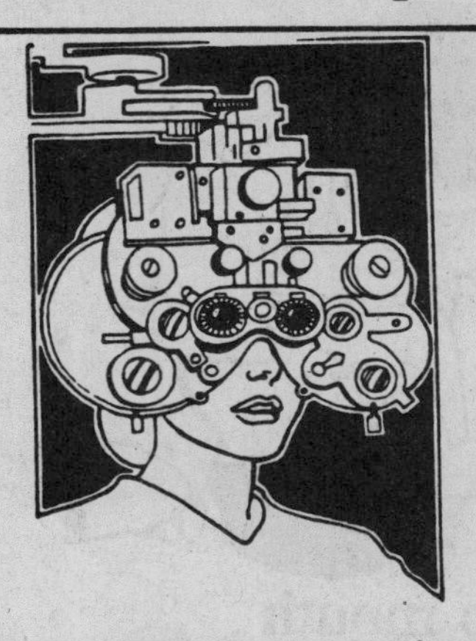

optometry: mezire zye

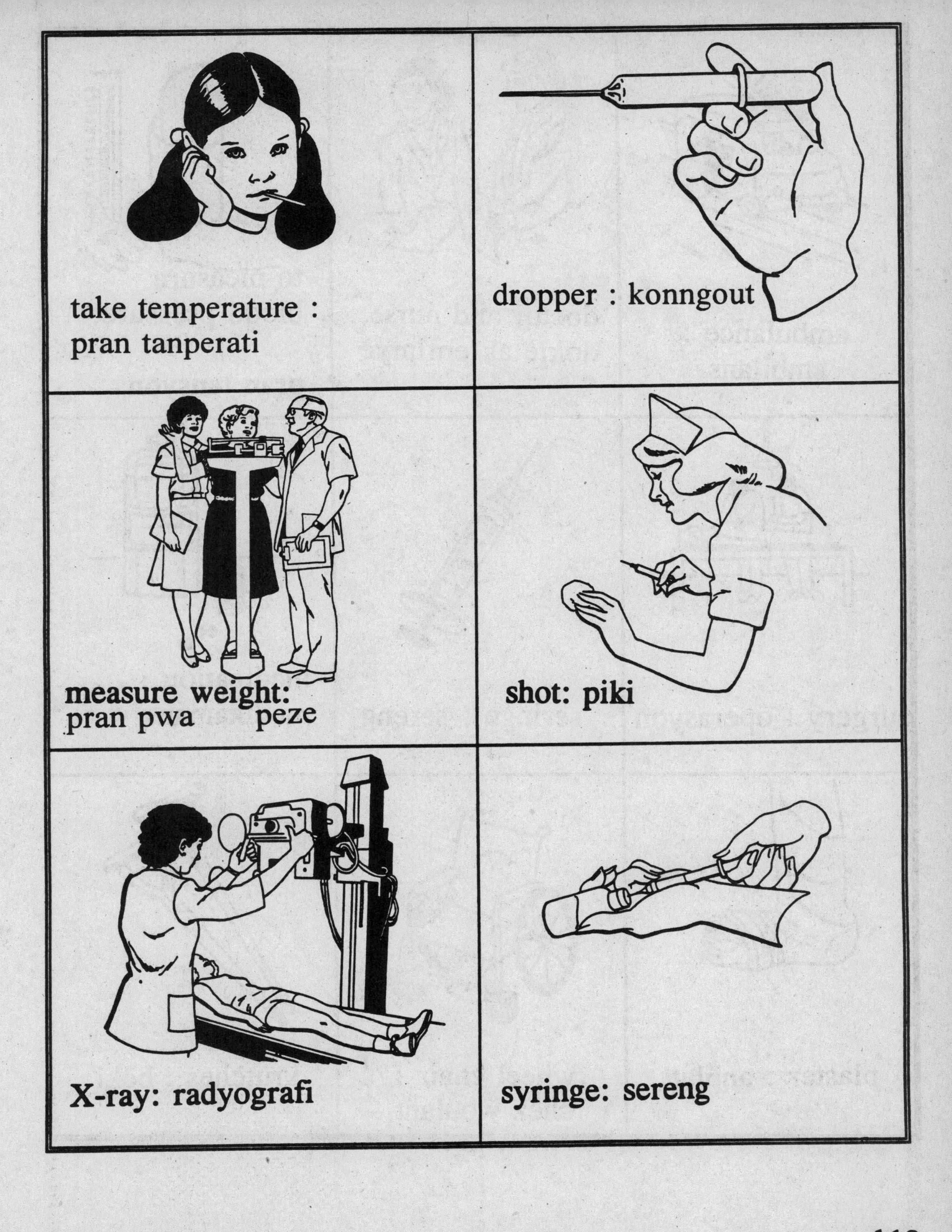

take temperature : pran tanperati
dropper : konngout
measure weight: pran pwa peze
shot: piki
X-ray: radyografi
syringe: sereng

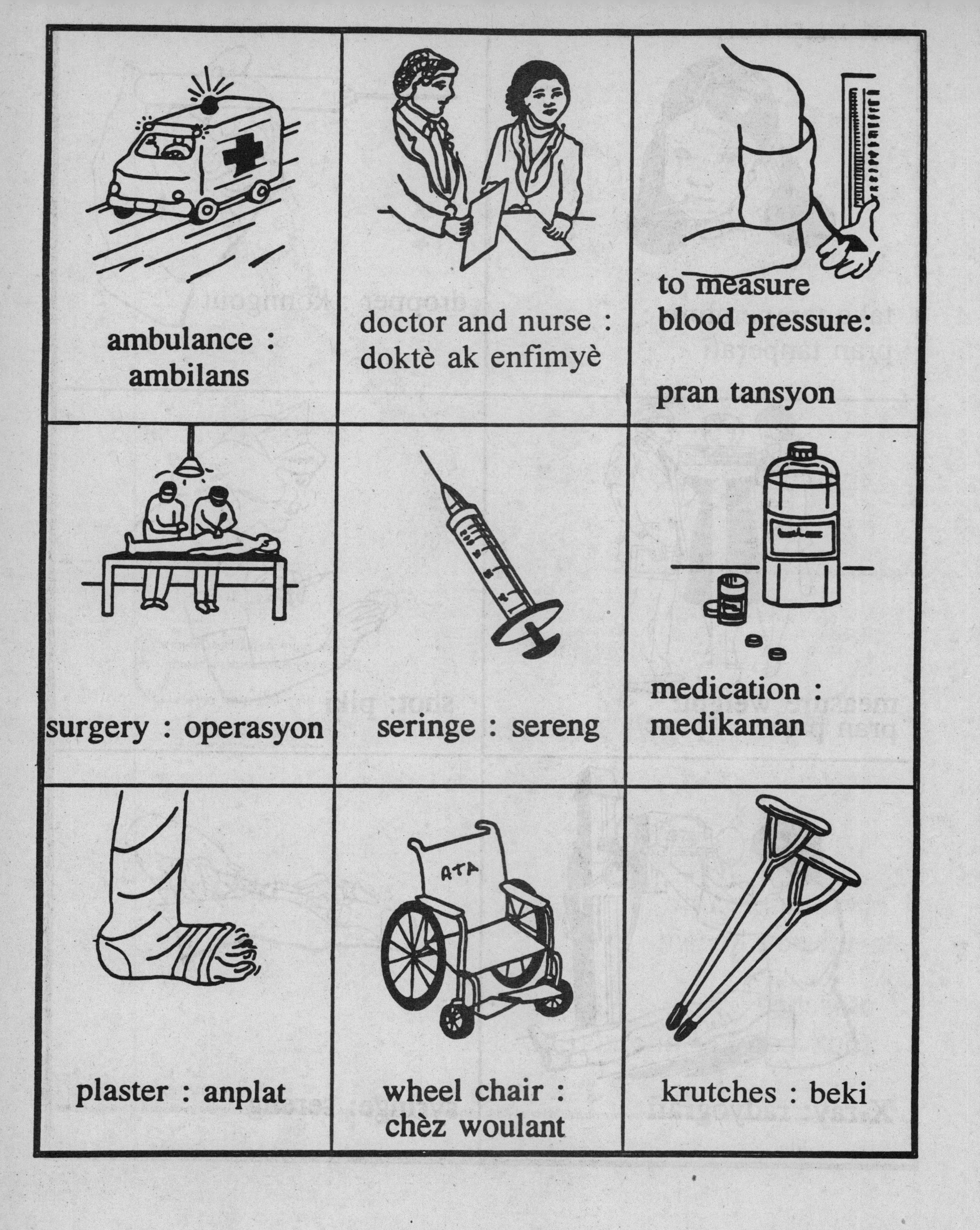
ambulance :
ambilans
doctor and nurse :
doktè ak enfimyè
to measure
blood pressure:
pran tansyon
surgery : operasyon
seringe : sereng
medication :
medikaman
plaster : anplat
ATA
wheel chair :
chèz woulant
krutches : beki

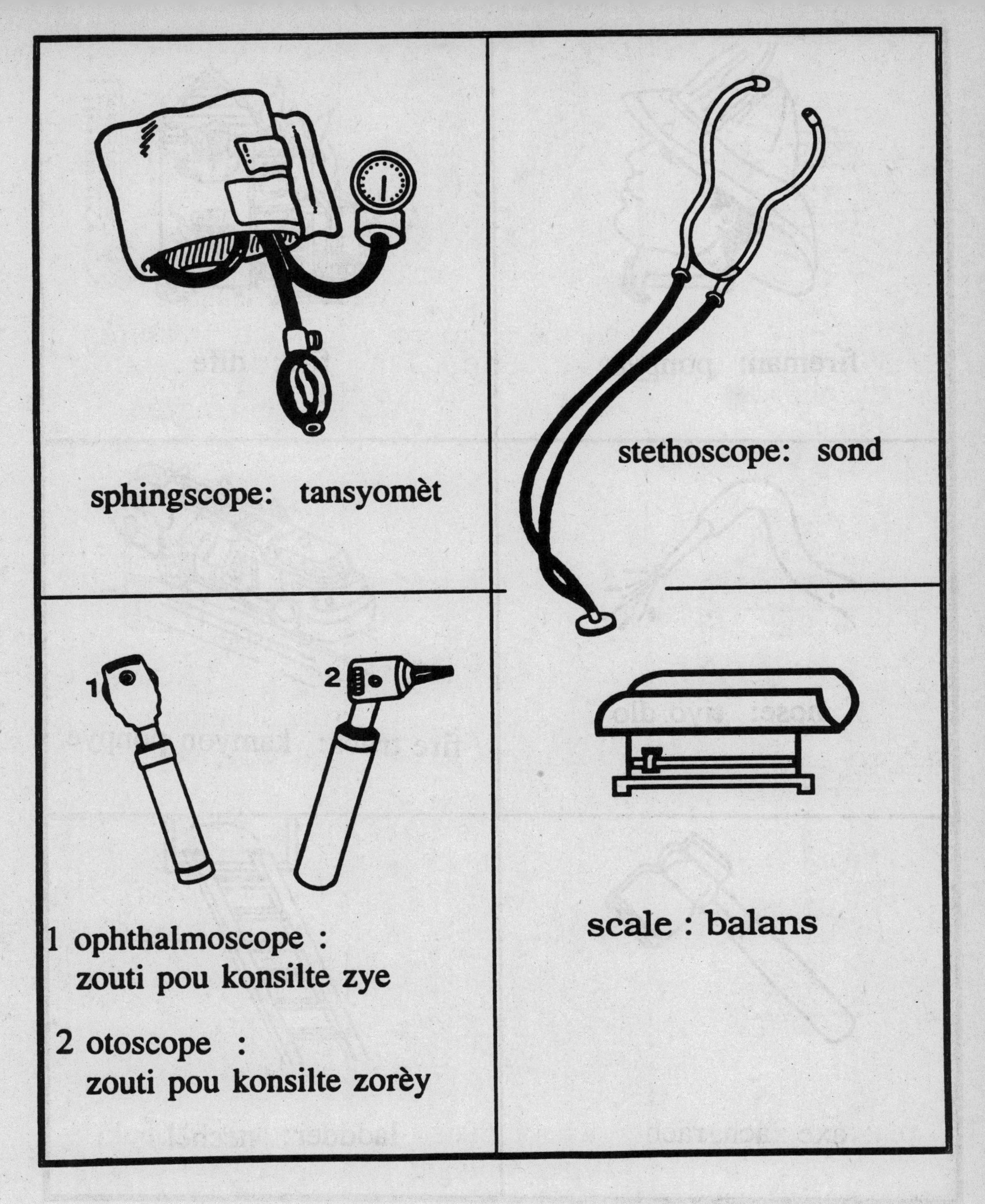
sphingscope: tansyomèt
stethoscope: sond
1
2
1 ophthalmoscope :
zouti pou konsilte zye
2 otoscope :
zouti pou konsilte zorèy
scale : balans

fireman: ponpye
fire: dife
hose: tiyo dlo
fire truck: kamyon ponpye
axe : ach, rach
laddder: nechèl

 911 telephone emergency number : nimewo telefòn ijans	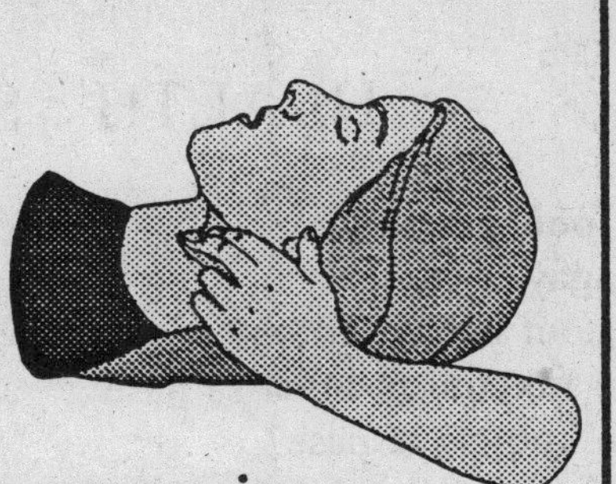 unconscious person : moun ki endispoze	 First Aid first aid kit : bwat premye swen
poisonous symbol : senbòl pou pwazon	 x-ray : radiografi	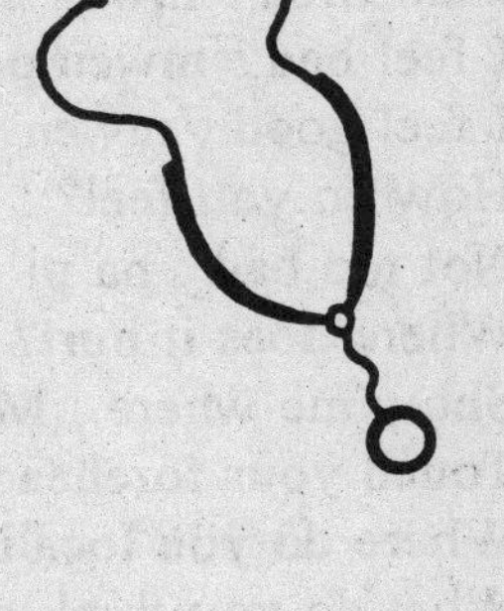 stethoscope: sond
 electrical hazard: danje elektrik	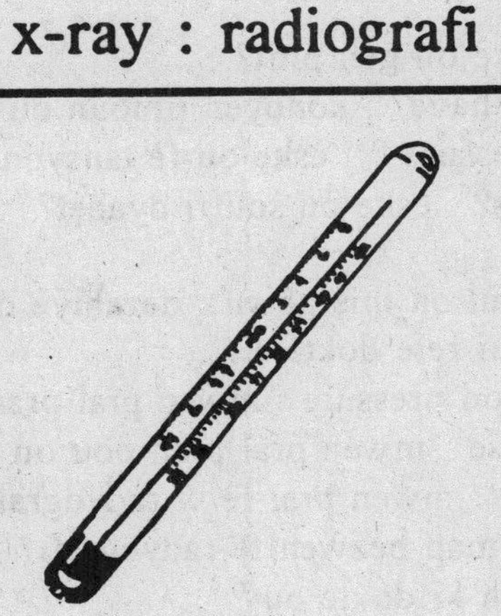 thermometer : tèmomèt	 doctor and nurse: doktè ak mis

HEALTH : SANTE

What are you here for? : poukisa ou vini
Everything is ok : tout bagay anfòm
Is every thing ok? : èske tout bagay anfòm?
Tell me what happened? : rakonte m kijan sa pase
Where did it happen? : ki kote sa te pase?
When did this happen to you ? : depi kilè sa rive ?
Since yesterday : depi yè
At what time did it happen? : a kilè sa pase?
How old are you? : ki laj ou?
I am twenty five years old : mwen gen vennsenkan
relax : lache kò ou
I am sick : mwen malad
Are you sick? : Eske ou malad?
I am tired : mwen santi mwen fatige
I feel bad : mwen pa santi mwem byen
I feel good : mwen santi mwen byen
How do you feel? : kijan ou santi w?
Not too bad : pa pi mal
Where does it hurt? : ki kote kap fè ou mal?
Show me where : Montre m ki bò
Touch your forehead : Touche fwon-ou
Where do you localize the pain? : Ki kote ou santi doulè a?
What do you think cause the pain? : kisa ki lakoz doulè a?
Do you feel pain when I press here? : Eske ou santi doulè lè mwen peze la a ?
What about here? : E la a ?

Do you have children? : èske ou gen pitit?
How many children do you have? : konbyen timoun ou genyen?
Do you have high blood pressure ? : èske ou fè tansyon ?
Do you suffer from diabetes? : èske ou soufri dyabèt?
Don't worry : pa enkyete
Take off your clothes and put on this gown : dezabiye ou, met rad sa-a sou ou
Please call the doctor : tanpri rele doktè a
I am going to take your blood pressure : mwen pral pran tansyon ou
I am going to take your pulse : mwen pral pran pou ou
I am going to take an X-ray : mwen pral fè w radyografi
Do I need an X-ray? : èske map bezwen fè radyografi?
Who is your doctor : kimoun ki doktè ou ?

Cough (noun) : Tous
Cough! (verb) : Touse
Nausea : kè plen
Vomiting : vomisman
Diarrhea : dyare
Dizzy : tèt vire
Headache : tèt fè mal
Bellyache : vant fè mal
Toothache : maldan
Fatigue : fatig
Aids : sida
Rape : kadejak
Does it hurt when you urinate ? : eske ou gen doulè lè ou ap pipi ?
Do you have blood in your urine ? : èske ou wè san nan pipi ou?
Bleeding : emoraji
Do you smoke? : èske ou fimen?
How many cigarettes do you smoke in a day? : konbyen sigarèt ou fimen nan yon jounen?
Do you have a fever? : Eske ou gen lafyèv?
Blood analysis : analiz san
make a fist : sere pwen ou
Urine analisis : analiz pipi
Are you pregnant ? : èske ou ansent ?
When was your last period ? : ki denye fwa ou te wè règ ou ?
Are you interested in discussing birth control ? : eske ou enterese diskite planing ?

Allergy test : tès alèji
Take a deep breath : Respire fò
Follow my finger : Swiv dwèt mwen
Can you stand? Eske ou kab kanpe?
Sit down, please : Chita tanpri
Please have a seat : fè yon ti chita tanpri
You may sit down : Ou mèt chita
Lie down : Lonje kò ou
Lie face up : kouche sou do
Lie face down : kouche sou vant
walk : mache
run : kouri
bend down : bese
slow : dousman
fast : vit, rapid
do not smoke : pa fimen

Remove your shirt : Wete chemiz ou
Remove your Skirt : Wete jip ou
Remove your blouse : Wete kòsaj ou
Remove your pants : Wete pantalon ou
Remove your shoes : Wete soulye w
Remove your bra : Wete soutyen ou
Remove your brief : Wete kalson w
Remove your panties : Wete kilòt ou
Undress, please : Dezabiye ou, tanpri
remove your glasses : retire linèt ou

What medication are you taking : Ki renmèd ou ap pran kounyeya
How much do you weigh? : Konbyen liv ou peze?
Are you dizzy? : Eske ou gen toudisman ?
Are you allergic to coffee? : Eske ou fè alèji ak kafe ?
Open your mouth : Ouvri bouch ou
What did you eat? : Kisa ou te manje?
What did you drink? : Kisa ou te bwè
Please, follow me : Vini avè m tanpri
Let's go : Ann ale
Wash your hand : lave men ou
Wipe your hand : Siye men ou
Take two pills three times a day : Pran de grenn twa fwa pa jou
Take two pills before each meal : Pran de grenn anvan ou manje
With each meal : Ansanm ak manje-a
fasting : ~~ajen~~, san manje
take one spoonful : pran yon kiyè
take one teaspoon : pran yon ti kiyè

NURSE--PATIENT dialog	NURSE/PATIENT dialog Creole text
1. What is (a) your name (b) your home address (c) your religion ?	1. (a) **Ki** jan ou rele ? (b) kote ou rete? relijyon ou?
2. Are you (a) married (b) divorced (c) a widow (d) a widower (e) single?	2. (a) **Eske ou** marye? (b) divòse? (c) mari ou mouri? (d) madanm ou mouri? (e) selibatè?
3. How old are you ? 20--30--40--50--60--70--80--90 ?	3. Ki laj ou? 20 -30 -40 -50 -60 -70 -80 - 90?
4. How long have you been sick ? I--2--3--4--5--6--7--8--9--10 (b) months (c) weeks (d) days	4. Depi kilè ou malad ? 1 -2 - 3 -4 -5 -6 -7 -8 -9 -10 (a) an (b)mwa (c) semèn (d) jou?
5. Where is your pain ?	5. Ki kote ki fè ou mal?
6. Take (a) your medicine (b) your pill (c) your breakfast (d) your lunch (e) your dinner.	6. **Fòk ou pran** (a) medikaman an (b) grenn yo (c) manje maten (d) manje midi (e) manje aswè
7. You must not (a) smoke (b) eat (c) drink (d) sit up (e) lie down (f) turn on your side (g) turn on your back (h) read.	7. **Fòk ou pa** (a) fimen (b) manje (c) bwè (d) chita (e) kouche (f) kouche sou kote (g) kouche sou do (h) li
8. I am going to (a) make your bed (b) give you a bath (c) give you an injection (d) take some blood from your arm (e) take your blood pressure (f) call the doctor (g) change your dressing (h) Wash out the tube.	8. **Mwen pral** (a) fè kabann ou (b) benyen ou (c) ba ou yon piki (d) pran san nan bwa ou (e) pran tansyon ou (f) rele doktè a (g) chanje pansman ou (h) lave tiyo kawotchou a.
9. You are going (a) to x-ray (b) to the operating room (c) to be weighed (d) home tomorrow (e) home today (f) home next week.	9. (a) **Ou pral** (a) fè radyografi (b) nan sal operasyon (c) pran pwa ou (d) lakay ou demen (e) lakay ou jodi a (f) lakay ou semèn pwochèn.
10 I am taking care of (a) your money (h) your clothes (c) your Jewelry.	10. Mwen pral sere (a) kòb ou (b) rad ou (c) bijou ou.
11. Please sign your name.	11. Siyen non ou la-a tanpri.
12. Have you (a) urinated (b) had a bowel movement?	12. **Eske ou** (a) pipi? (b) poupou ?
13. Do you have allergy to any medication	13. Eske gen kèk medikaman ou fè alèji ak yo ?

PATIENT NURSE dialog Pick out the question you wish to ask me	PATIENT/NURSE dialog Creole text. *Chwazi keksyon ou vle mande m nan*
1. I want to see (a) the doctor (b) the **nurse** (c) **my husband** (d) my wife (e) my mother (f) a priest (g) a clergyman (h) a lawyer.	1. **Mwen vle wè** (a) doktè a (b) enfimyè a (c) mari'm (d) madanm mwen (e) manmanm (f) yon pè (g) yon pastè (h) yon avoka
2. I want (a) to smoke (b) a newspaper (c) a cup of coffee (d) tea (e) milk (f) sugar (g) salt (h) a knife (i) a fork (j) a spoon .	2. **Mwen vle** (a) fimen (b) yon jounal (c) yon tas kafe (d) yon tas te (e) yon vè lèt (f) sik (g) sèl (h) yon kouto (i) yon fouchèt (j) yon kiyè.
3. May I have my (a) Insulin (b) medicine (c) sleeping pill?	3. **Eske ou ka ba mwen** (a) ensilin mwen (b) medikaman m (c) grenn pou dòmi.
4. I cannot (a) sleep (b) eat (c) hear (d) see (e) urinate.	4. **Mwen pa ka** (a) dòmi (b) manje (c) tande (d) wè (e) pipi.
5. I have a pain in my (a) stomach (b) chest (c) arm (d) leg (e) shoulder.	5. **Mwen santi doulè nan** (a) vant mwen (b) lestomak mwen (c) bra m (d) janm mwen (e) zèpòl mwen
6. I want to (a) urinate (b) have a bedpan (c) go to the bathroom (d) get up (e) go back to bed (f) go home.	6. **Mwen bezwen** (a) pipi (b) yon vaz (c) ale nan twalèt (d) kanpe (e) tounen nan kabann mwen (f) ale lakay mwen
7. Am I (a) getting better (b) getting worse?	7. **Eske map** (a) refè? (b) m ap vin pi mal
8. What is the time?	8. **Kilè li ye ?**
9. When is the doctor coming?	9. **Ki lè doktè a ap vini?**
10. Please (a) turn my pillow (b) raise my bed (c) lower my bed (d) open the window (e) close the window.	10. **Tanpri** (a) vire zorye a pou mwen (b) monte kabann la (c) bese kabann lan (d) louvri fenèt la (e) fèmen fenèt la

NURSE--PATIENT dialog	NURSE/PATIENT dialog Creole text
1. What is (a) your name (b) your home address (c) your religion ?	1. (a) **Ki** jan ou rele ? (b) kote ou rete? relijyon ou?
2. Are you (a) married (b) divorced (c) a widow (d) a widower (e) single?	2. (a) **Eske ou** marye? (b) divòse? (c) mari ou mouri? (d) madanm ou mouri? (e) selibatè?
3. How old are you ? 20--30--40--50--60--70--80--90 ?	3. Ki laj ou? 20 -30 -40 -50 -60 -70 -80 -90?
4. How long have you been sick ? I--2--3--4--5--6--7--8--9--10 (b) months (c) weeks (d) days	4. Depi kilè ou malad ? 1 -2 - 3 -4 -5 -6 -7 -8 -9 -10 (a) an (b)mwa (c) semèn (d) jou?
5. Where is your pain ?	5. Ki kote ki fè ou mal?
6. Take (a) your medicine (b) your pill (c) your breakfast (d) your lunch (e) your dinner.	6. **Fòk ou pran** (a) medikaman an (b) grenn yo (c) manje maten (d) manje midi (e) manje aswè
7. You must not (a) smoke (b) eat (c) drink (d) sit up (e) lie down (f) turn on your side (g) turn on your back (h) read.	7. **Fòk ou pa** (a) fimen (b) manje (c) bwè (d) chita (e) kouche (f) kouche sou kote (g) kouche sou do (h) li
8. I am going to (a) make your bed (b) give you a bath (c) give you an injection (d) take some blood from your arm (e) take your blood pressure (f) call the doctor (g) change your dressing (h) Wash out the tube.	8. **Mwen pral** (a) fè kabann ou (b) benyen ou (c) ba ou yon piki (d) pran san nan bwa ou (e) pran tansyon ou (f) rele doktè a (g) chanje pansman ou (h) lave tiyo kawotchou a.
9. You are going (a) to x-ray (b) to the operating room (c) to be weighed (d) home tomorrow (e) home today (f) home next week.	9. (a) **Ou pral** (a) fè radyografi (b) nan sal operasyon (c) pran pwa ou (d) lakay ou demen (e) lakay ou jodi a (f) lakay ou semèn pwochèn.
10 I am taking care of (a) your money (h) your clothes (c) your Jewelry.	10. Mwen pral sere (a) kòb ou (b) rad ou (c) bijou ou.
11. Please sign your name.	11. Siyen non ou la-a tanpri.
12. Have you (a) urinated (b) had a bowel movement?	12. **Eske ou** (a) pipi? (b) poupou ?
13. Do you have allergy to any medication	13. Eske gen kèk medikaman ou fè alèji ak yo ?

PATIENT NURSE dialog Pick out the question you wish to ask me	PATIENT/NURSE dialog Creole text. *Chwazi keksyon ou vle mande m nan*
1. I want to see (a) the doctor (b) the **nurse** **(c) my husband** (d) my wife (e) my mother (f) a priest (g) a clergyman (h) a lawyer.	1. **Mwen vle wè** (a) doktè a (b) enfimyè a (c) mari'm (d) madanm mwen (e) manmanm (f) yon pè (g) yon pastè (h) yon avoka
2. I want (a) to smoke (b) a newspaper (c) a cup of coffee (d) tea (e) milk (f) sugar (g) salt (h) a knife (i) a fork (j) a spoon .	2. **Mwen vle** (a) fimen (b) yon jounal (c) yon tas kafe (d) yon tas te (e) yon vè lèt (f) sik (g) sèl (h) yon kouto (i) yon fouchèt (j) yon kiyè.
3. May I have my (a) Insulin (b) medicine (c) sleeping pill?	3. **Eske ou ka ba mwen** (a) ensilin mwen (b) medikaman m (c) grenn pou dòmi.
4. I cannot (a) sleep (b) eat (c) hear (d) see (e) urinate.	4. **Mwen pa ka** (a) dòmi (b) manje (c) tande (d) wè (e) pipi.
5. I have a pain in my (a) stomach (b) chest (c) arm (d) leg (e) shoulder.	5. **Mwen santi doulè nan** (a) vant mwen (b) lestomak mwen (c) bra m (d) janm mwen (e) zepòl mwen
6. I want to (a) urinate (b) have a bedpan (c) go to the bathroom (d) get up (e) go back to bed (f) go home.	6. **Mwen bezwen** (a) pipi (b) yon vaz (c) ale nan twalèt (d) kanpe (e) tounen nan kabann mwen (f) ale lakay mwen
7. Am I (a) getting better (b) getting worse?	7. **Eske map** (a) refè? (b) m ap vin pi mal
8. What is the time?	8. Kilè li ye ?
9. When is the doctor coming?	9. Ki lè doktè a ap vini?
10. Please (a) turn my pillow (b) raise my bed (c) lower my bed (d) open the window (e) close the window.	10. **Tanpri** (a) vire zorye a pou mwen (b) monte kabann la (c) bese kabann lan (d) louvri fenèt la (e) fèmen fenèt la

The Citadel Christophe / Sitadèl Kristòf

Se mèvèy pa nou

Houses & Buildings
Kay & Bilding

cathedral: katedral

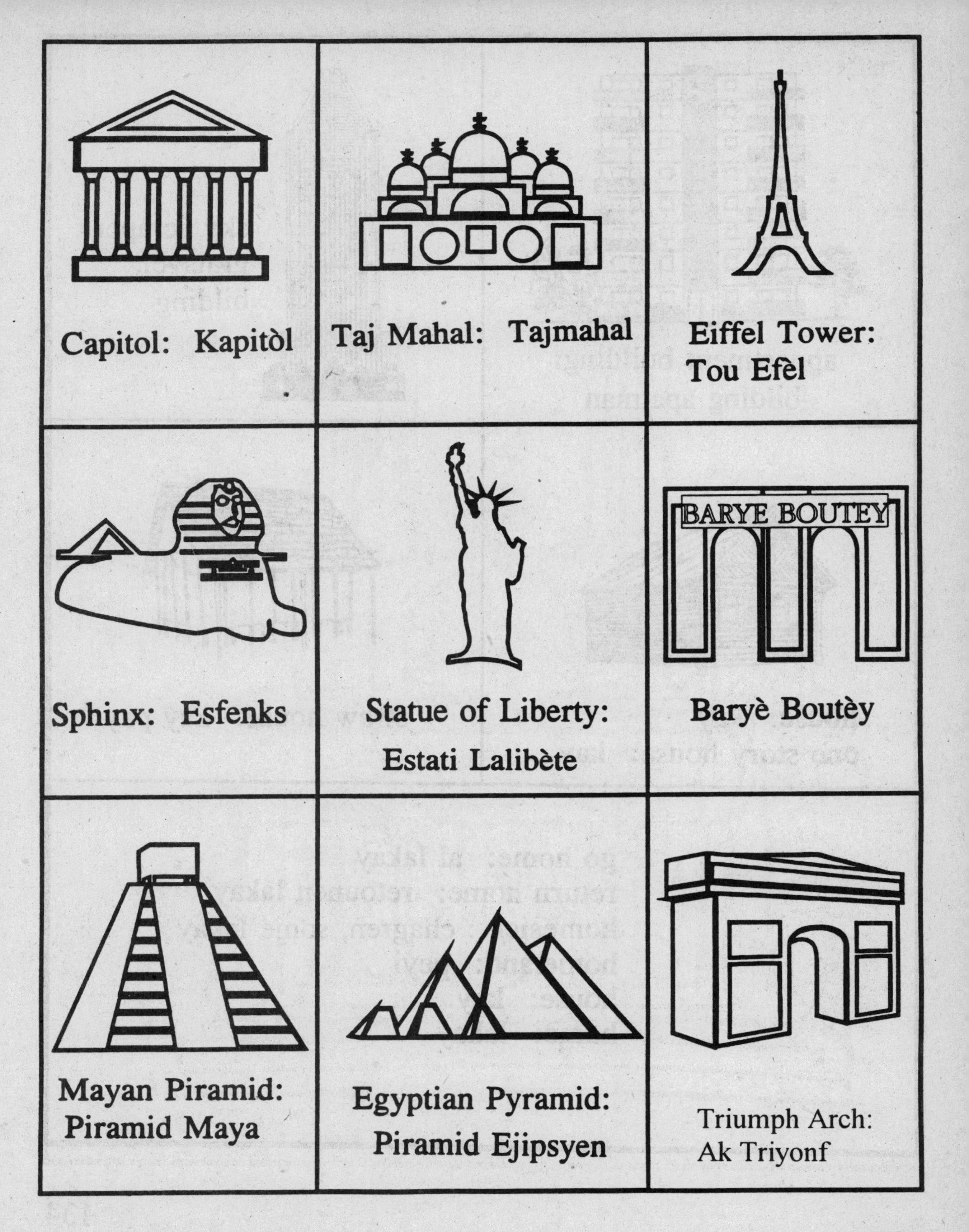
Capitol: Kapitòl
Taj Mahal: Tajmahal
Eiffel Tower:
Tou Efèl
Sphinx: Esfenks
Statue of Liberty:
Estati Lalibète
BARYE BOUTEY
Baryè Boutèy
Mayan Piramid:
Piramid Maya
Egyptian Pyramid:
Piramid Ejipsyen
Triumph Arch:
Ak Triyonf

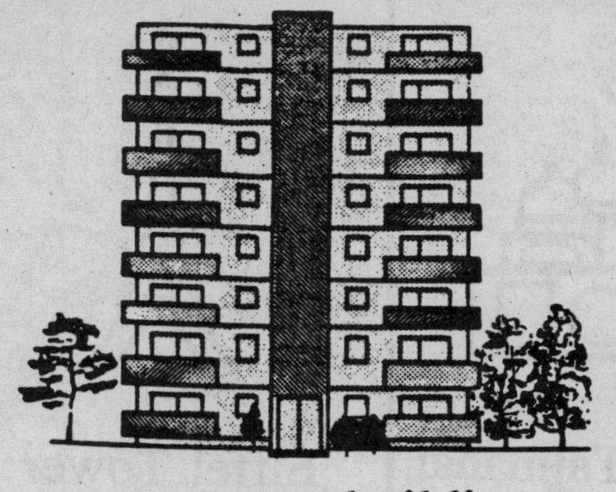

appartment building:
bilding apatman

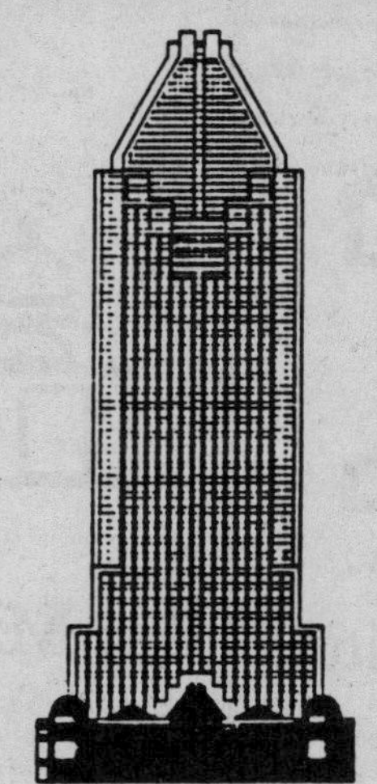

sky scraper :
gratsyèl,
bilding

house: kay
one story house: kay

straw house: kay pay

go home: al lakay
return home: retounen lakay
homesick : chagren, sonje lakay
homeland: peyi
house: kay
home: lakay

brick wall:
mi anblòk

brick: brik

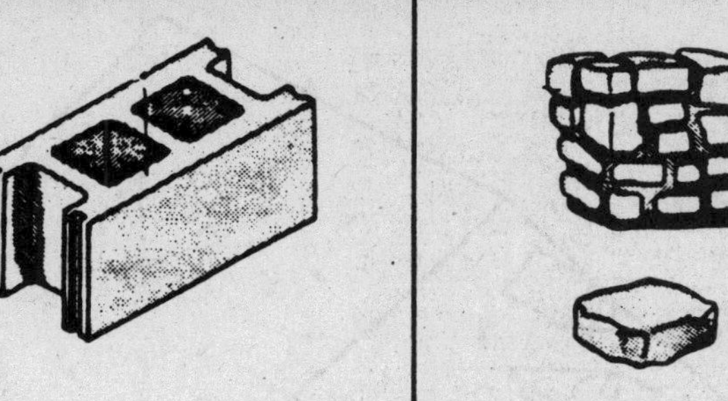

concrete block:
blòk beton

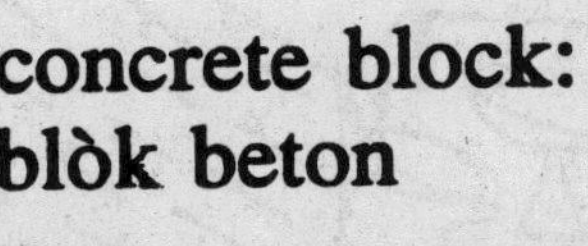
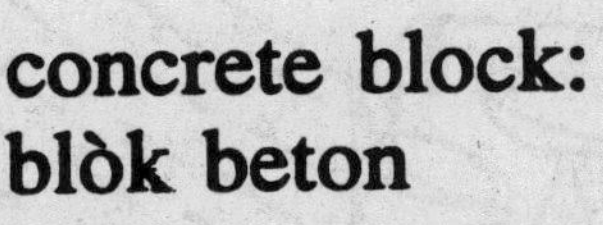

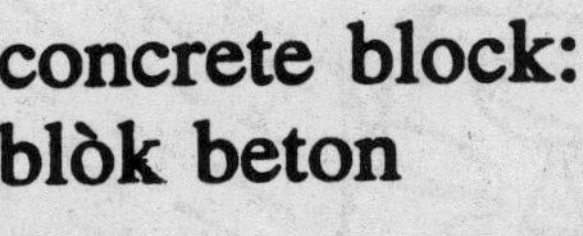

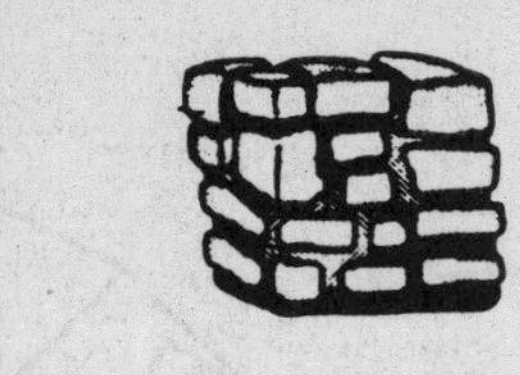

stone wall:
mi wòch

stone: wòch

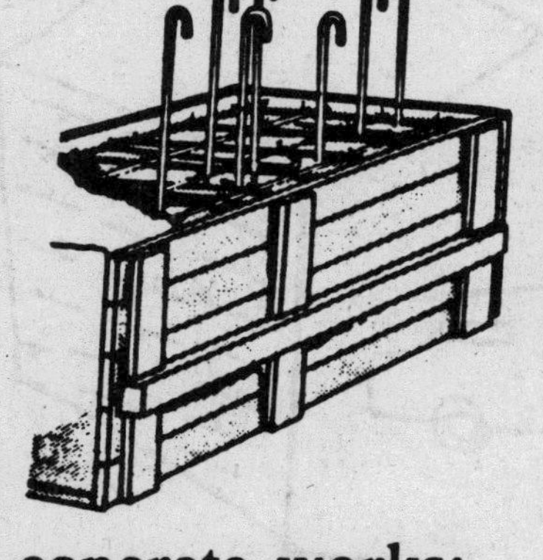

concrete works:
kofraj

cement: siman
sand: sab
lime: lacho

reinforcing bar:
ba fè

brick: brik
brick wall: mi anblòk
stone: wòch
stone wall: mi wòch
concrete block: blòk beton
concrete: beton
reinforcing rod: ba fè
concrete mold: kofraj

stucco: lisaj
reinforcing bar: ba fè
concrete wall: mi beton
concrete works: kofraj
cement: siman
sand: sab
lime: lacho

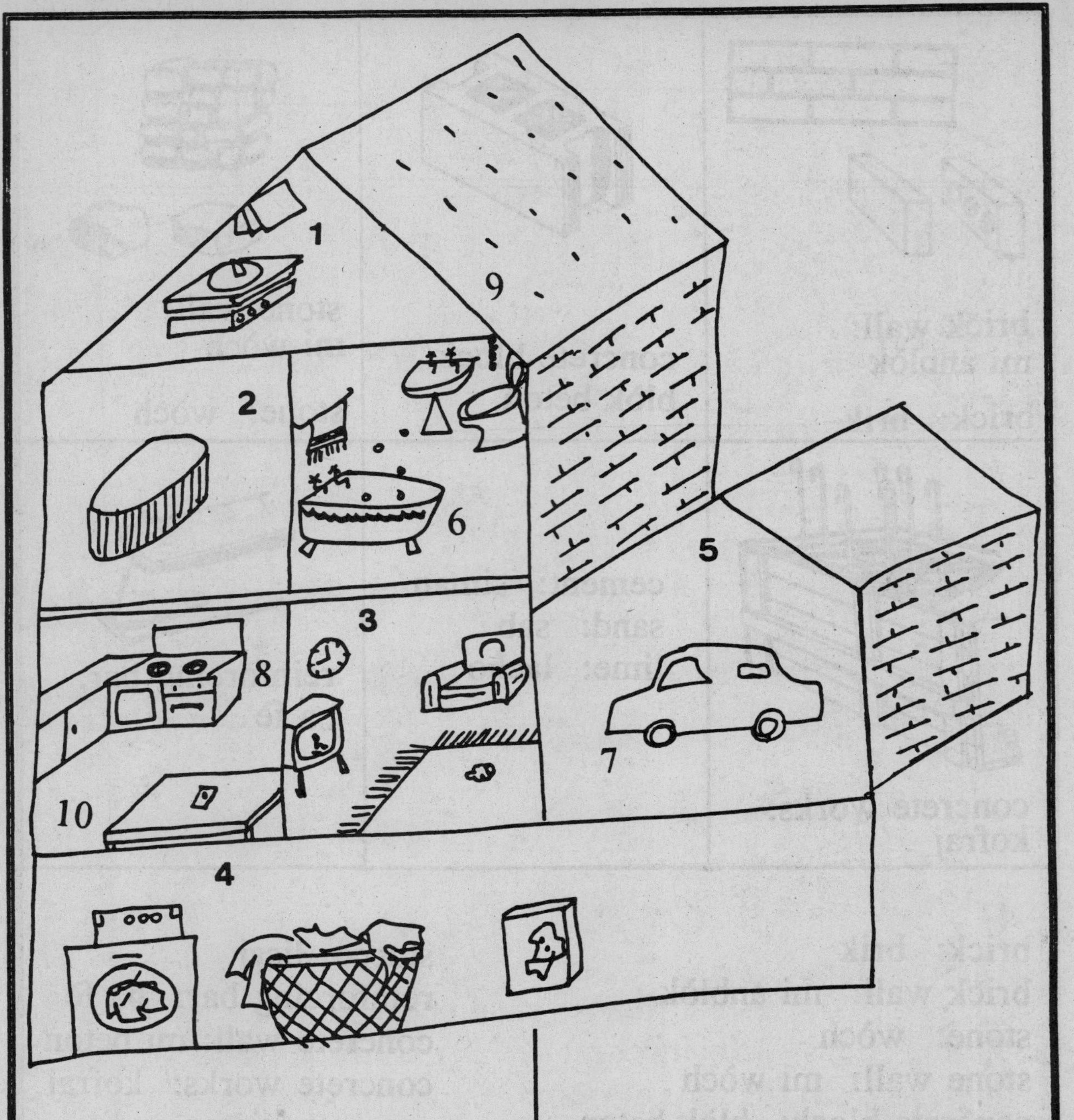
1
9
2
6
5
3
8
7
10
4

1. attic: fetay
2. secong floor: dezyèm etaj
3. first floor: premye etaj
4. basement: sousòl
5. garage: garaj

6. bathtub : basen
7. car : oto
8. oven : fou
9. roof : tèt kay
10. table : tab

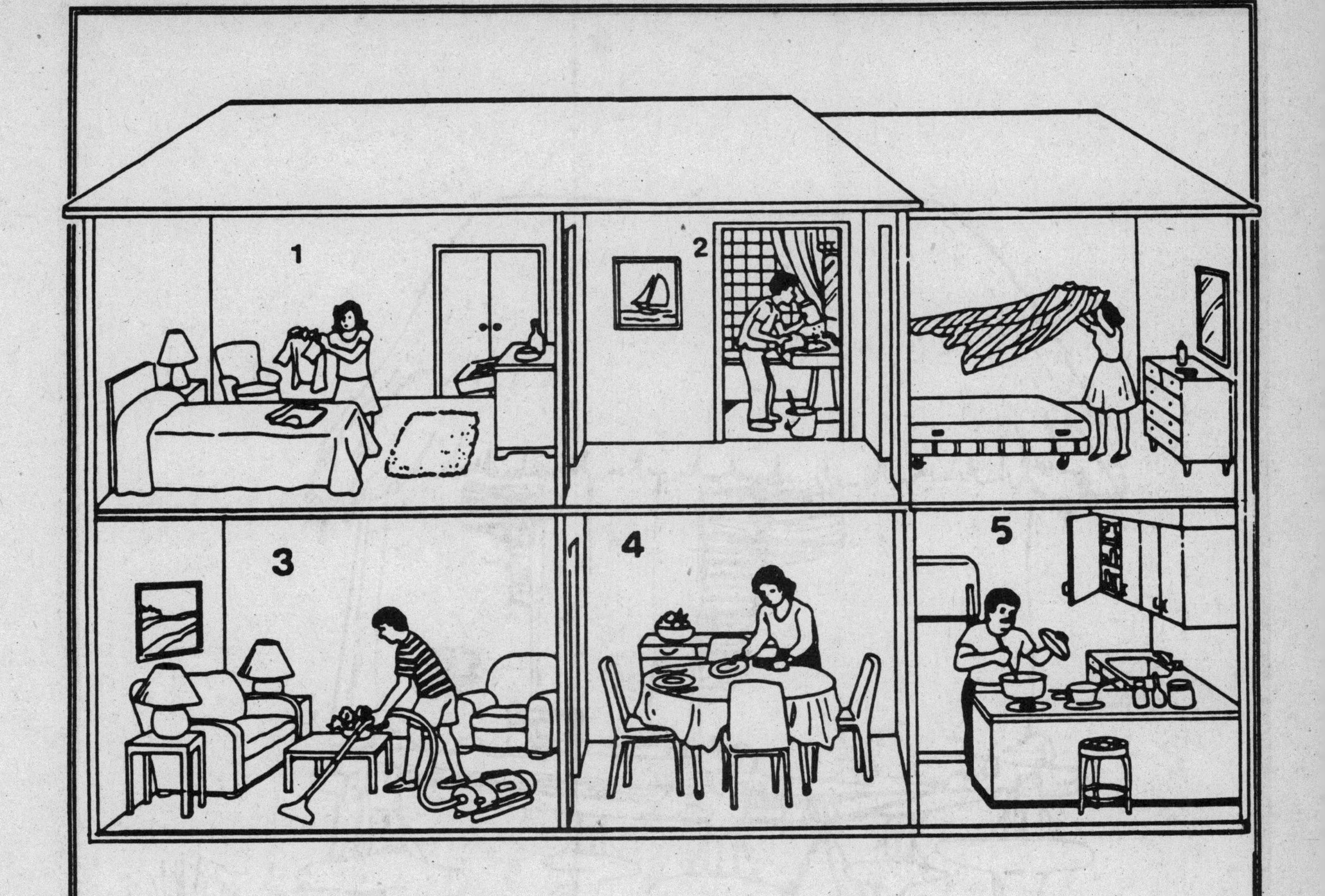
1
2
3
4
5

1. bedroom: chanm
2. bathroom: twalèt; saldeben
3. living room: salon
4. dining room: salamanje
5. kitchen : kizin, kwizin

kolonbye

ANDEDAN KAY

INSIDE THE HOUSE

bedroom furniture
mèb nan chanm

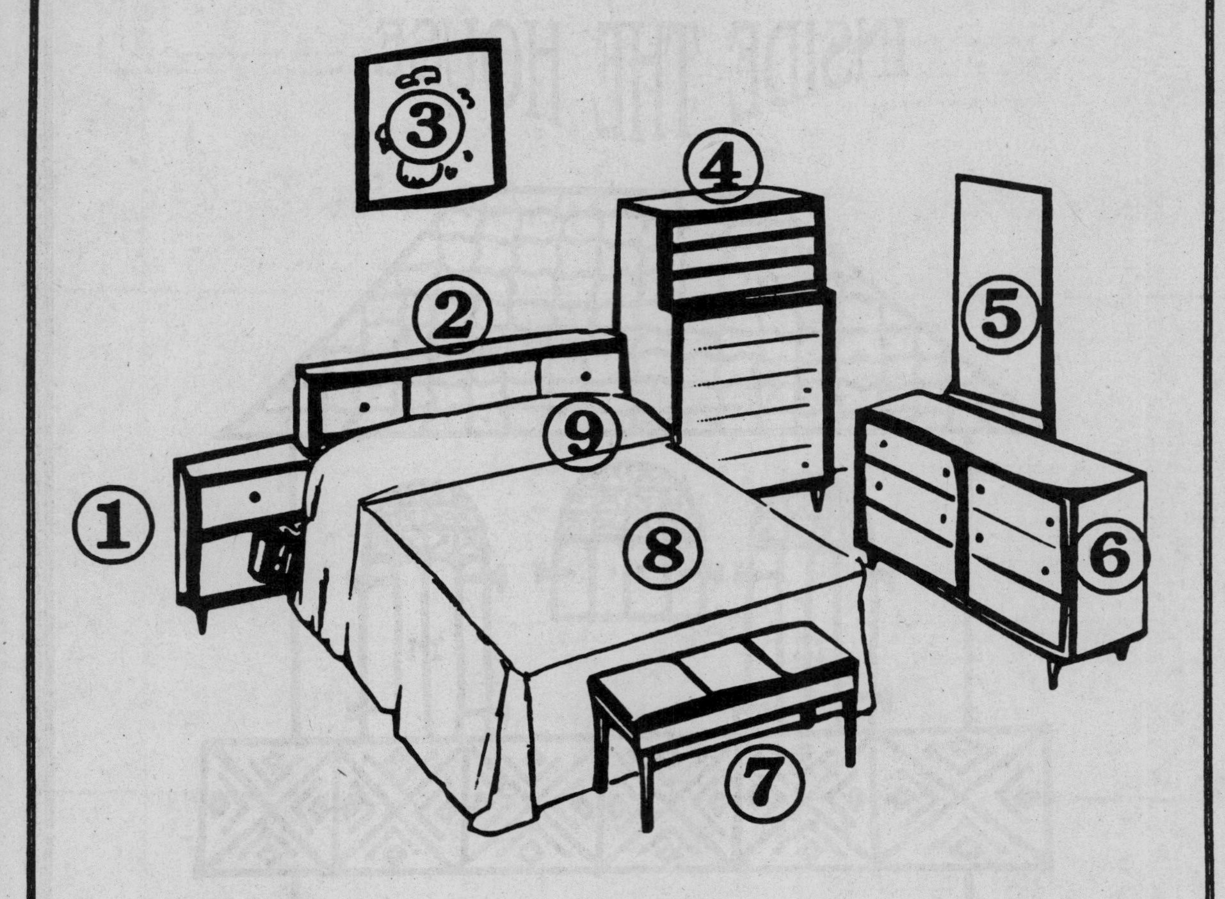
1
2
3
4
5
6
7
8
9

1. nightstand : tabdenuit
2. headboard : tètkabann
3. painting : penti / tablo
4. chiffonier : komòd
5. mirror : glas
6. dresser : kwafèz
7. bench : ban
8. bed : kabann
9. pillow : zòrye

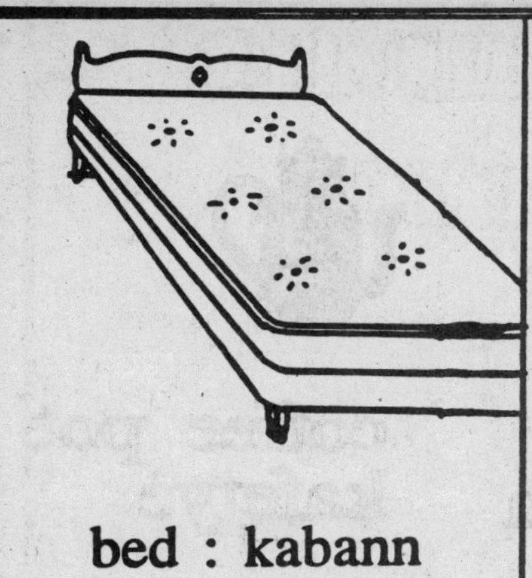

bed : kabann

rocking chair : dodin

television screen : ekran televizyon

clothes rack : liy

bed: kabann
bedding: dra
go to bed: al dòmi; al nan kabann
get out of bed : leve; desann kabann
put to bed: mete kouche
to hang the clothes: pandye rad; tann rad
hanger: sèso
clothe line: kòd rad

oven
fou
mixer
malaksè
toaster
griy pen
coffee pot
kafetyè
desk
biwo
cabinet
amwa
chair
chèz
table
tab
calculator
kalkilatè
alarm clock
revèy
telephone
telefòn
radio
radio
turntable
toun disk
camera
kamera

dining room salamanje

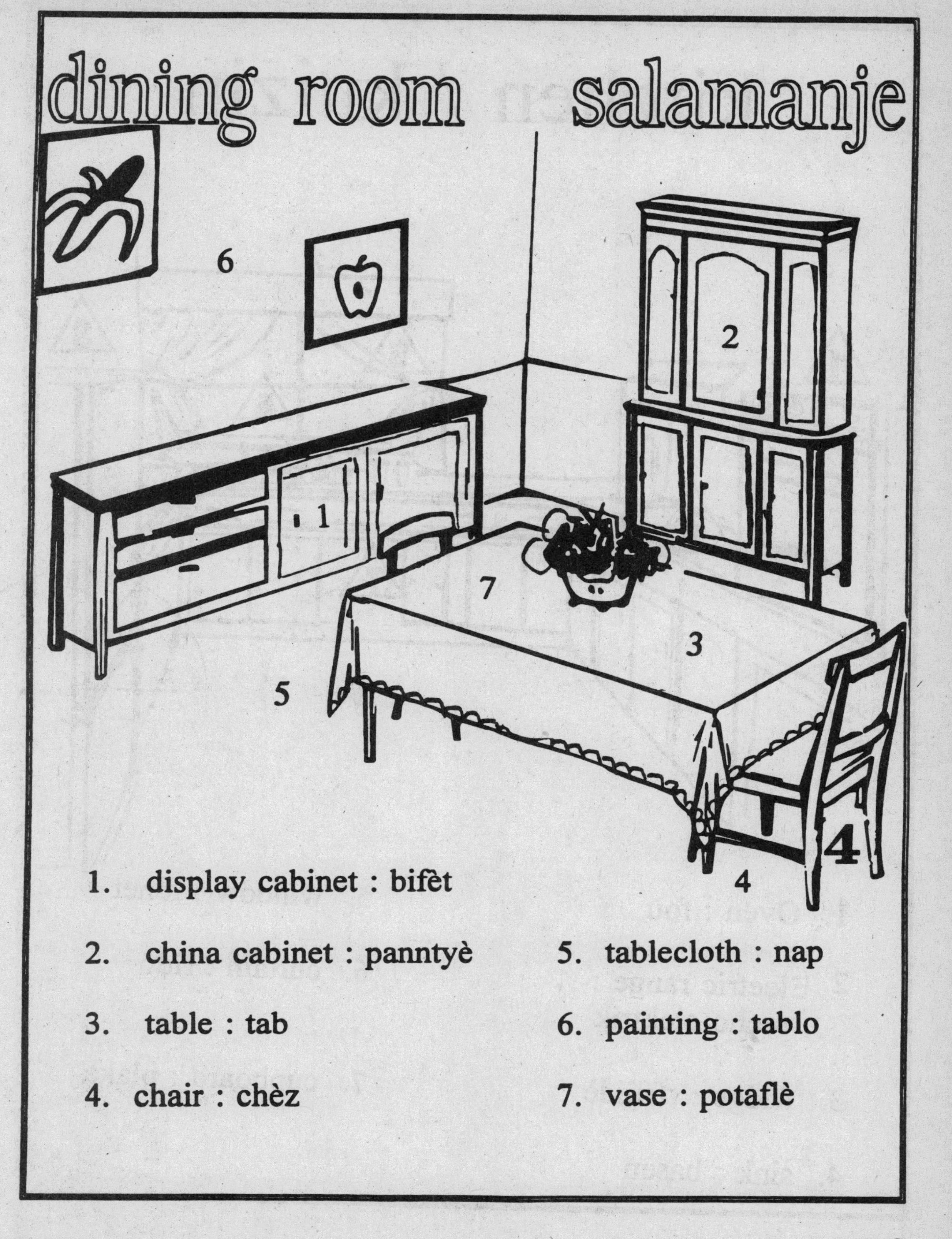
6
2
1
7
3
5
4
4

1. display cabinet : bifèt
2. china cabinet : panntyè
3. table : tab
4. chair : chèz
5. tablecloth : nap
6. painting : tablo
7. vase : potaflè

kitchen / kuizin

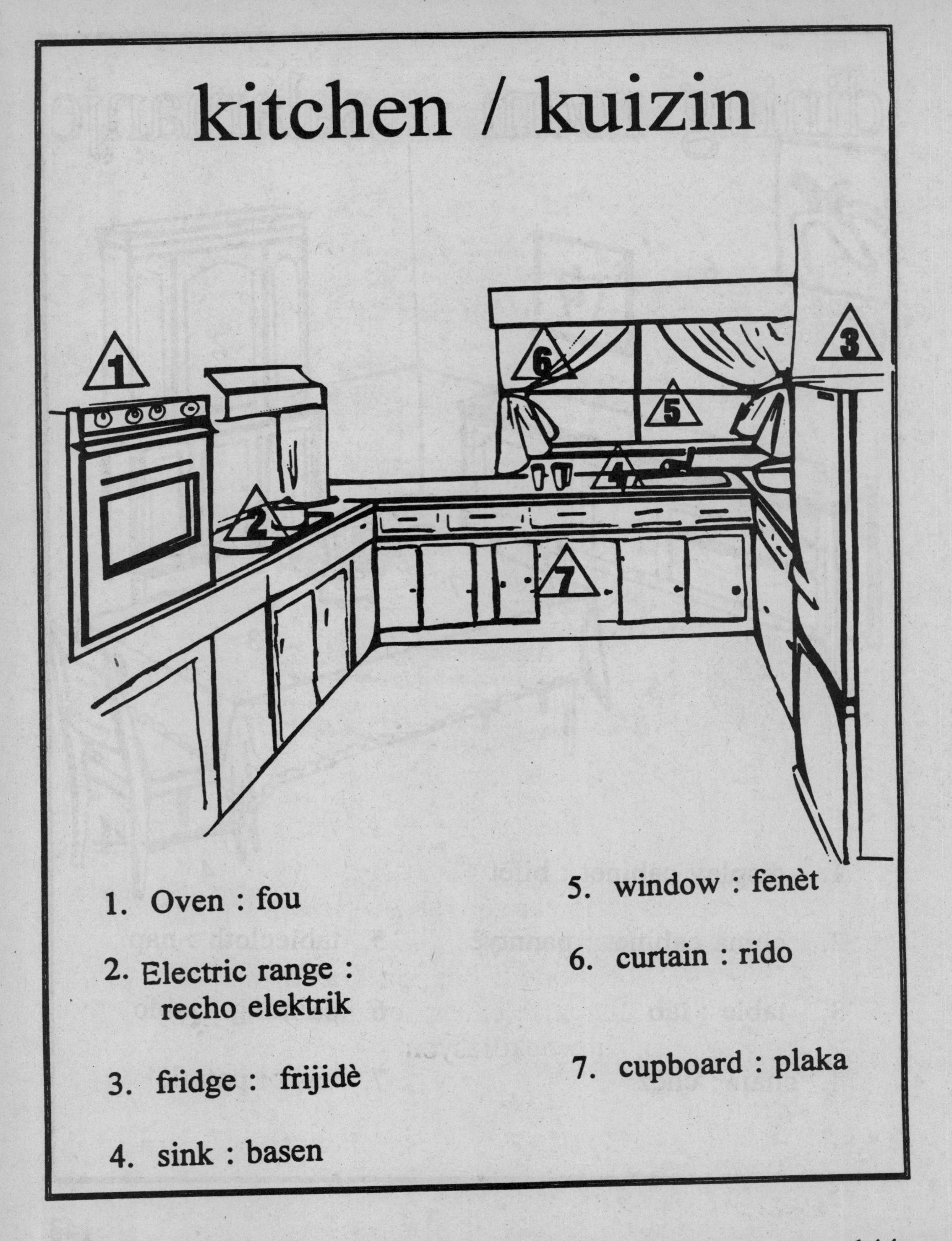
1
2
3
4
5
6
7

1. Oven : fou
2. Electric range : recho elektrik
3. fridge : frijidè
4. sink : basen
5. window : fenèt
6. curtain : rido
7. cupboard : plaka

1
3
4
2

electric range: fou elektrik

1. fan: vantilatè
2. drip bowl: bòl pou kras manje
3. tubular element: eleman
4. trim: dekorasyon

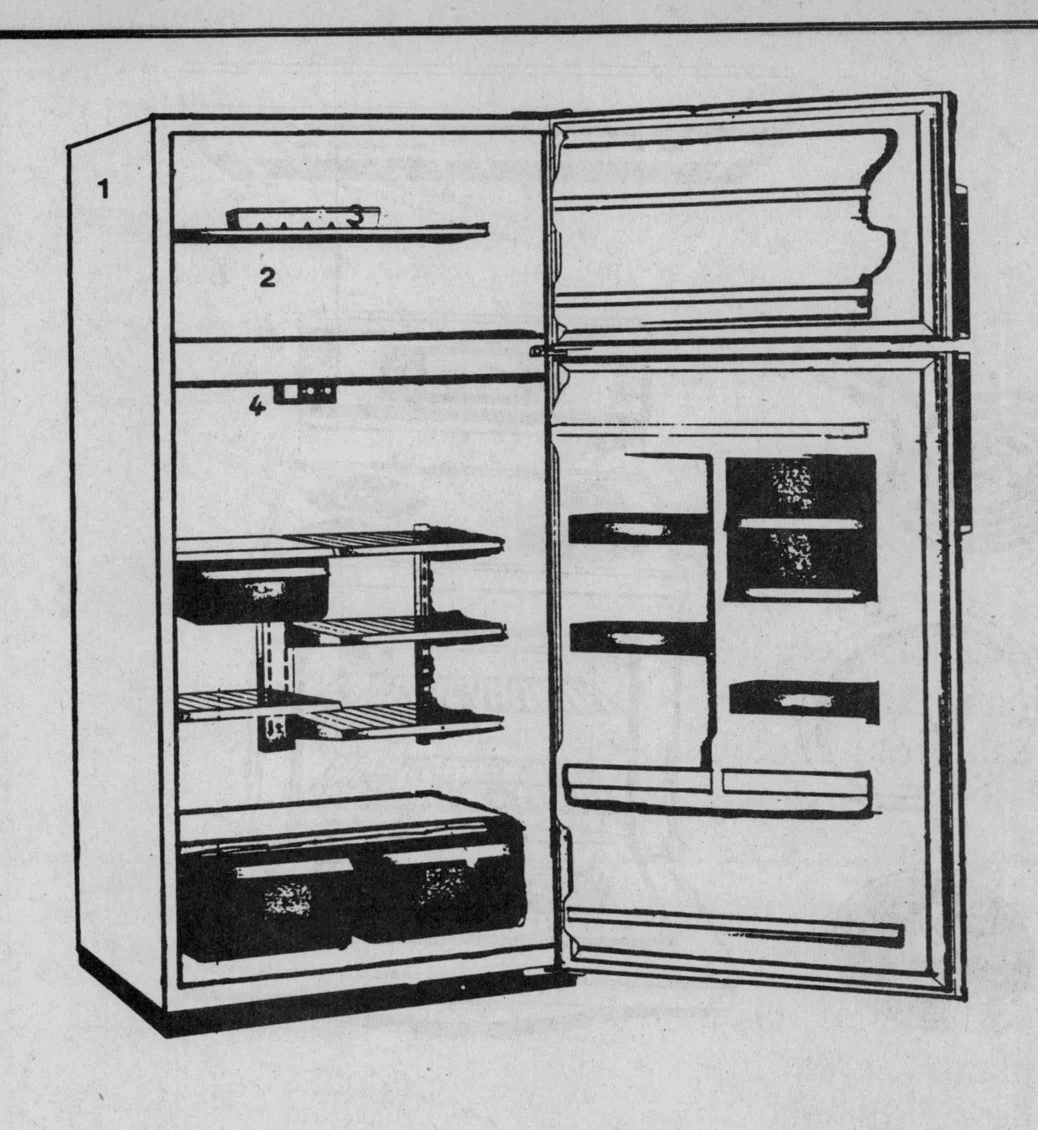
1
2
3
4

1. refrigerator: frijidè
2. freezer: frizè
3. ice tray: plato glas
4. temperature control knob: bouton pou kontwole tanperati

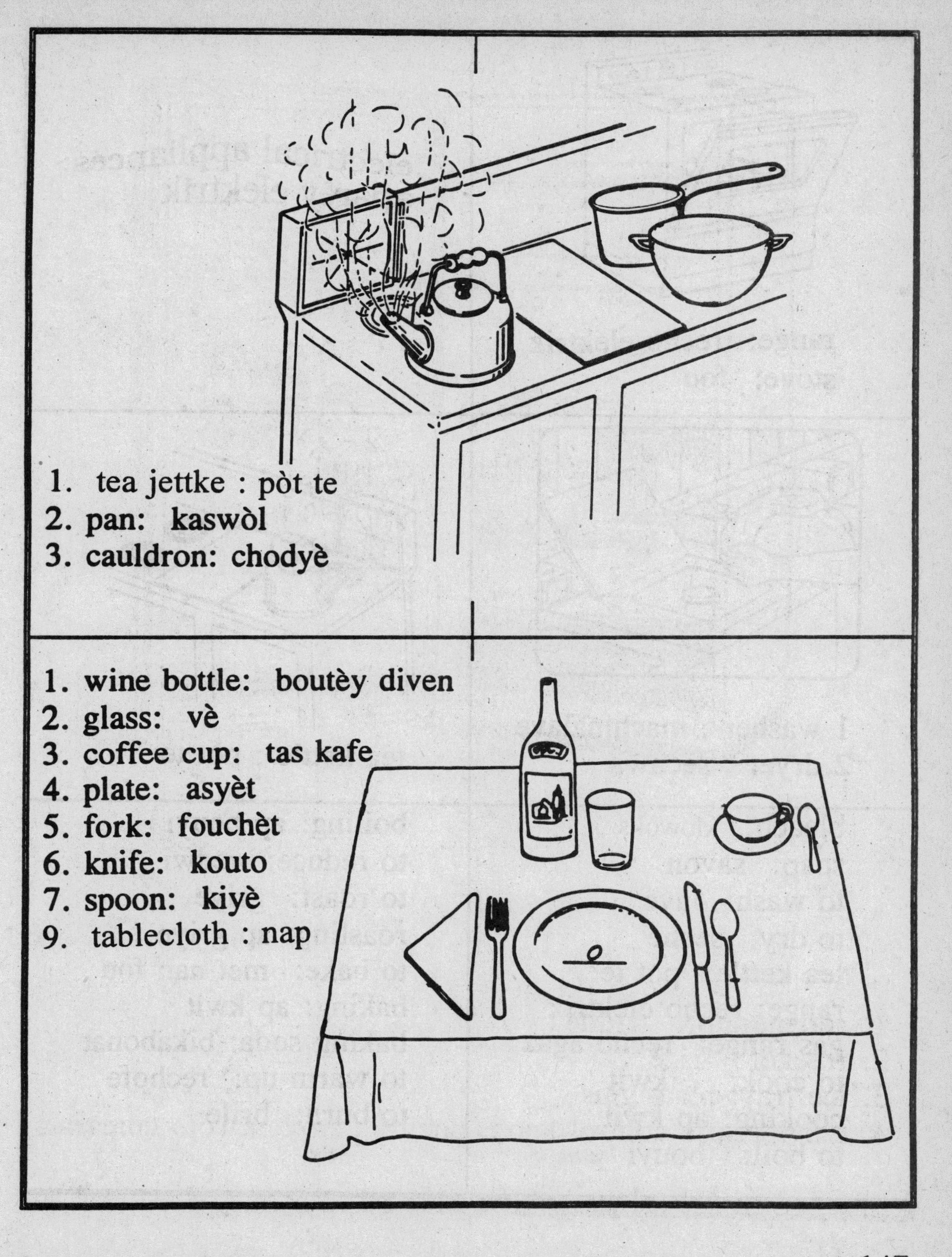
1. tea jettke : pòt te
2. pan: kaswòl
3. cauldron: chodyè
1. wine bottle: boutèy diven
2. glass: vè
3. coffee cup: tas kafe
4. plate: asyèt
5. fork: fouchèt
6. knife: kouto
7. spoon: kiyè
9. tablecloth : nap

range: recho elektrik
stove: fou

electrical appliances:
aparèy elektrik

1 washer : machinalave
2 dryer : sechwa

tea kettle : pòt te

bleach: klowòks
soap: savon
to wash: lave
to dry: seche
tea kettle: pòt te
range: recho elektrik
gas range: recho agaz
to cook: kwit
cooking: ap kwit
to boil: bouyi

boiling: ap bouyi
to reduce: redwi
to roast: griye
roasting: ap griye
to bake: met nan fou
baking: ap kwit
baking soda: bikabonat
to warm up: rechofe
to burn: brile

orange juicer :
près zoranj
electric range:
fou elektrik
refrigerator: frijidè
egg beater: batèz
frying pan: kaswòl
coffee maker :
kafetyè
tea kettle: teyè
electric egg beater:
batèz
saucepan: bonm

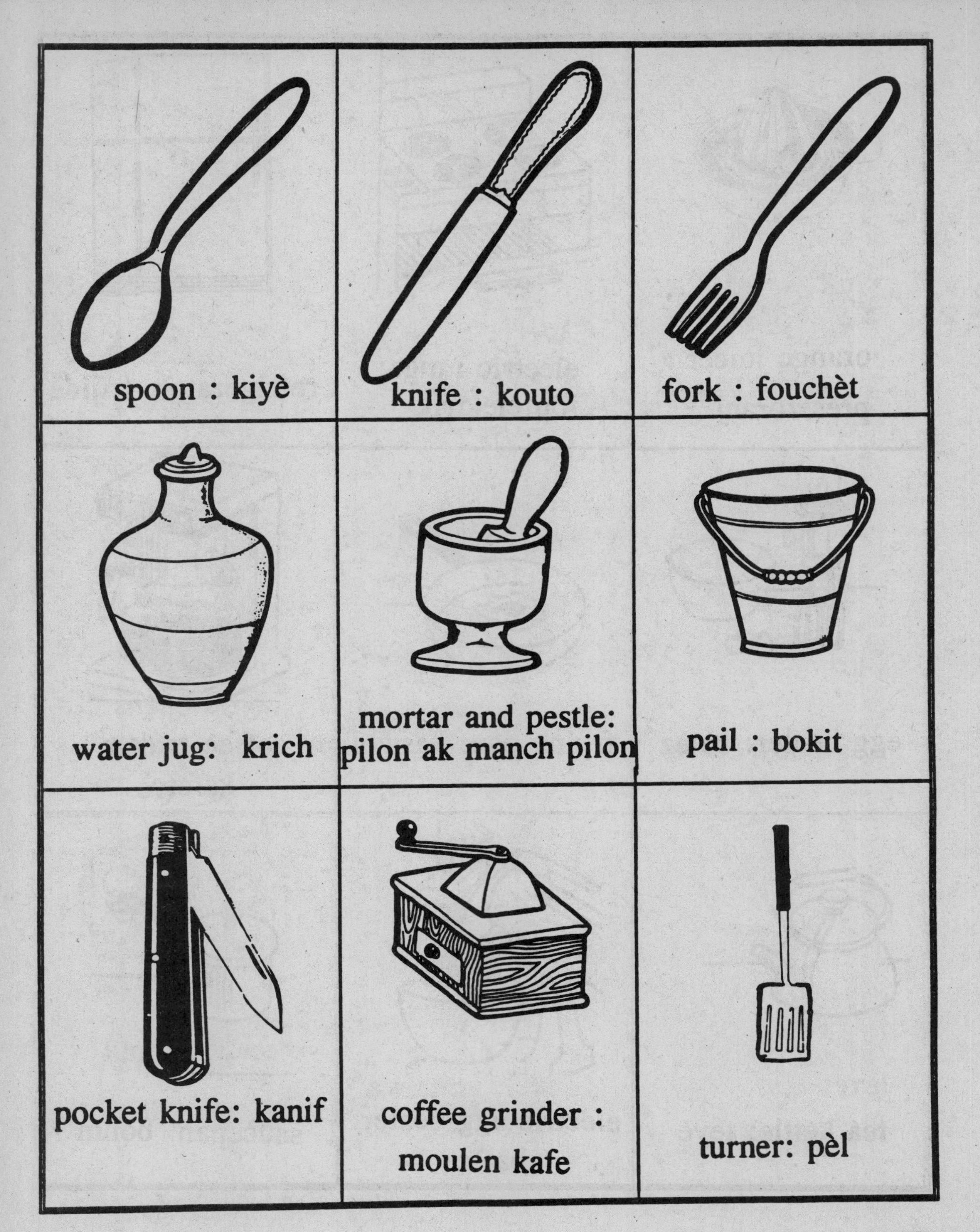
spoon : kiyè
knife : kouto
fork : fouchèt
water jug: krich
mortar and pestle:
pilon ak manch pilon
pail : bokit
pocket knife: kanif
coffee grinder :
moulen kafe
turner: pèl

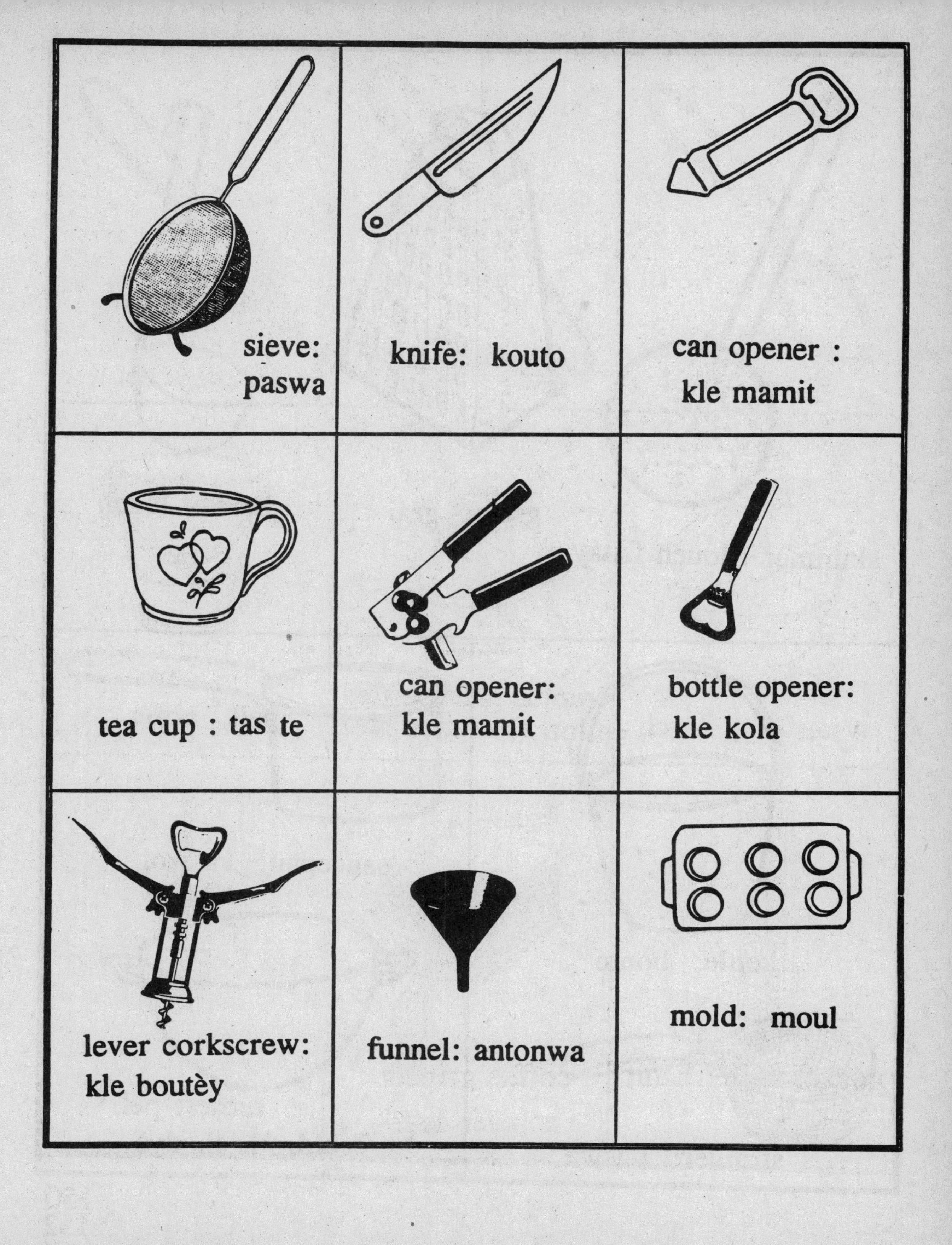
sieve:
paswa
knife: kouto
can opener :
kle mamit
tea cup : tas te
can opener:
kle mamit
bottle opener:
kle kola
lever corkscrew:
kle boutèy
funnel: antonwa
mold: moul

skimmer : louch fritay
grate: graj
laddle: louch
kettle: bonm
strainer: paswa
saucepan: kaswòl
cauldron: chodyè

mortar
pilon
pot
chodyè
bucket
bokit
cooker
recho
broom
bale
lamp
lanp

basket : panye
broom : bale
bench : ban
wood charcoal:
chabon bwa
cooker : recho
charcoal cooker:
recho chabon
pail : bokit

heater: chofrèt

tea kettle : teyè

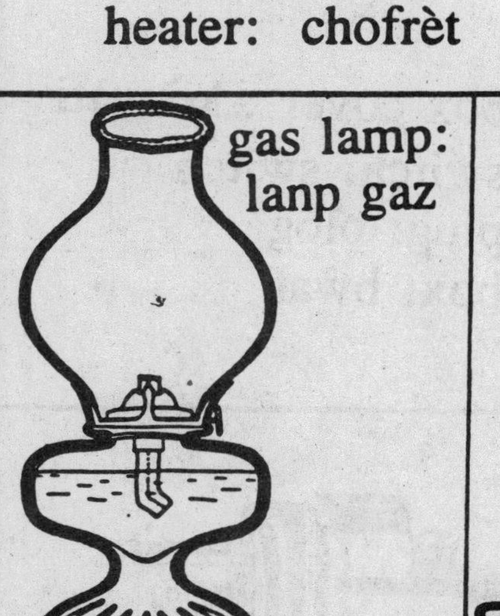

gas lamp:
lanp gaz

bouji
candle light

gas lamp:
lanp tèt gridap

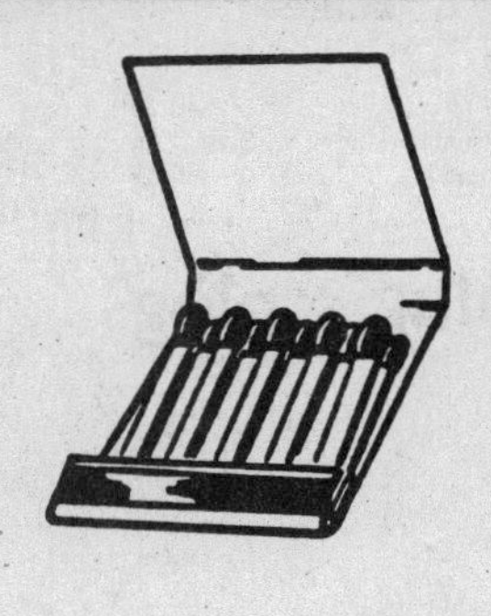

matches : alimèt

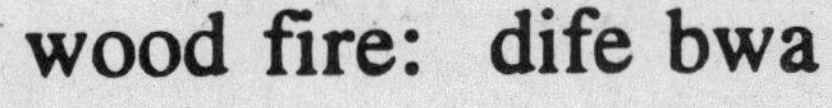

wood fire: dife bwa

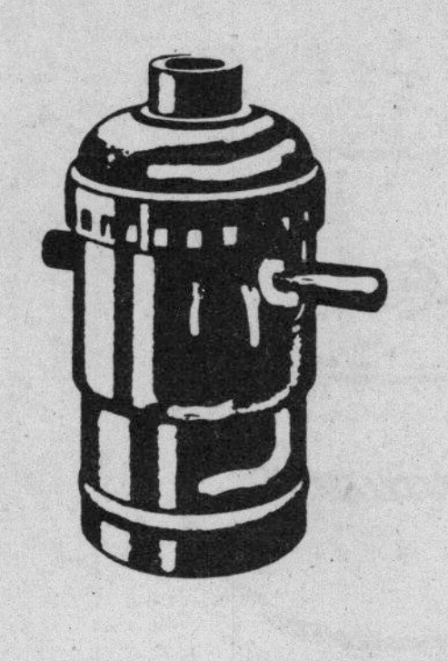

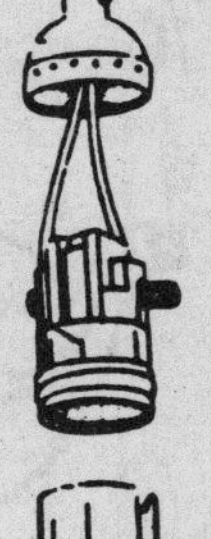

socket: sòkèt

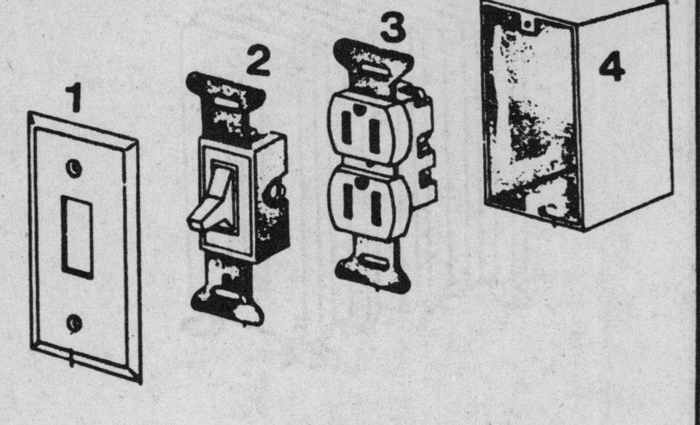
1
2
3
4

1. box cover : kouvèti
2. switch: switch
3. plug: plòg
4. box: bwat

lanp: anpoul

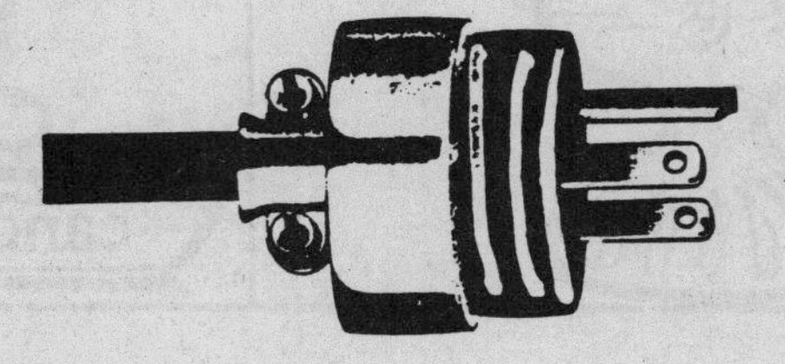

plug : plòg

1
2
3
4
5
6
7
8
1. sofa: sofa
2. lamp: lanp
3. table: tab
4. curtain: rido
5. chest: kès
6. painting: tablo
7. plant: plant
8. book: liv
LIVING ROOM
SALON

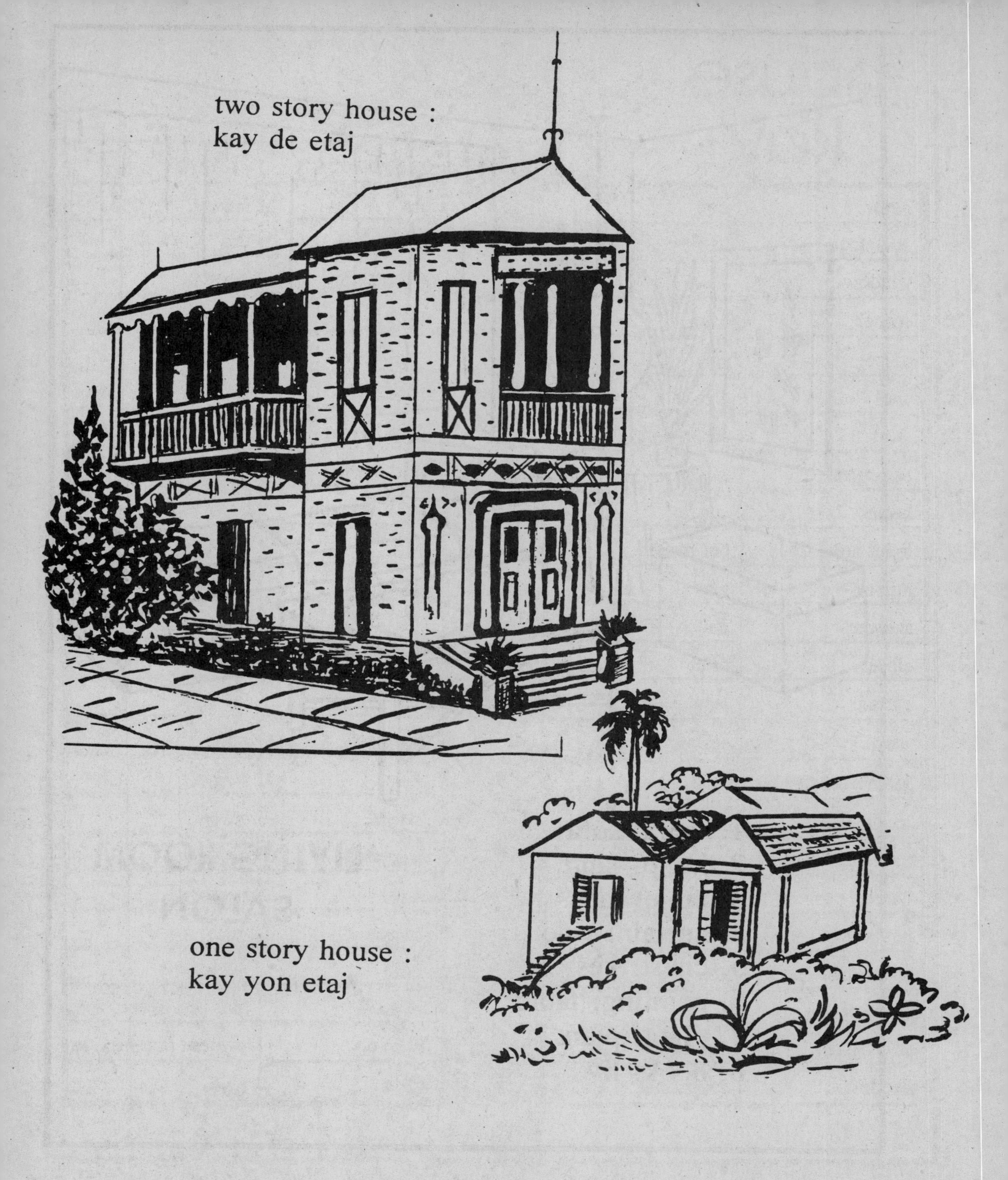
two story house :
kay de etaj
one story house :
kay yon etaj

house
kay

door	pòt
door lock	seri
window	fenèt
corner	kwen
carpet	tapi
wall	mi
floor	planche, atè
bathroom	twalèt
lavabo	lavabo
toilet bowl	bòl twalèt
mirror	glas
shower	douch
closet	bifèt
curtain	rido
soap	savon
toothbrush	bwòsadan
toothpaste	pat
towel	sèvyèt
water	dlo
hot water	dlo cho
cold water	dlo frèt
perfume	pafen
after shave	dezodoran
deodorant	dezodoran

bedroom	chanm
bed	kabann
sheet	dra
bed spread	kouvreli
pillow	zorye
night stand	tabdenui
night lamp	lanp bò tèt kabann
night gown	chemizdenwi
good night	bòn nwi
good morning	bonjou
love	renmen
prayer	lapriyè
kiss	bo
clothing	rad
skirt	jip
blouse	kòsaj
panty	pantalèt
dressed	abiye
undressed	dezabiye
naked	toutouni
dresser	bifèt
comb	peny
baby oil	lwil pou tibebe
make up	pwodui pou makiye
brush	bwòs

kitchen	kwizin
oven	fou
fridge	frijidè
freezer	frizè
microwave oven	fou mikwo-ond
sink	basen
dish	plat
diswasher	machin pou lave asyèt
spoon	kiyè
knife	kouto
fork	fouchèt
cup	tas
glass	vè
napkin	sèvyèt an papye
to cook	kuit
to clean	lave
to eat	manje
dessert	desè
breakfast	manje maten
lunch	manje midi
diner	soupe
snack	kolasyon
thaw	dejle
freeze	konjle
warm	tyèd

living room	salon
sofa	sofa
plant	plant
bookcase	bibliyotèk
stereo	aparèy radyo
rocking chair	dodin
picture	foto
picture frame	ankadreman
television	televizyon
visitor	vizitè
friend	zanmi
smell	odè
fan	vantilatè
heater	chofrèt, itè
warm	tyèd
cold	frèt
hot	cho
cooler	glasyè
drink	bwason
ice	glas

hygiene: ijyèn
hygiene: ijyèn
hygiene: ijyèn
hygiene: ijyèn

hair shampoo :
chanpou
to put on rollers:
mete woulo
hair pick :
pik
KÒLGAT
toothpaste :
pat dantifris
rollers : woulo
hair clippers :tondèz
1
2
tooth brush :
bwòs dan
1 hair dryer : sechwa
2 blow dryer : sechwa
barber shop :
kwafè

to comb: penyen
to shampoo: savonnen
to rince: rense
to dry: seche
to spray: flite
to wear cap: met bone

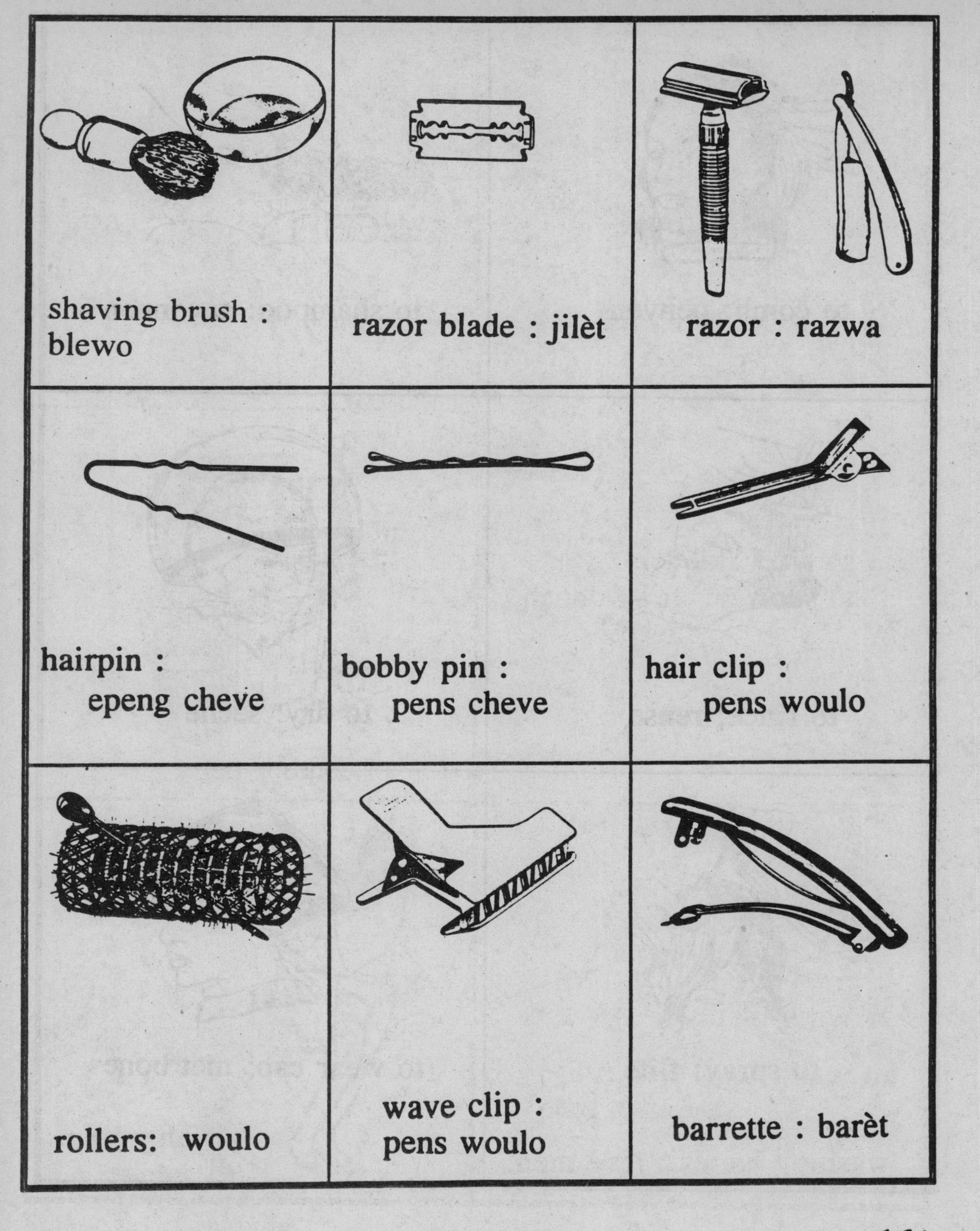
shaving brush :
blewo
razor blade : jilèt
razor : razwa
hairpin :
epeng cheve
bobby pin :
pens cheve
hair clip :
pens woulo
rollers: woulo
wave clip :
pens woulo
barrette : barèt

wash

lave

wash lave

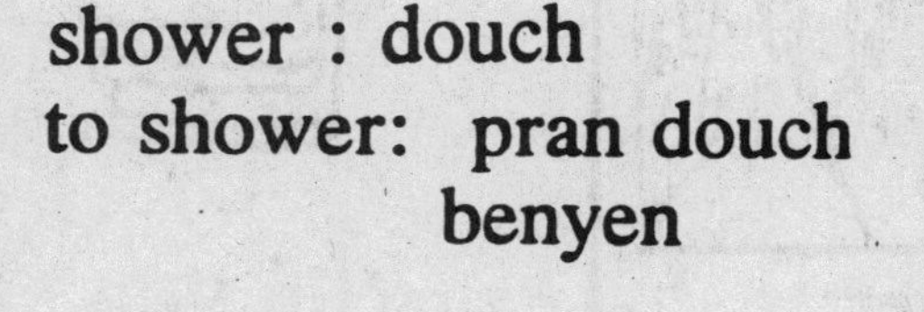

shower : douch
to shower: pran douch benyen

bath : beny

to wash hands: lave men

to wash hand with soap: savonnen men

washing hands : lave men

drying off : seche

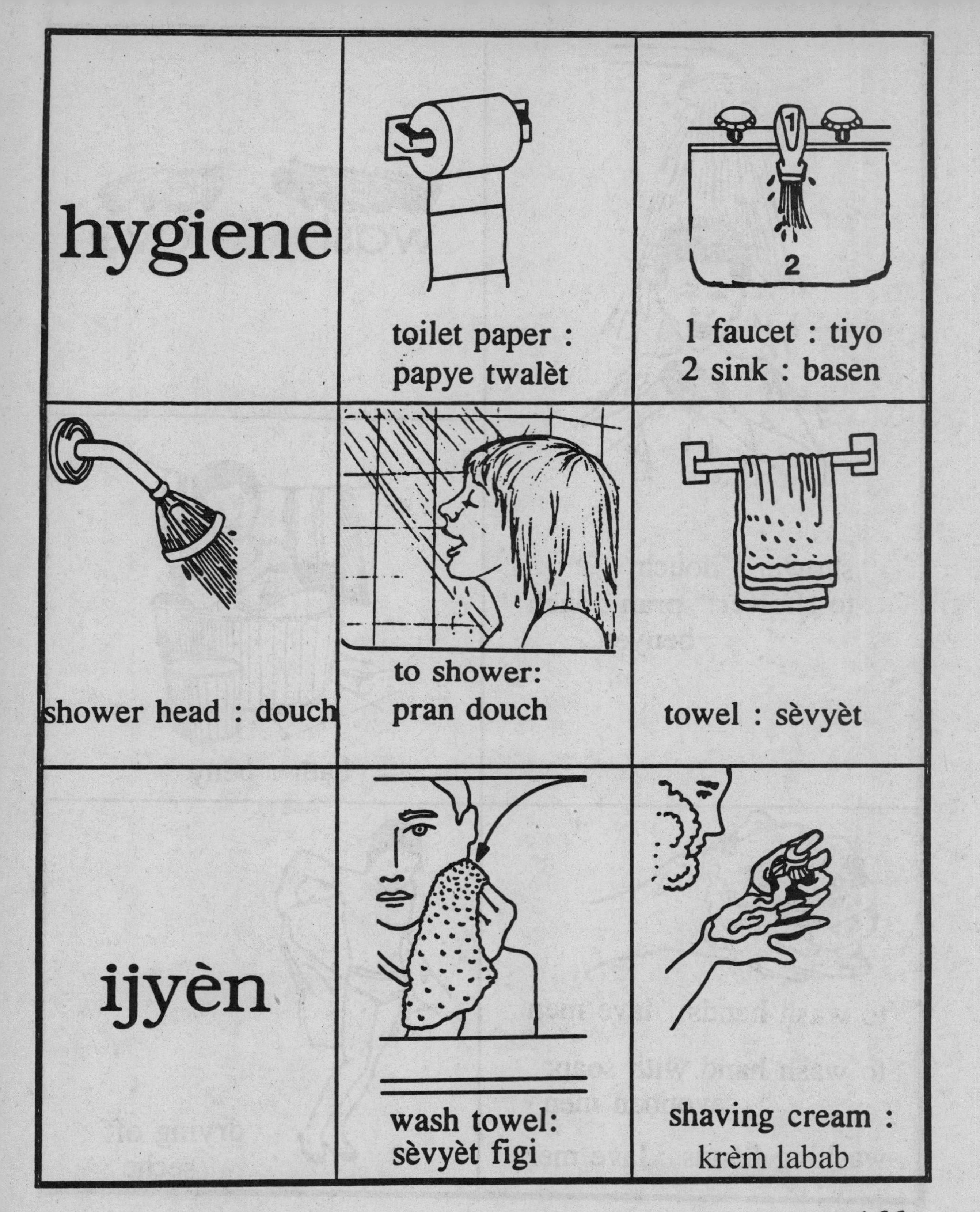
hygiene
toilet paper :
papye twalèt
1
2
1 faucet : tiyo
2 sink : basen
shower head : douch
to shower:
pran douch
towel : sèvyèt
ijyèn
wash towel:
sèvyèt figi
shaving cream :
krèm labab

toilet bowl: bòl twalèt
bath tub : beywa
sink : lavabo
towel : sèvyèt
comb : peny
brush : bwòs tèt

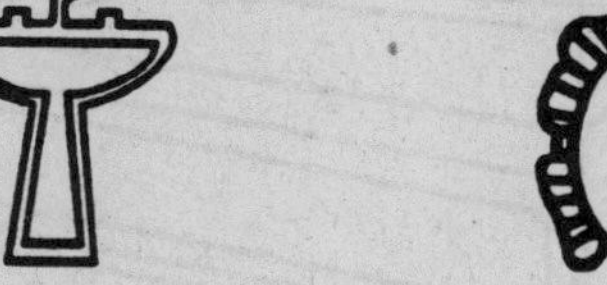

washbowl :
lavabo

mirror :
glas

toilet bowl :
bòl twalèt

perfume bottle :
boutèy pafen

paper tissue :
klinèks

toilet paper :
papye twalèt

brush :
bwòs

comb :
peny

dryer :
sechwa

towel :
sèvyèt

Sport hobby games

Espò pastan jwèt

4

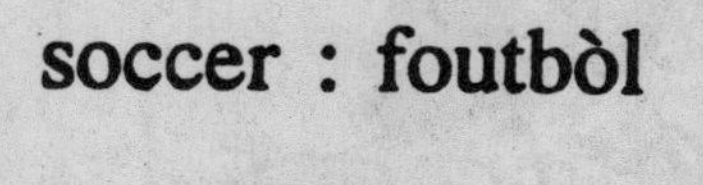

soccer : foutbòl

jumping rope : sote kòd

marble game : jwèt mab

sling shot : fistibal

soccer ball:
balon foutbòl
hiking: moute mòn
ice skate :
paten sou glas
1 tennis racket :
rakèt tenis
2 tennis ball :
boul tenis
football:
balon foutbòl
mit : gan, mitèn
baseball mit :
gan bezbòl
roller skates :
paten
basketball hoop :
sèk balon pànye

soccer ball:
balon foutbòl
soccer player:
foutbolè
golf equipment:
ekipman gòlf
skate: paten
ice skater: patinè
bicycle: bisiklèt
baskètball:
balonpanye
football:
balon foutbòl
swimming:
natasyon
swimmer: najè

 baseball : bezbòl	 bicycling : fè bisiklèt
 water skiing : glisad sou dlo	 hokey : òke
 basketball : balon pànye	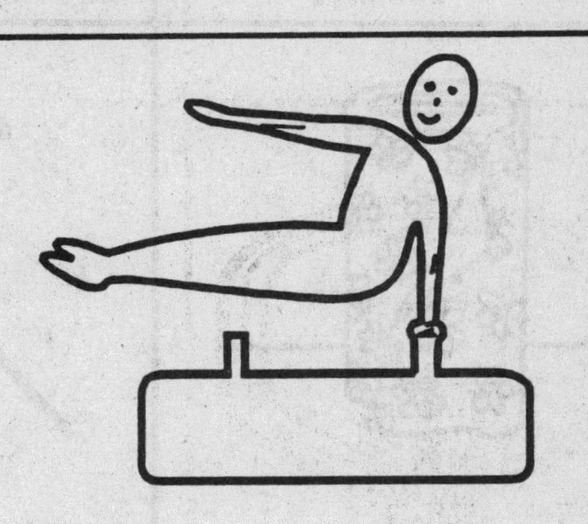 gymnastic : jimnastik

scissors : sizo
pattern : patwon
sewing machine : machin akoud
dice: de
spool : bobin fil
needle : zegwi
material : twal
yarn : fil
fil triko
pins : pens
zepeng titèt

chess: jwèt echèk

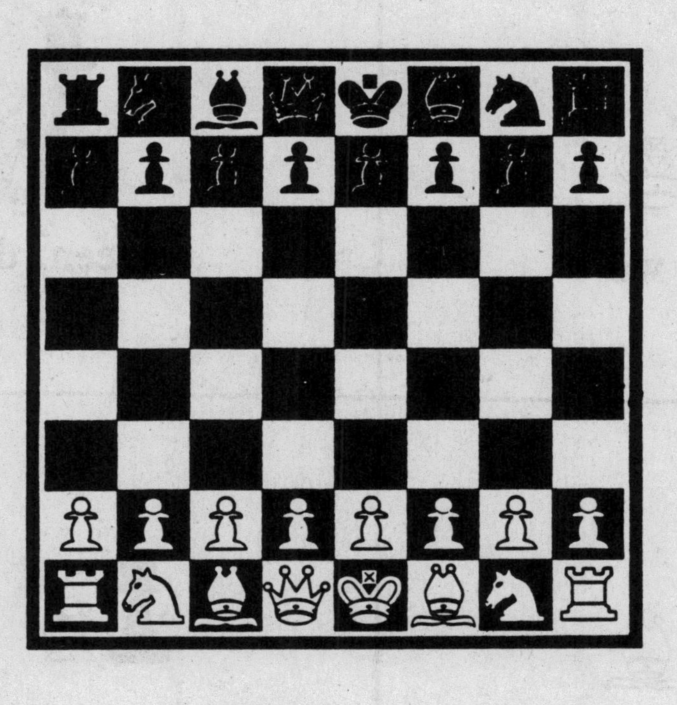

queen: dam
king: wa
pawn: sòlda
rook: tou
knight: chevalye
bishop: fou

king: wa	queen: dam
bishop: fou	pawn: sòlda
knight: chevalye	rook: tou

musical instruments

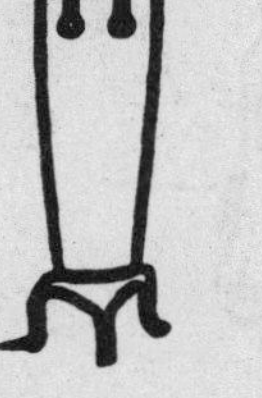

drum
tanbou

maraka
tchatcha

cymbal
senbal

guitar
gita

accordion
akòdeon

banjo
bandjo

flute
flit

piston
piston

saxophone
saksofòn

enstriman mizik

drum: tanbou
violin: vyolon
percussion set: batri
marimba: marimba
piano: pyano
guitar: gita

tools zouti

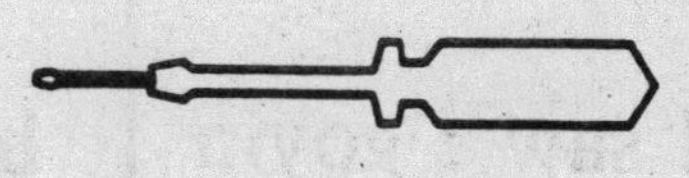

saw
si

hammer
mato

screwdriver
tounvis

brush
penso

roller
woulo

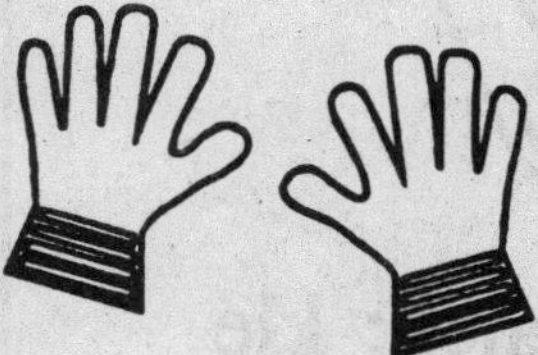
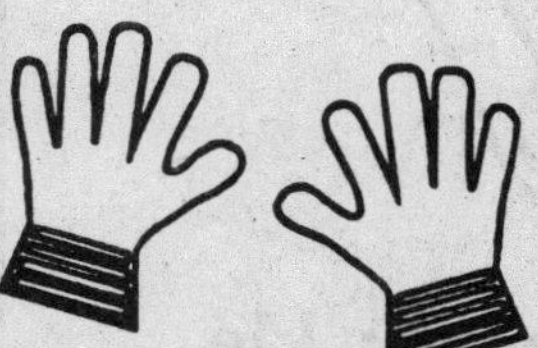

glove
gan

shovel
pèl
pèlte (verb)

cart
chario

ladder
nechèl

hand saw : goyin
hammer : mato
paint brush : penso
wrench: kle
pliers: pens
electric drill :
vilbreken elektrik
tool box :
bwat zouti
measuring tape :
mèt
paint roller :
woulo pou pentire

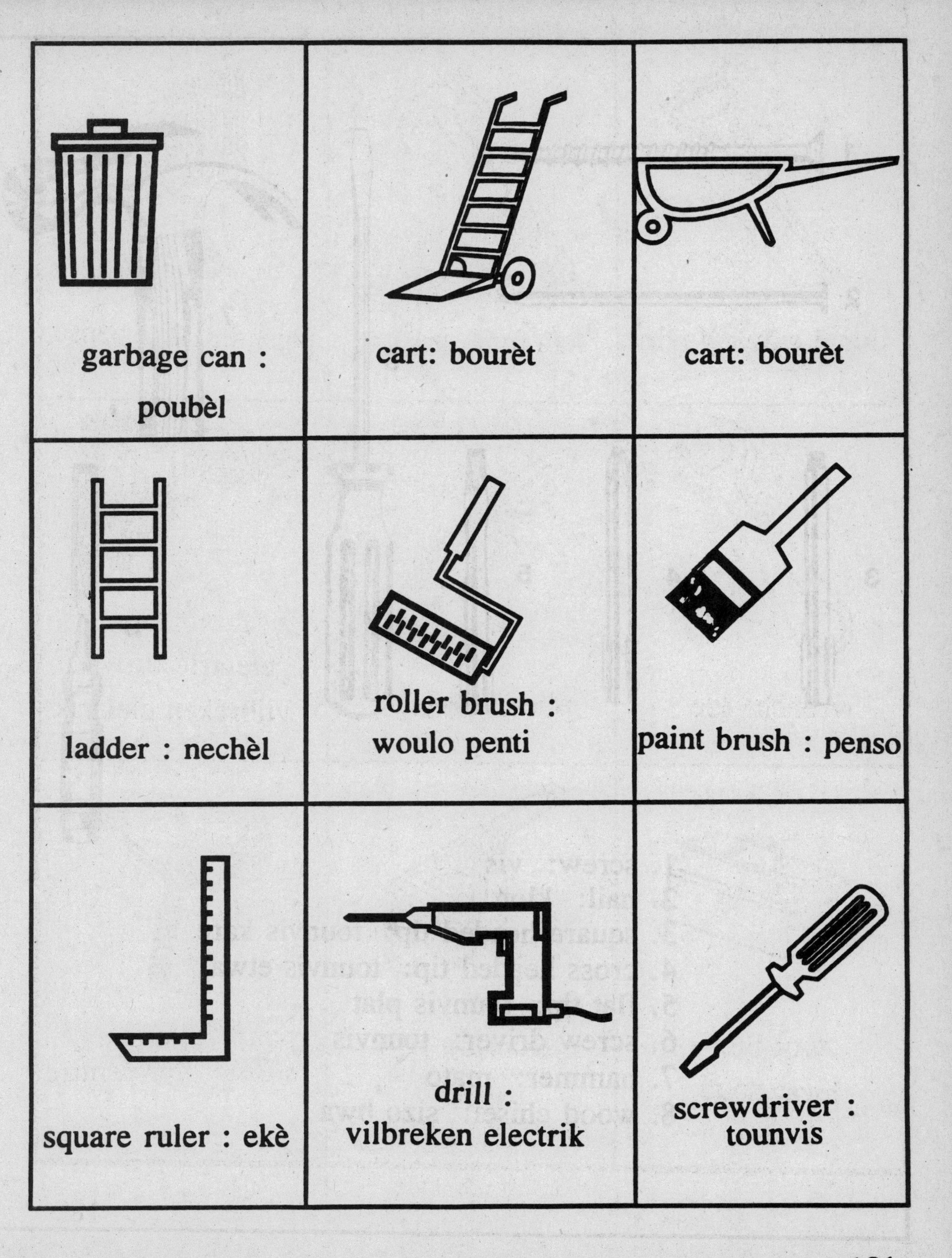
garbage can :
poubèl
cart: bourèt
cart: bourèt
ladder : nechèl
roller brush :
woulo penti
paint brush : penso
square ruler : ekè
drill :
vilbreken electrik
screwdriver :
tounvis

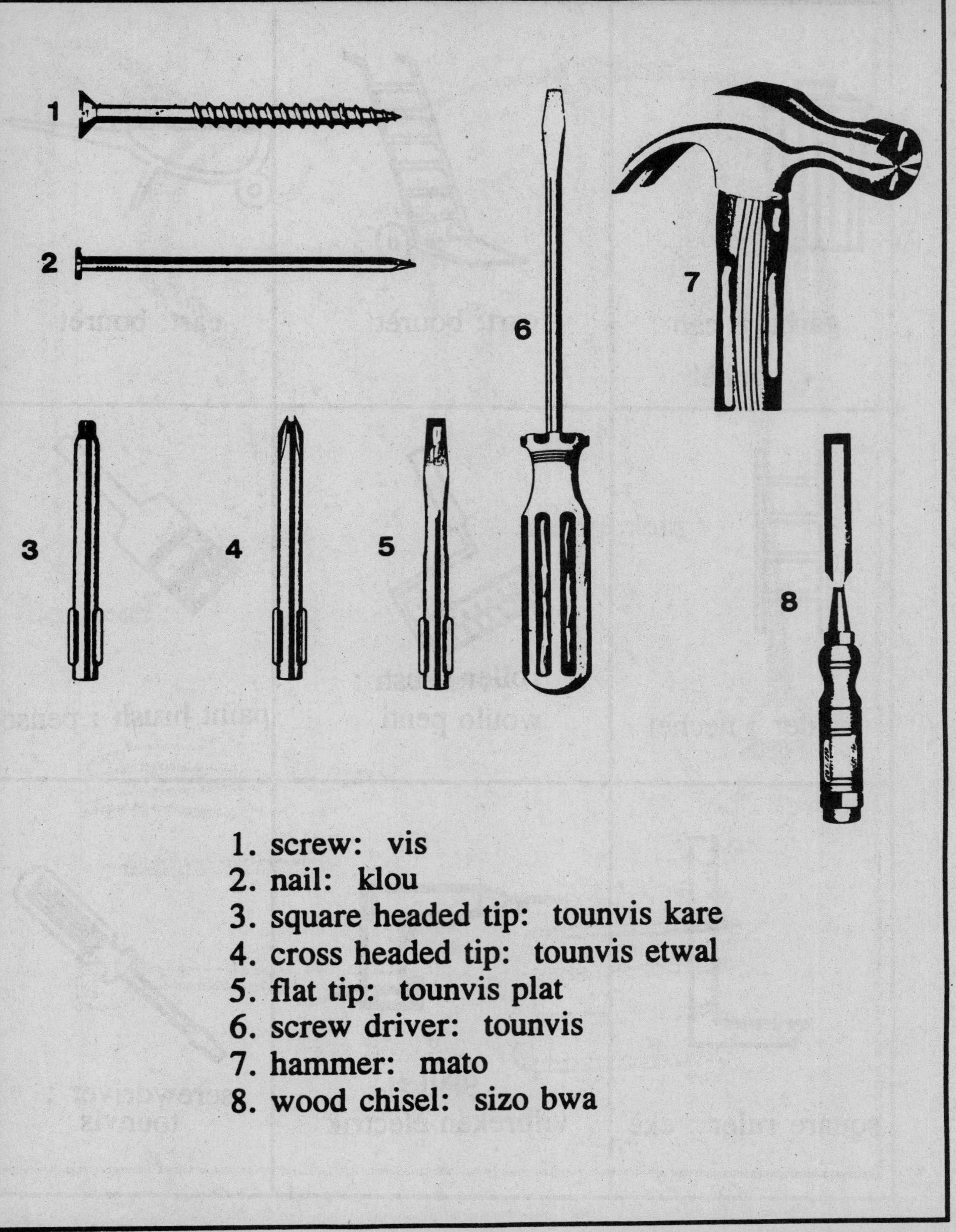
1
2
3
4
5
6
7
8

1. screw: vis
2. nail: klou
3. square headed tip: tounvis kare
4. cross headed tip: tounvis etwal
5. flat tip: tounvis plat
6. screw driver: tounvis
7. hammer: mato
8. wood chisel: sizo bwa

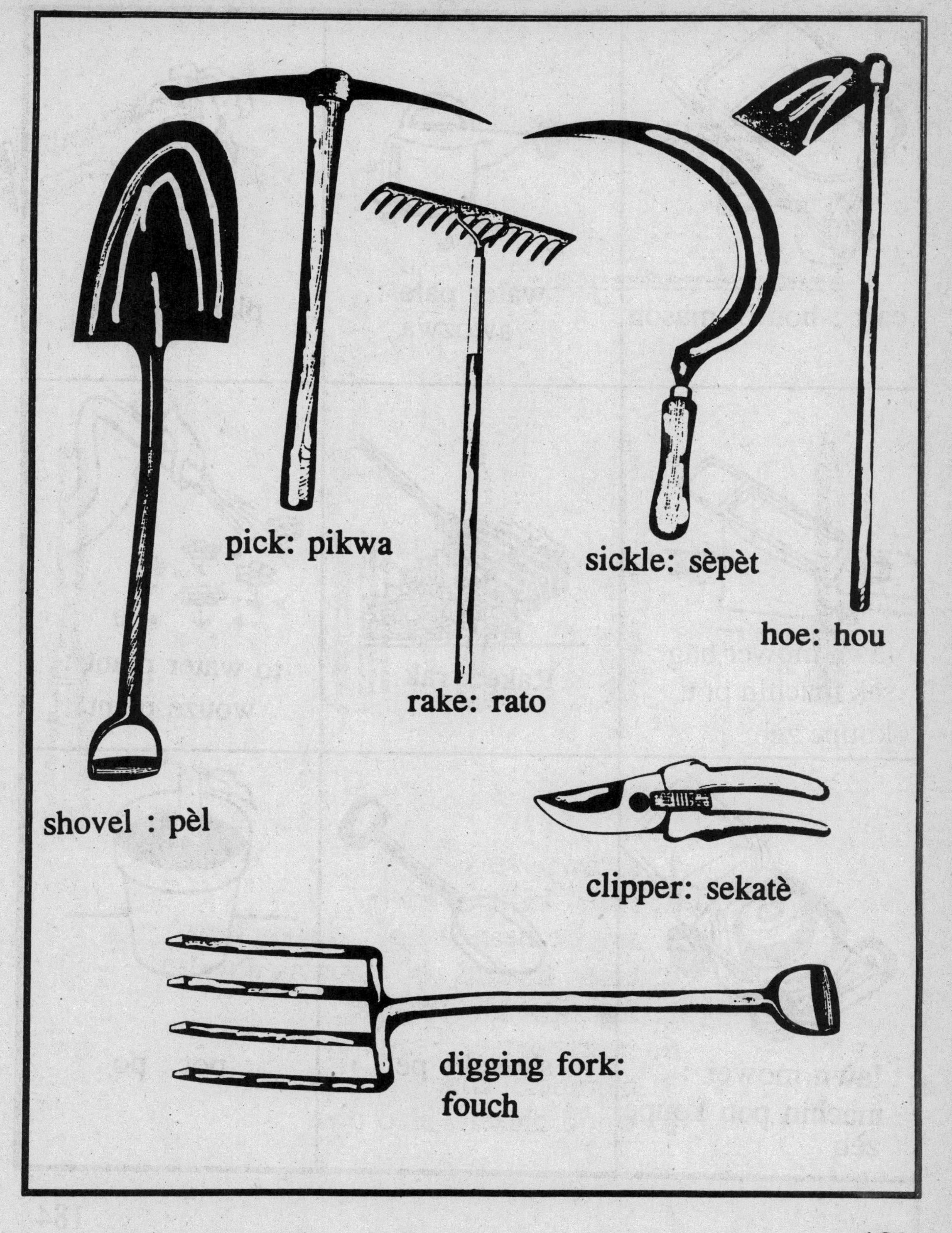
pick: pikwa
sickle: sèpèt
hoe: hou
rake: rato
shovel : pèl
clipper: sekatè
digging fork:
fouch

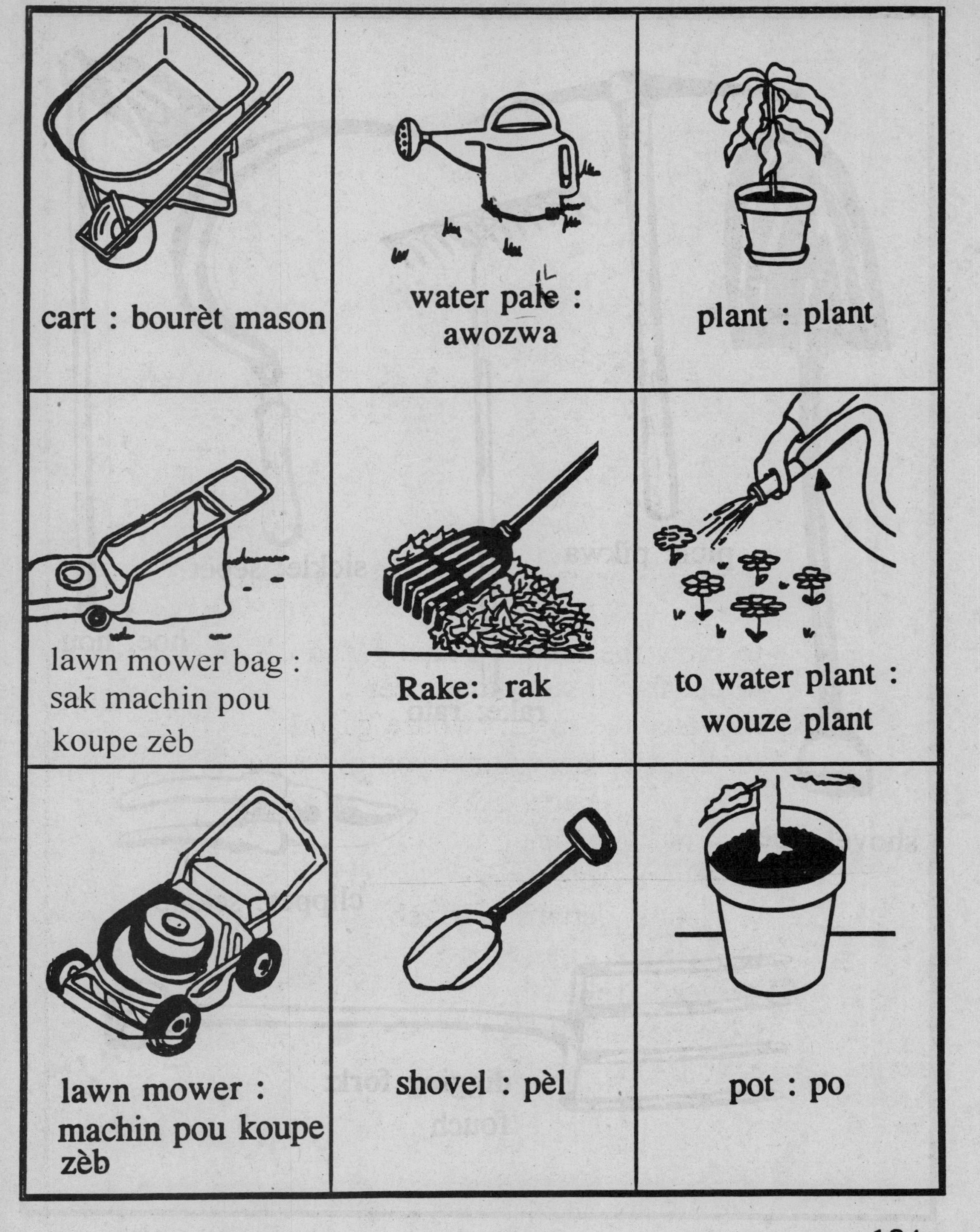
cart : bourèt mason
water pale :
awozwa
plant : plant
lawn mower bag :
sak machin pou
koupe zèb
Rake: rak
to water plant :
wouze plant
lawn mower :
machin pou koupe
zèb
shovel : pèl
pot : po

lawnmower: machin pou koupe zèb

to mow the lawn: koupe gazon
to cut the grass: koupe zèb
to water the lawn: wouze gazon
to plant a tree: plante yon pye bwa
to uproot: dechouke
to root: anrasinen
to sow: plante
to weed: detwi move zèb
to fertilize: met angrè
harvest: rekòlt
to harvest: rekòlte
to irrigate: wouze

1 photographer : fotograf
2 to take a picture : pran foto

hairdresser: kwafèz

electrical repairman :
boss elektrisyen

screwdriver : tounvis

radio announcer :
espikè radyo

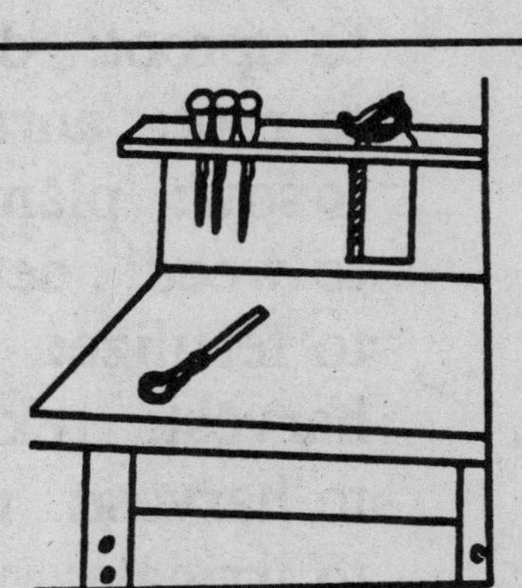

workbench : tabli

tools to measure
zouti pou n mezire

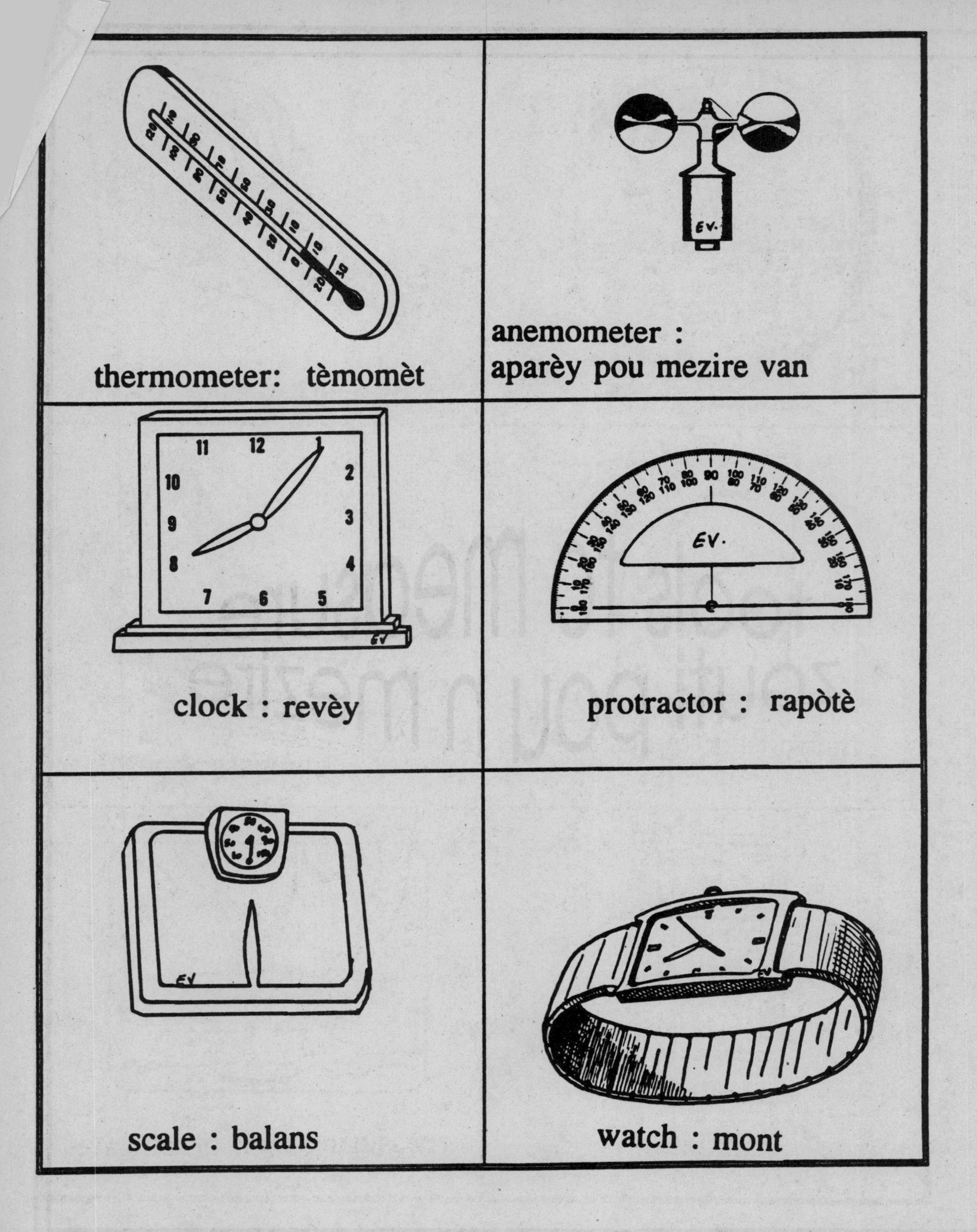
thermometer: tèmomèt
anemometer :
aparèy pou mezire van
clock : revèy
protractor : rapòtè
scale : balans
watch : mont

 kWh MULT. X 10 Rr 138% TYPE I-70 S Kh 7.2 392 J 3185467 4 185 577 counter: kontè	 measuring tape: tep
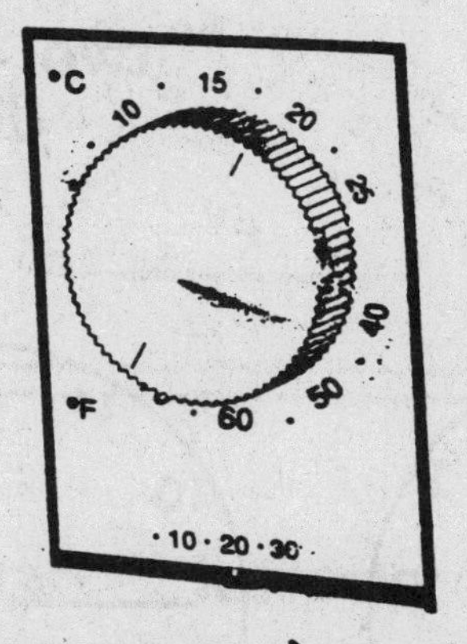 °C 10 15 20 40 50 60 °F 10 · 20 · 30 thermostat: tèmostat	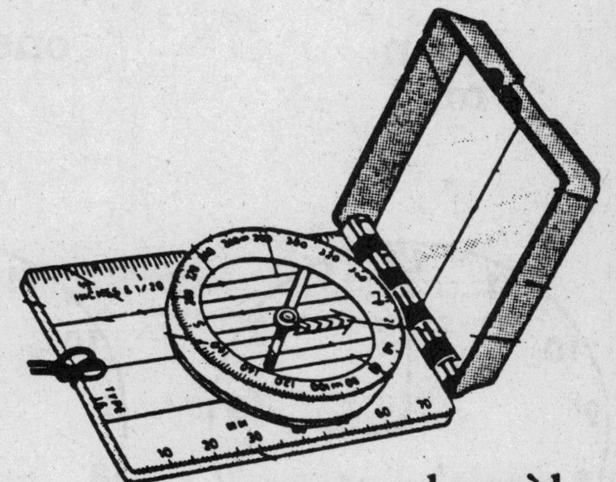 compass: bousòl
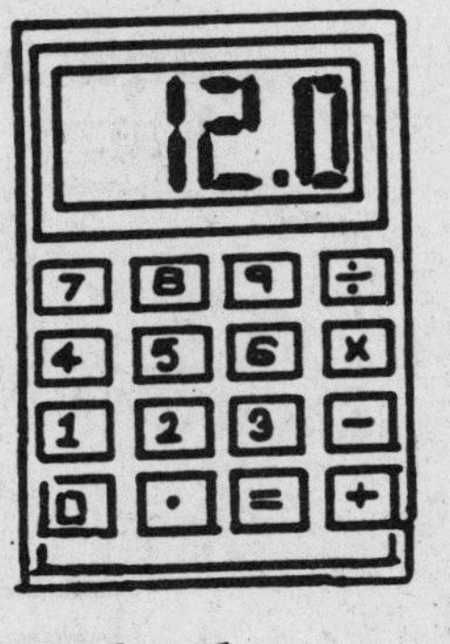 12.0 7 8 9 ÷ 4 5 6 X 1 2 3 − 0 · = + calculator : 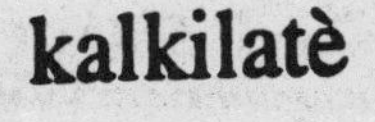 kalkilatè	 3/4 1/2 1/4 measuring cup: tasamezire

What time is it? Ki lè li ye?

12
1
2
3
4
5
6
7
8
9
10
11
Feq

noon
midi

one oclock
inè

two oclock
dezè

three oclock
twa zè

three thirty
twa zè edmi

quarter to four
katrè mwen ka

clock : pandil

alarm clock
revèy

watch
mont

 one o'clock : inè	 two o'clock : dezè	 four o'clock : katrè
 six o'clock : sizè	 eight o'clock : witè	 nine o'clock : nevè
 ten o'clock : dizè	 eleven o'clock : onzè	 1 noon : midi 2 midnight : minwi

office and school supplies

FATRA

zafè biwo ak zafè lekòl

paper clip : klip
rubber band : elastik
stapler : klipsè
FEQ
tape : tep
12.0
7 8 9 ÷
4 5 6 x
1 2 3 −
0 · = +
calculator : kalkilatè
staple remover : deklipsè
desk : biwo
typewriter : machin aekri
correction fluid : korektè

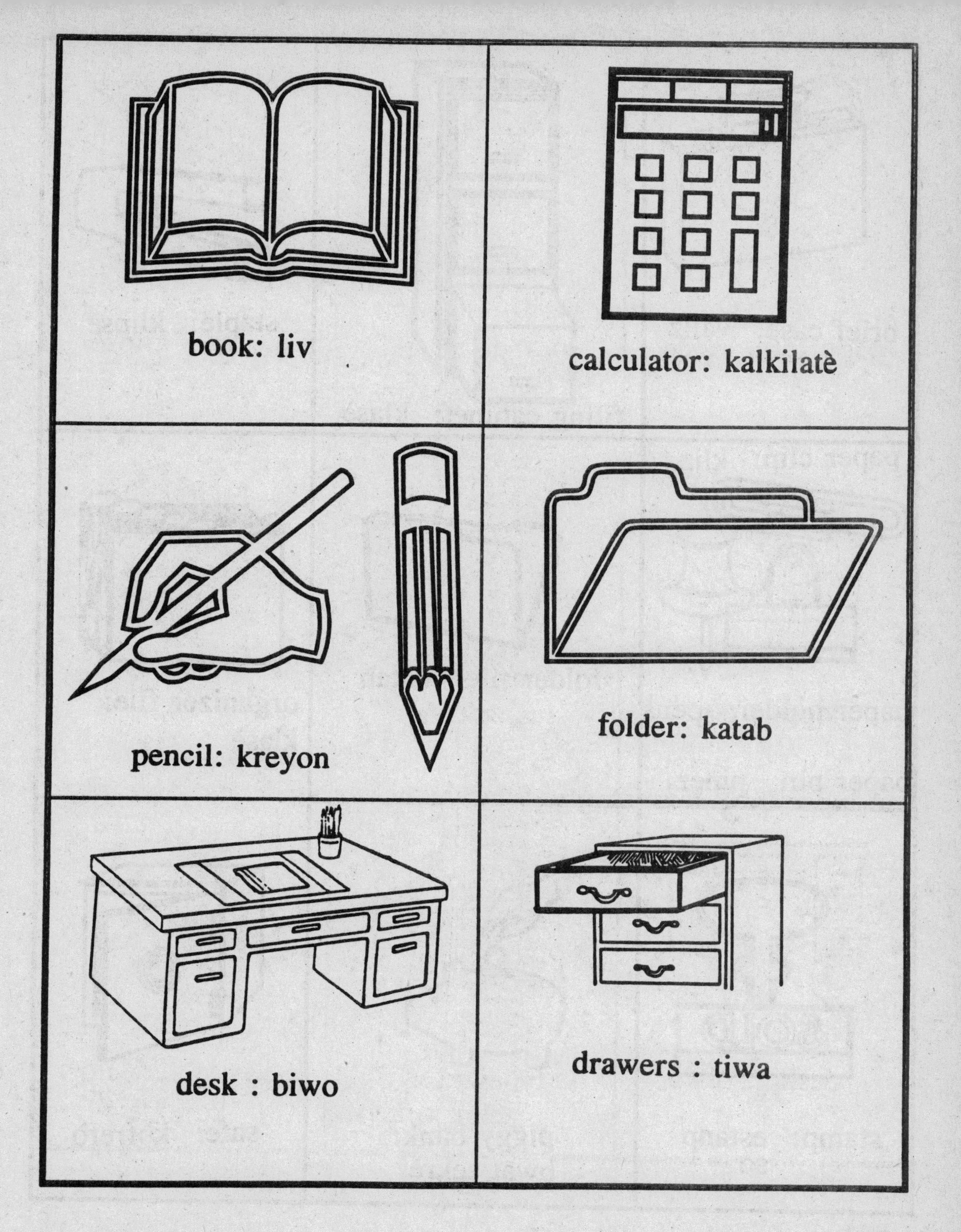
book: liv
calculator: kalkilatè
pencil: kreyon
folder: katab
desk : biwo
drawers : tiwa

brief case: valiz
filing cabinet: klasè
staple: klipsè
paper clip: klips
paper holder: pens
paper pin: pinèz
folder file: katab
organizer file: klasè
stamp: estanp so
SOLD
piggy bank: bwat sekrè
safe: kòfrefò

1
2
3
4
5
6
7
8

1. desk: biwo
2. chair: chèz
3. computer: konpyoutè
4. lamp: lanp
5. radio set: radyo
6. trash container: poubèl
7. map: kat
8. window: fenèt

portable cassette player :
radyo kasèt pòtatif
turntable : toundis
radio : radyo
record : plak
computer monitor :
ekran konpyoutè
portable telephone
telefòn pòtatif
camera : kamera
overhead projector :
pwojektè
timer : kontè
00:00

school objects

zouti lekòl

desk : biwo

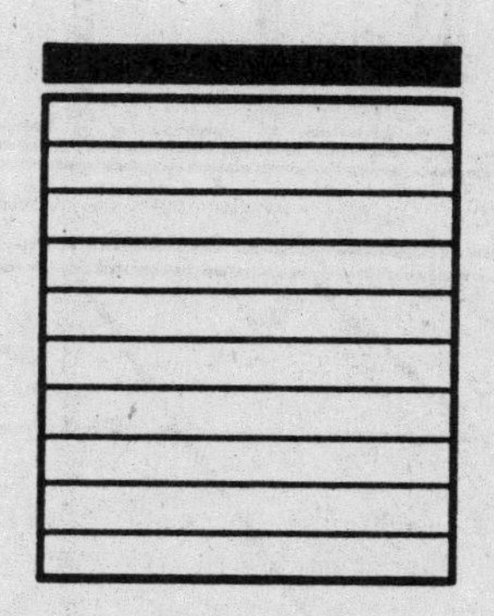

notepad: kaye

pencil: kreyon

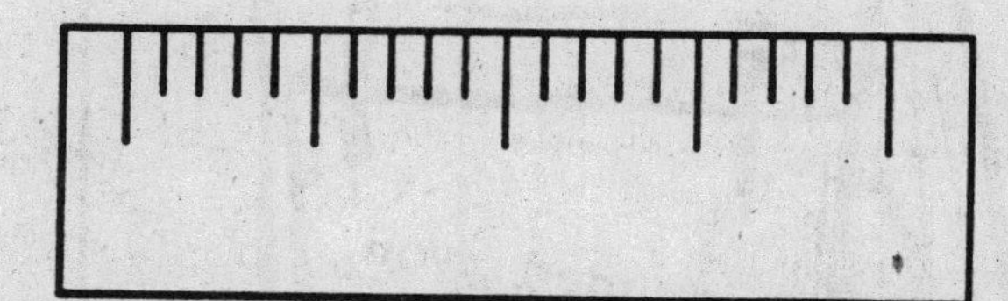

ruler: règ

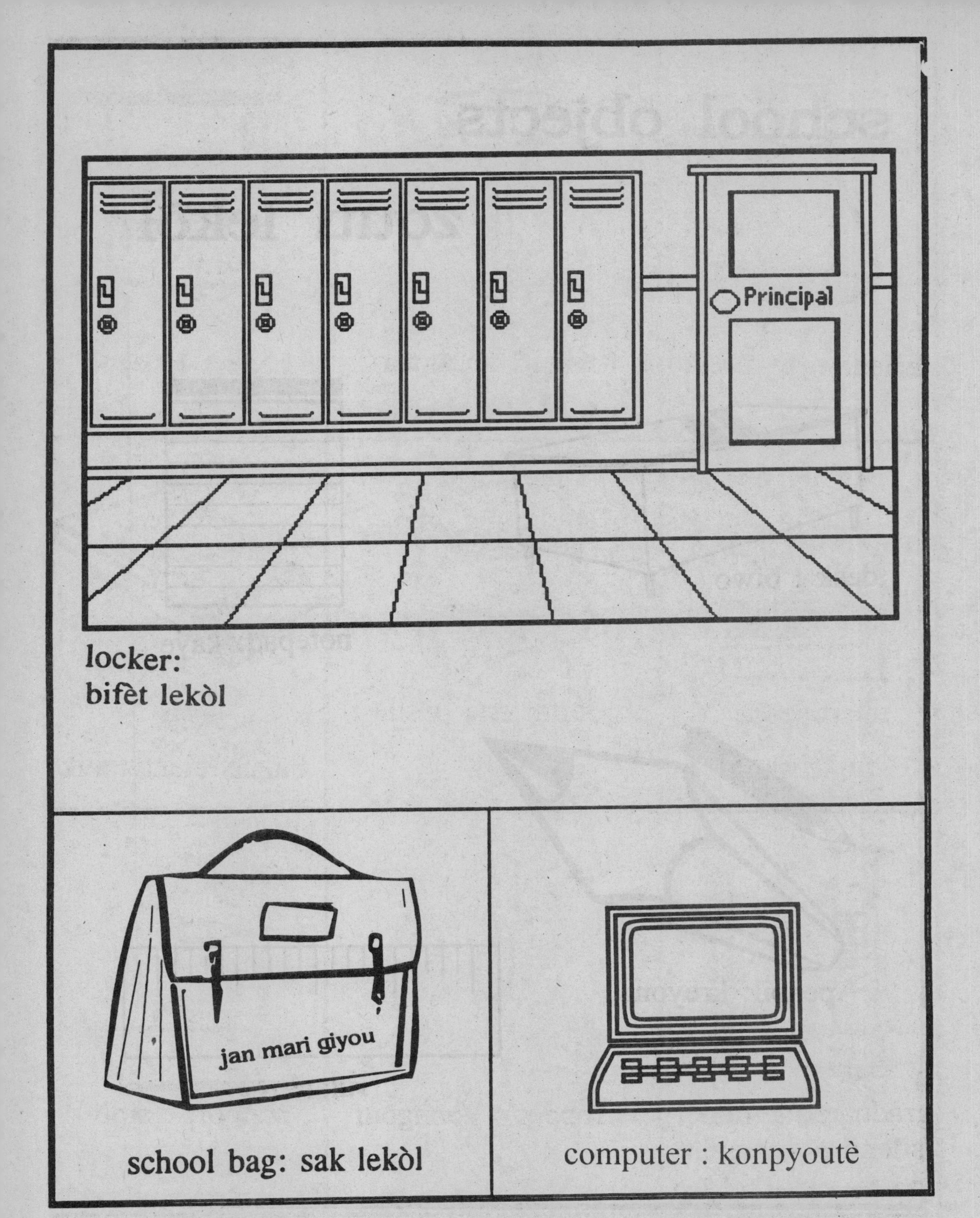
Principal
locker:
bifèt lekòl
jan mari giyou
school bag: sak lekòl
computer : konpyoutè

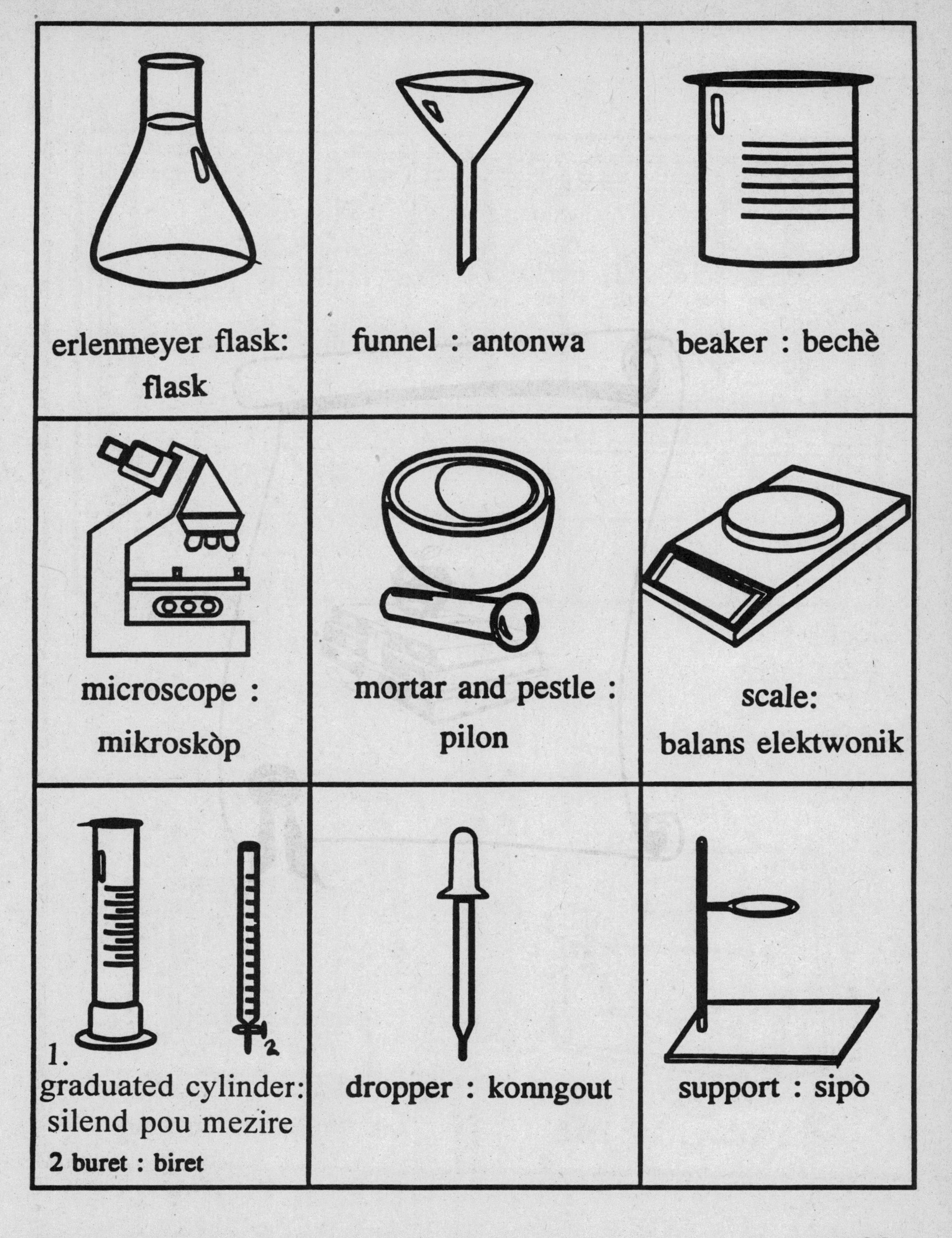
erlenmeyer flask:
flask
funnel : antonwa
beaker : bechè
microscope :
mikroskòp
mortar and pestle :
pilon
scale:
balans elektwonik
1.
2
graduated cylinder:
silend pou mezire
2 buret : biret
dropper : konngout
support : sipò

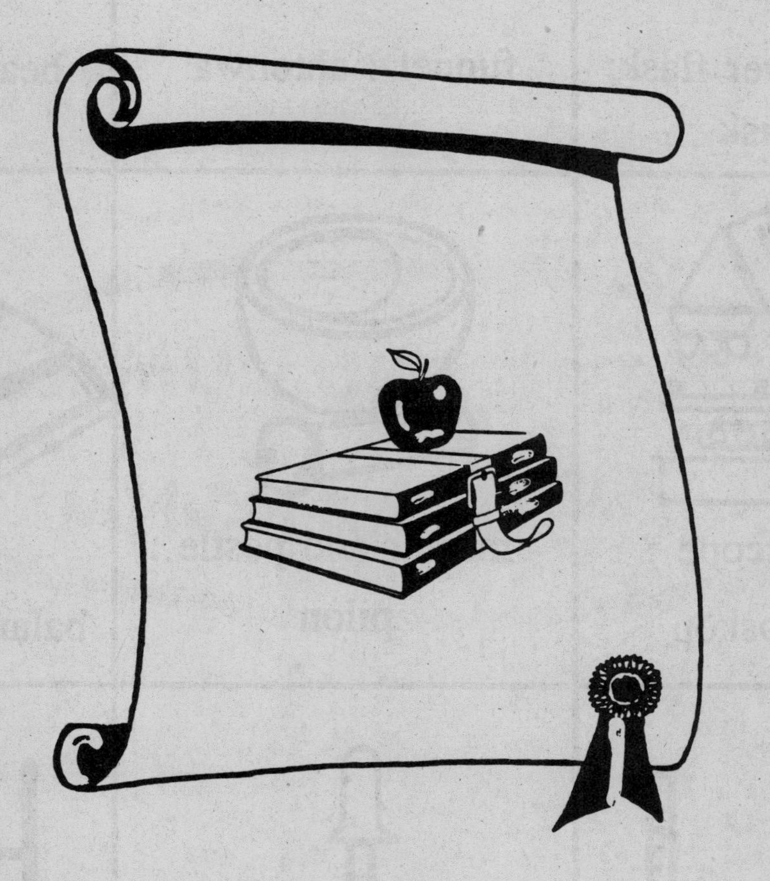

SYMBOLS AND NUMBERS
SENBÒL AK NONM

Map of Haiti: Kat Dayiti

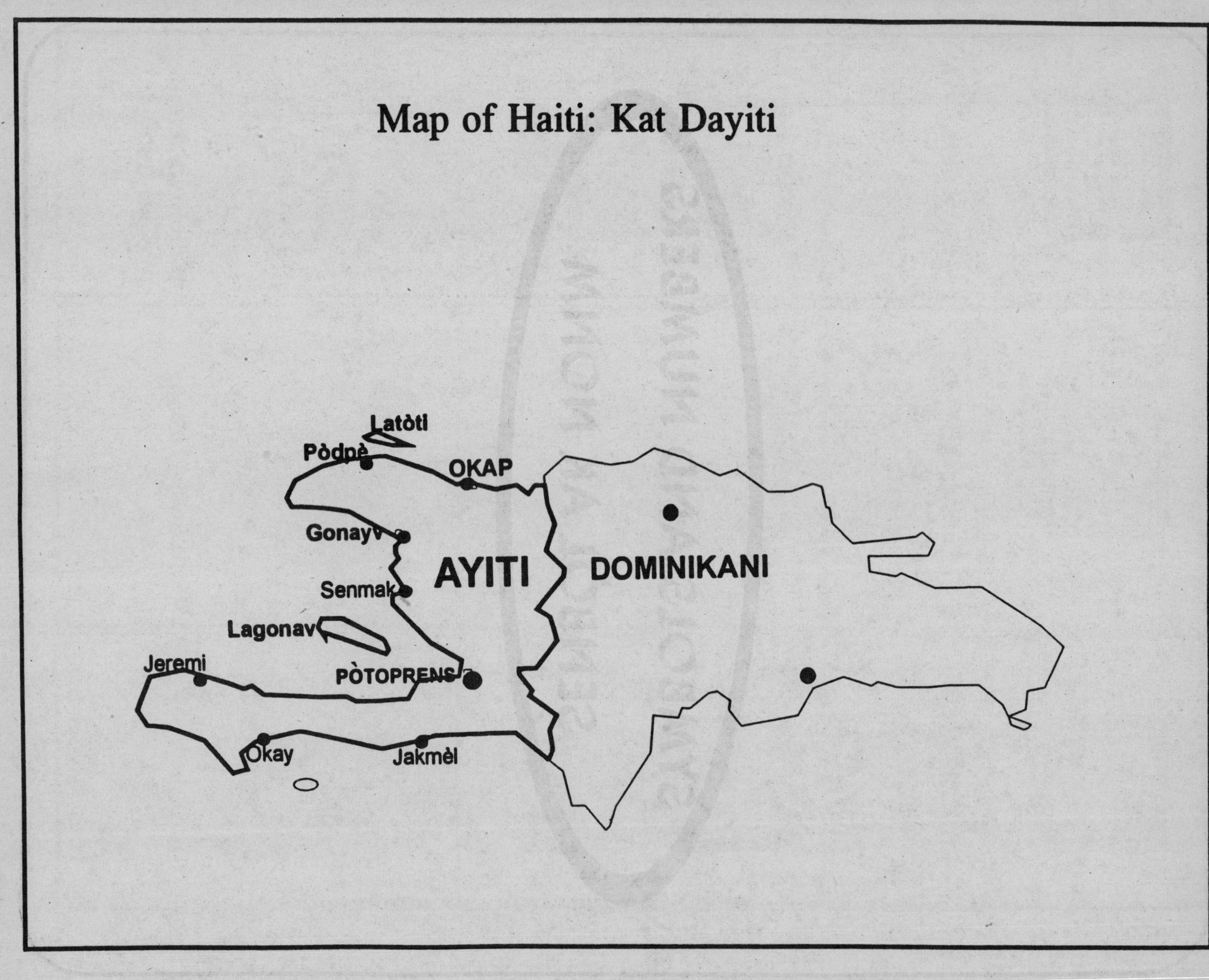

Latòti
Pòdpè
OKAP
Gonayv
AYITI
DOMINIKANI
Senmak
Lagonav
Jeremi
PÒTOPRENS
Okay
Jakmèl

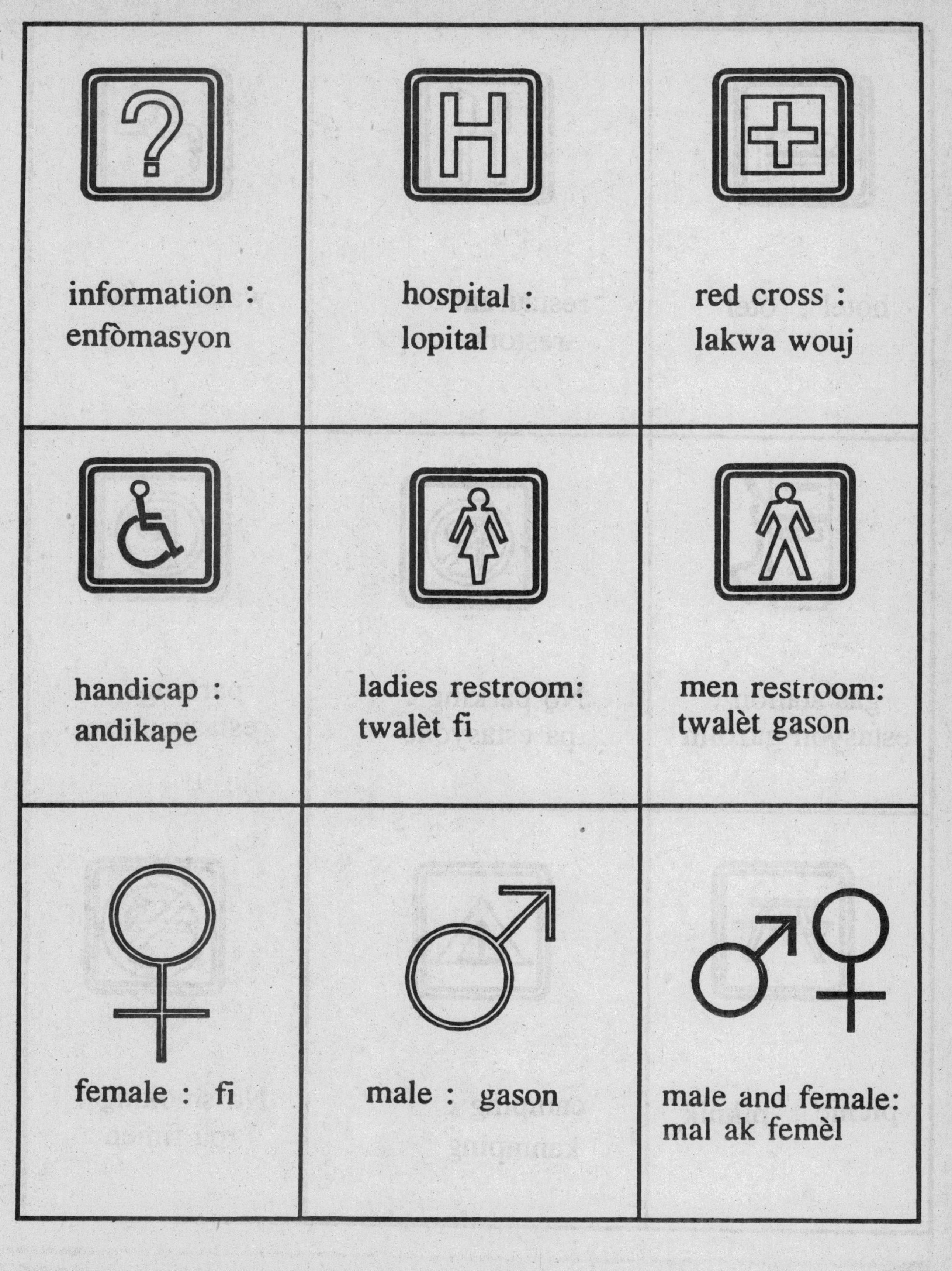
information :
enfòmasyon
hospital :
lopital
red cross :
lakwa wouj
handicap :
andikape
ladies restroom:
twalèt fi
men restroom:
twalèt gason
female : fi
male : gason
male and female:
mal ak femèl

hotel : otel	restaurant : restoran	water : dlo
gas station : estasyon gazolin	No parking : pa estasyone	parking : estasyonman
picnic : piknik	camping : kanmping	No smoking : pa fimen

two direction: de direksyon
de sans

curves right:
wout la ap chankre adwat

curving road:
wout ki gen anpil koub

merge left: mete w agòch

train: wout tren

slippery road:
atansyon, wout glise!

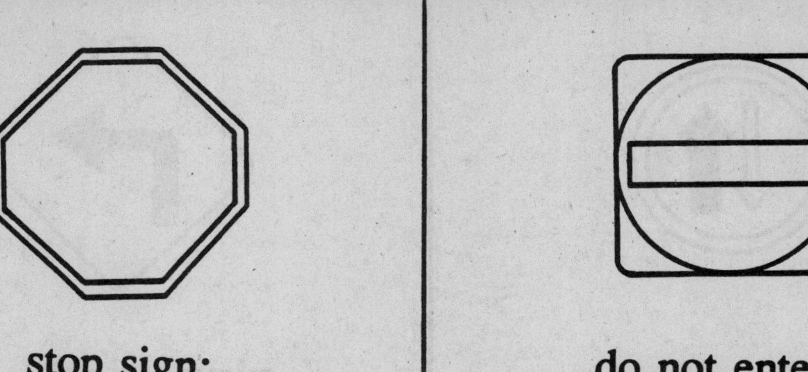

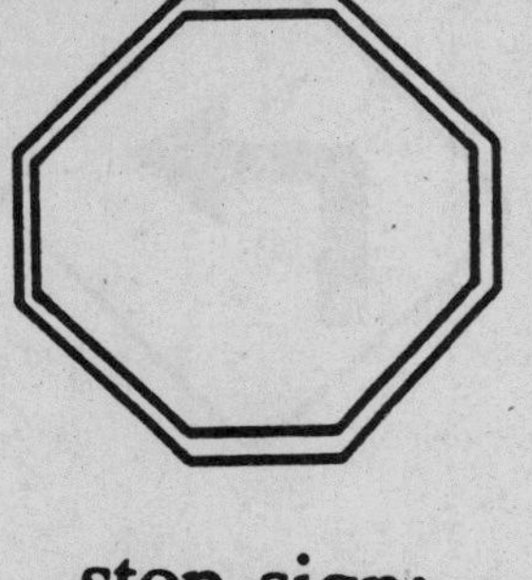

stop sign:
siy pou w kanpe

do not enter:
pa antre la

no left turn:
pa vire agòch

yield : kite lòt la pase
anvan

no U turn : pa fè vire won
pa vire tounen

railroad crossing:
kote tren pase

:	;	{}
colon : de pwen	semi colon : pwen vigil	brackets : akolad
&	#	( )
and: siy "epitou"	number symbol: senbòl nimewo	parenthesis: parantèz
?	!	%
question mark: siy poze kesyon	exclamation point: siy sezisman	percent: pousan

STOP kanpe	ENTER antre
NO TRESPASSING pa pase la	EXIT sòti
NO ADMITTANCE pa antre la	RR wout tren

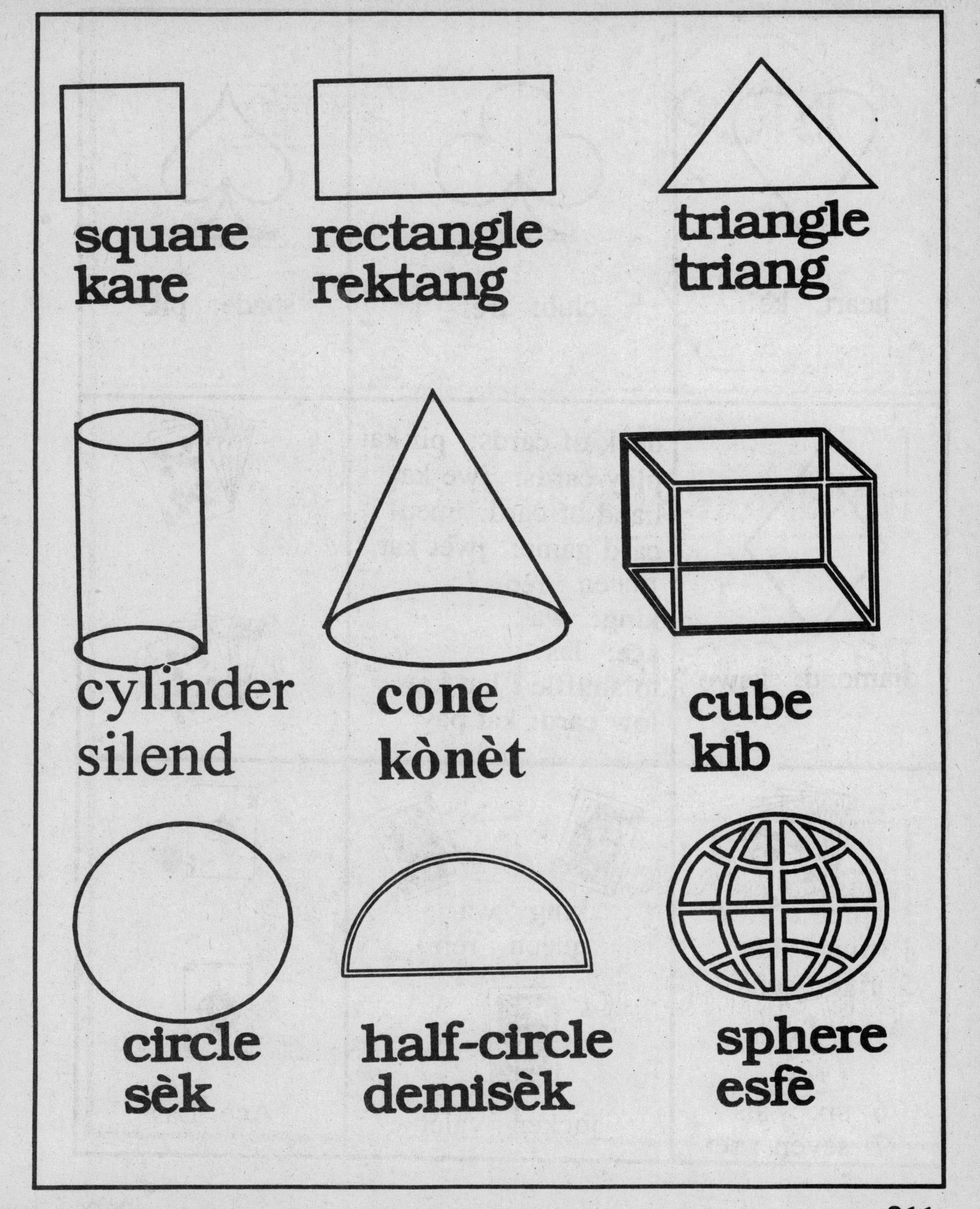
square
kare
rectangle
rektang
triangle
triang
cylinder
silend
cone
kònèt
cube
kib
circle
sèk
half-circle
demisèk
sphere
esfè

heart: kè	club: trèf	spade: pik
diamond: kawo	deck of cards: pil kat play cards: jwe kat hand of card: men card game: jwèt kat queen : rèn king: wa ace: las to shuffle : bat kat low card: kat pay	
3 three : twa 4 four : kat 5 five : senk 6 six : sis 7 seven : sèt	king : wa queen : rèn jocker : valèt	Ace: Las

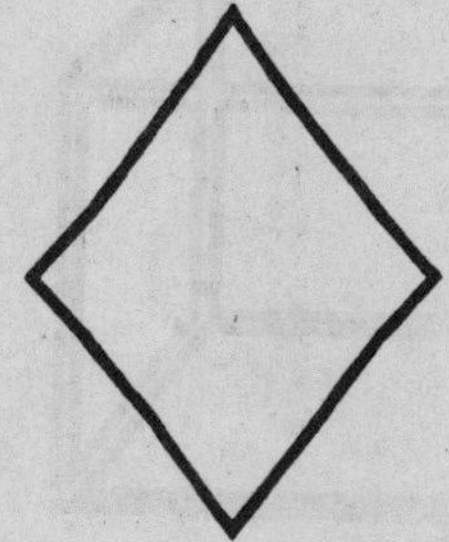

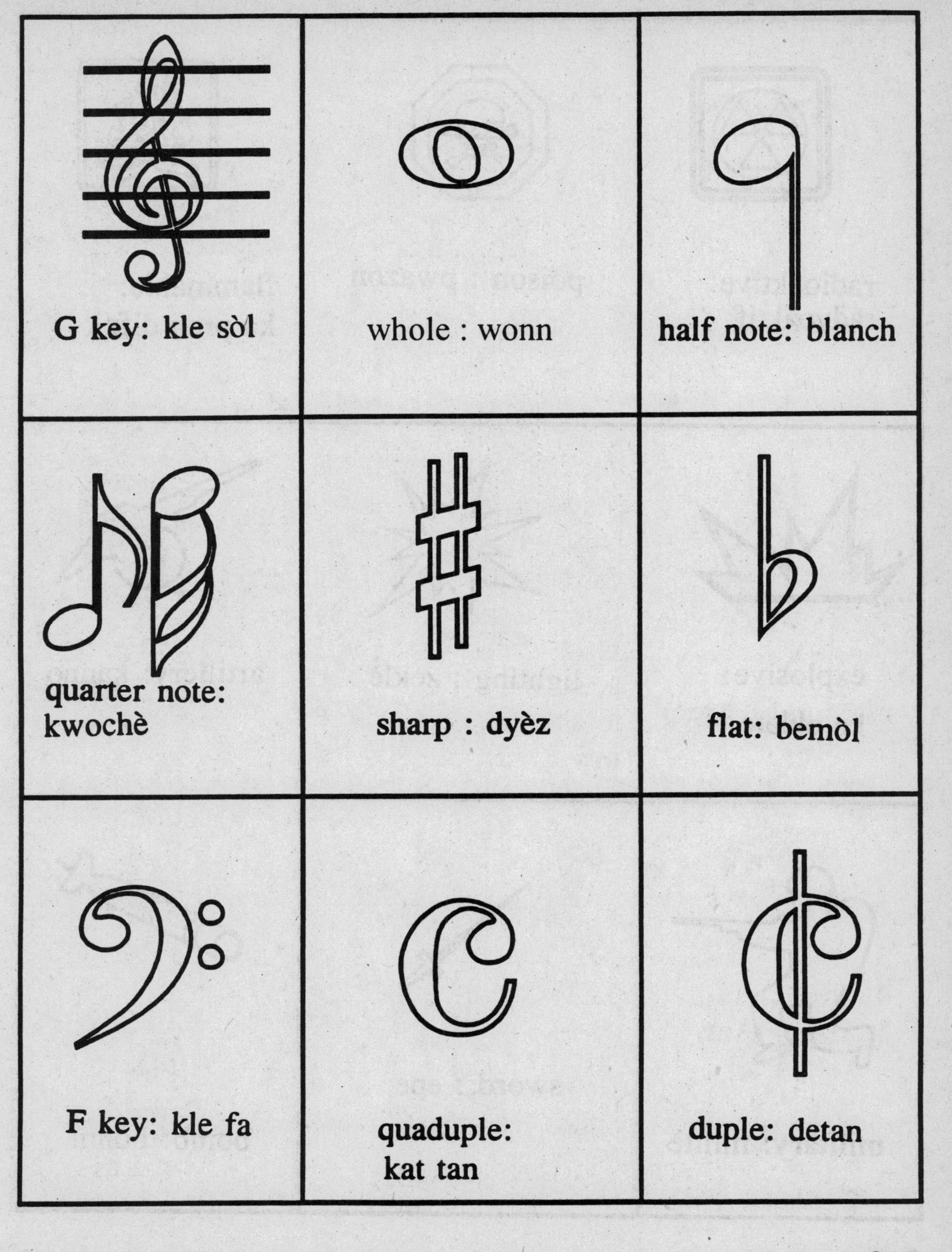
G key: kle sòl
whole : wonn
half note: blanch
quarter note:
kwochè
sharp : dyèz
flat: bemòl
F key: kle fa
quaduple:
kat tan
duple: detan

radioaktive:
radyoaktif
poison : pwazon
flammable:
ka pran dife
explosive:
ka eklate
lighting : zèklè
artillery: kanno
military: militè
sword : epe
bomb: bonm

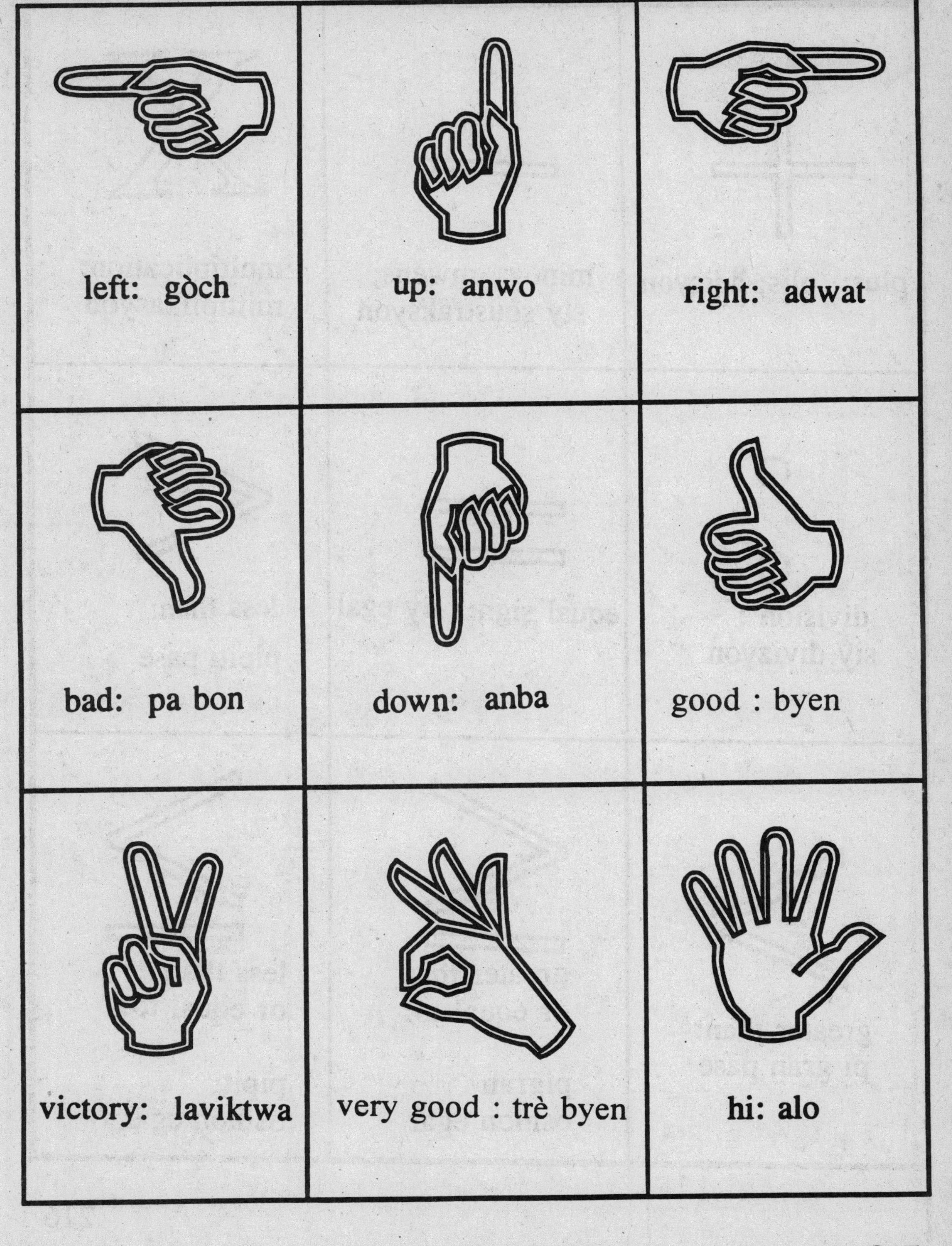
left: gòch
up: anwo
right: adwat
bad: pa bon
down: anba
good : byen
victory: laviktwa
very good : trè byen
hi: alo

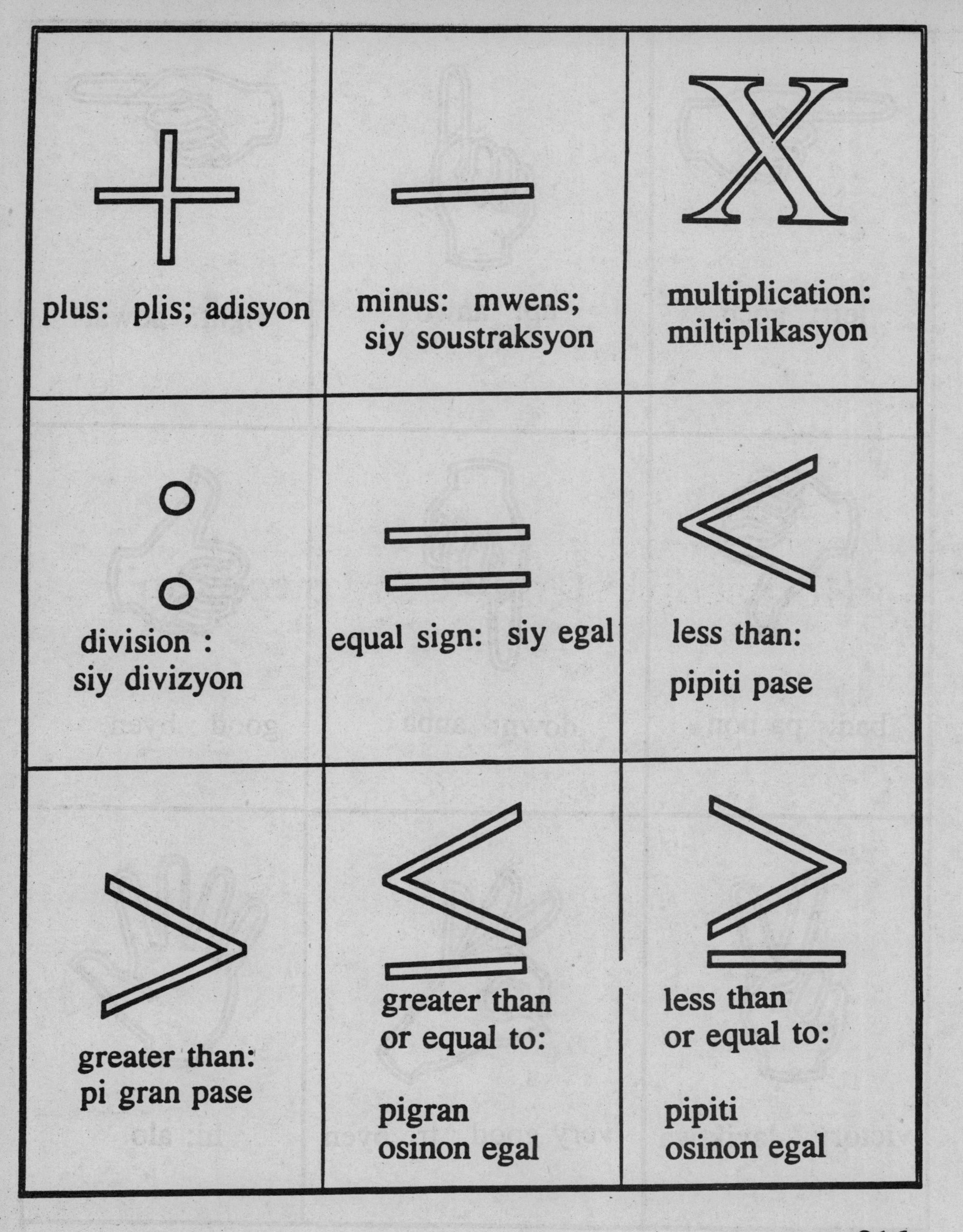
plus: plis; adisyon
minus: mwens; siy soustraksyon
multiplication: miltiplikasyon
division : siy divizyon
equal sign: siy egal
less than: pipiti pase
greater than: pi gran pase
greater than or equal to: pigran osinon egal
less than or equal to: pipiti osinon egal

Horoscope sign Siy owoskòp

Aries: Belye Leo: Lyon Sagittarus: Sajitè

Taurus : Towo Virgo: Vyèj Capricorn: Kaprikòn

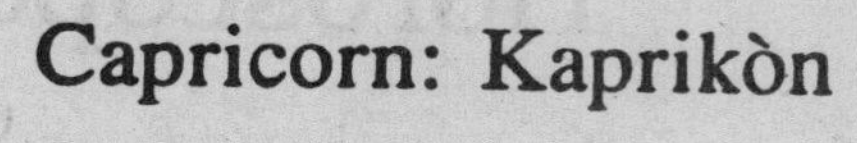

Libra: Balans Aquarius : Vèso Gemini: Jemo

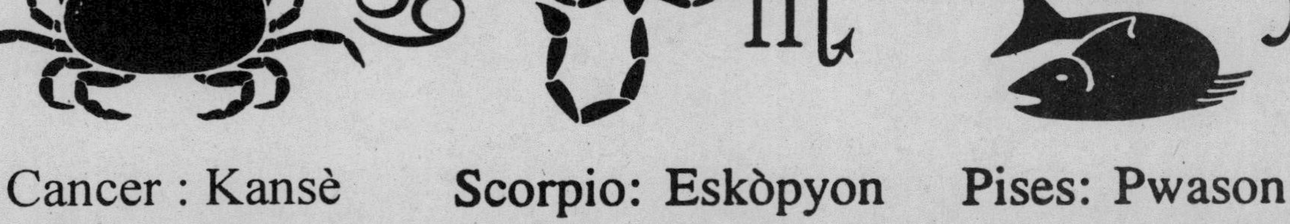

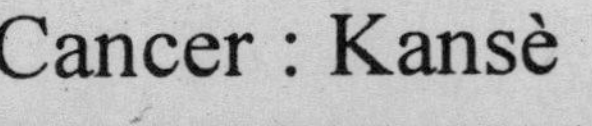

Cancer : Kansè Scorpio: Eskòpyon Pises: Pwason

number chif	english anglè	creole kreyòl
0	zero	zewo
1	one	en
2	two	de
3	three	twa
4	four	kat
5	five	senk
6	six	sis
7	seven	sèt
8	eight	uit
9	nine	nèf
10	ten	dis
11	eleven	onz
12	twelve	douz
13	thirteen	trèz
14	fourteen	katòz
15	fifteen	kenz
16	sixteen	sèz
17	seventeen	disèt
18	eighteen	dizuit
19	nineteen	diznèf

number chif	english anglè	creole kreyòl
20	twenty	ven
30	thirty	trant
40	fourty	karant
50	fifty	senkant
60	sixty	swasant
70	seventy	swasantdis
80	eighty	katreven
90	ninety	katrevendis
100	one hundred	san
200	two hundred	desan
300	three hundred	twasan
400	four hundred	katsan
500	five hundred	senksan
600	six hundred	sisan
700	seven hundred	sètsan
800	eight hundred	wisan
900	nine hundred	nèfsan
1000	one thousand	mil
2000	two thousand	demil
10000	ten thousand	dimil

days of the week	jou nan semèn nan
sunday	dimanch
monday	lendi
tuesday	madi
wednesday	mèkredi
thursday	jedi
friday	vandredi
saturday	samdi

months	mwa
january	janvye
february	fevriye
march	mas
april	avril
may	me
june	jen
july	jiyè
august	out
september	septanm
october	oktòb
november	novanm
december	desanm

What direction
Nan ki direksyon

north	nò
south	sid
west	lwès
east	lès
right	adwat
left	agoch
up	anwo
down	anba
under	anba
on	sou
above	anwo

Colors for every day life
Koulè pou toulejou

color	koulè
black	nwa
gray	gri
green	vèt
pink	woz
white	blan
brown	mawon
yellow	jòn
red	wouj
blue	ble

Outdoor / Deyò

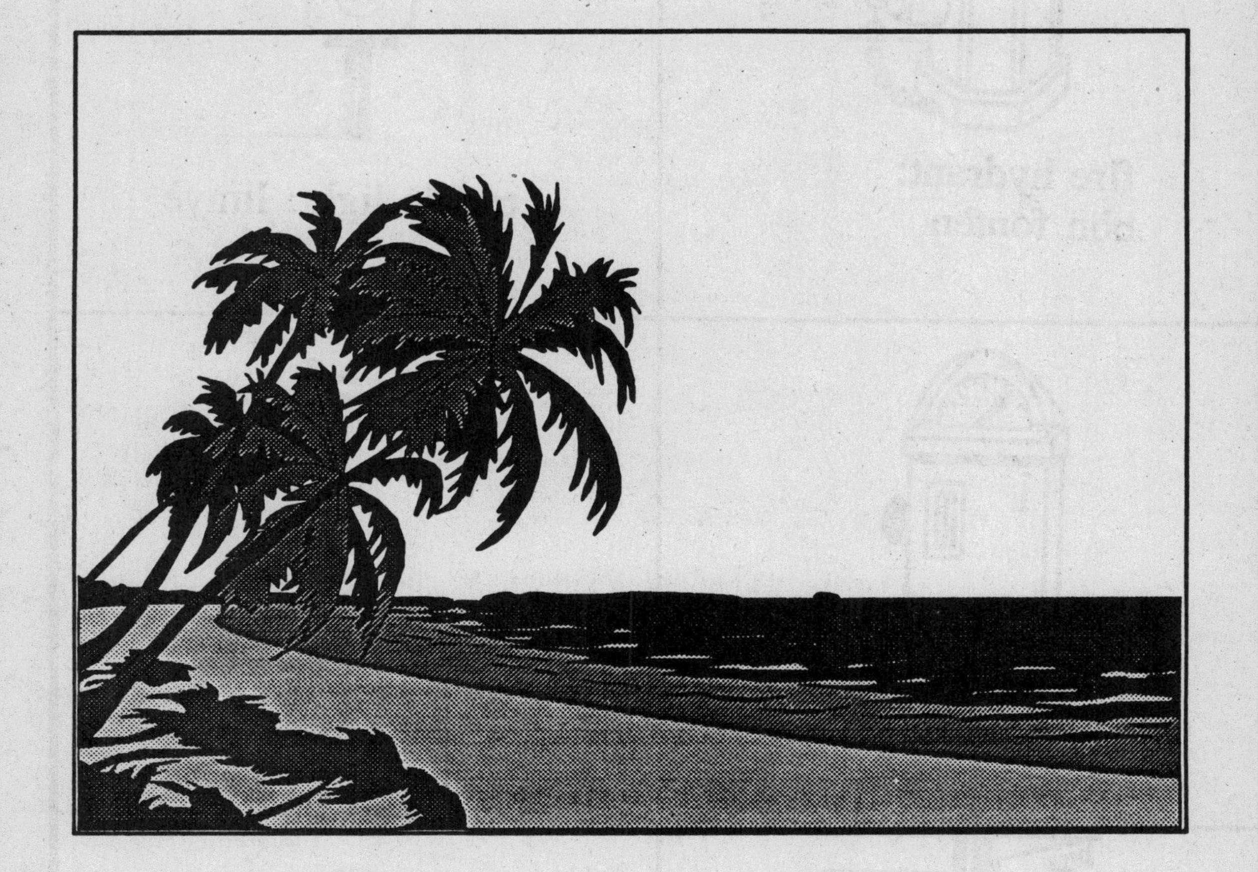

plaj beach plaj beach

fire hydrant:
bòn fontèn

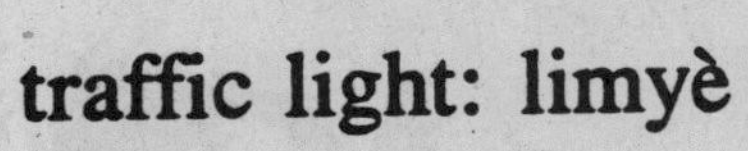

traffic light: limyè

parcometer: pakomèt

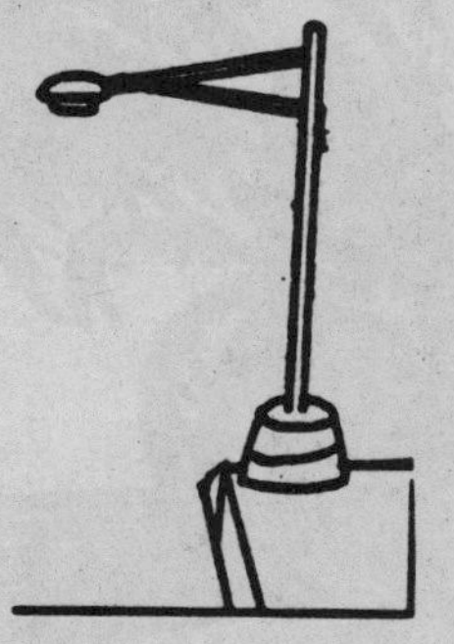

street light: poto elektrik

street sign: non lari

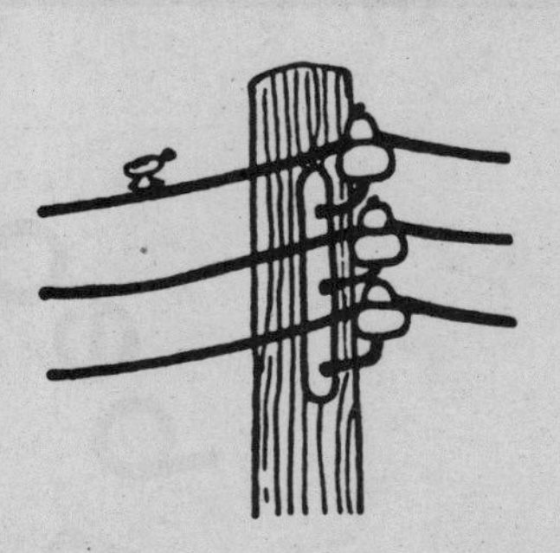

eletric wire: fil elektrik

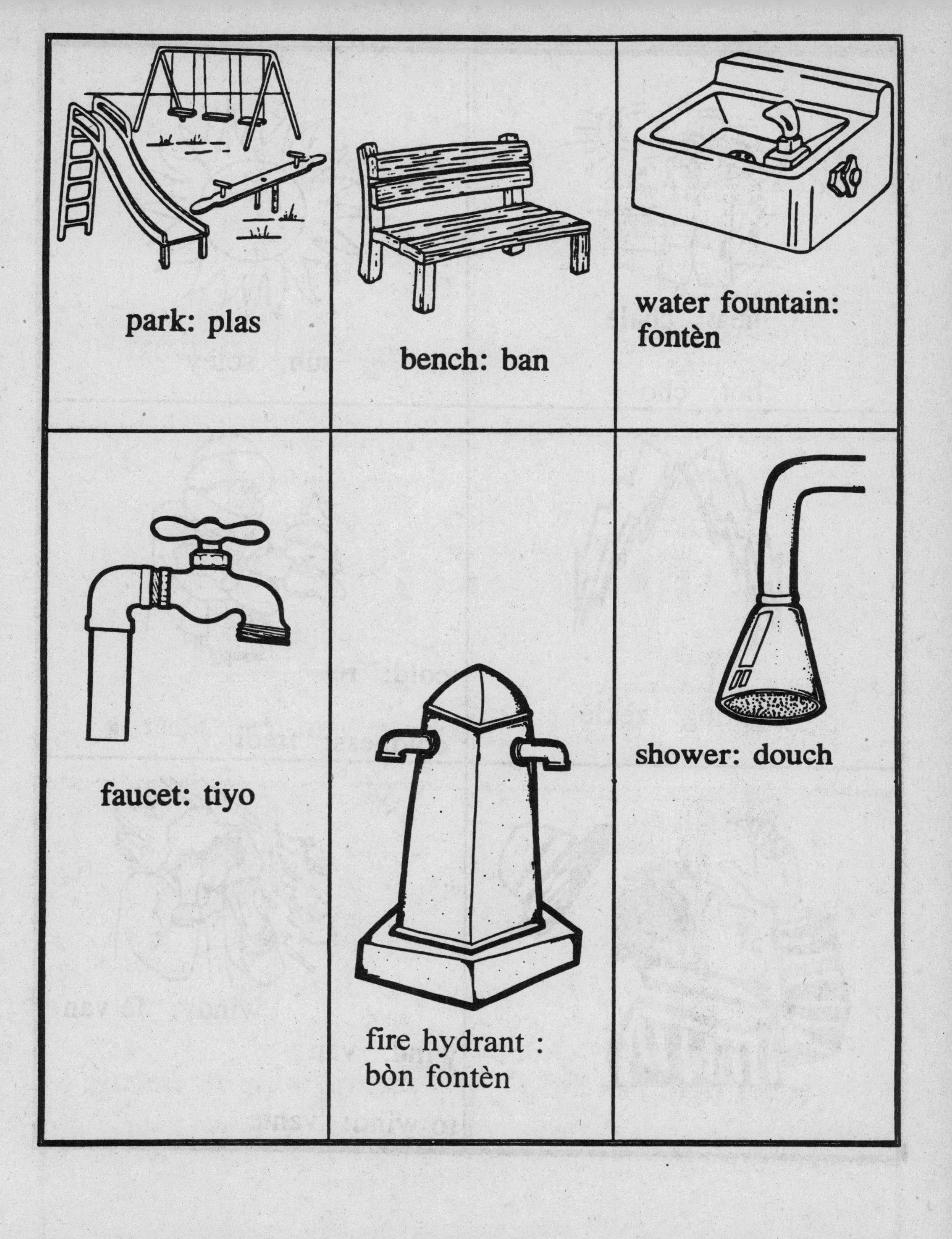
park: plas
bench: ban
water fountain:
fontèn
faucet: tiyo
fire hydrant :
bòn fontèn
shower: douch

heat: chalè

hot: cho

sun : solèy

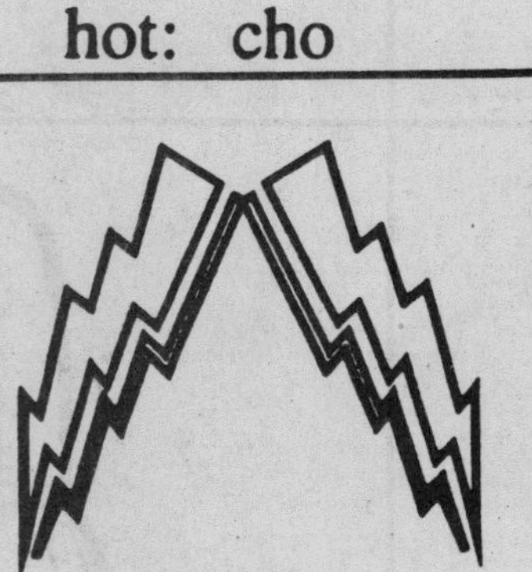

lighting: zèklè

cold: rèt

coldness: fredi

windy: fè van

wind: van

to wind: vante

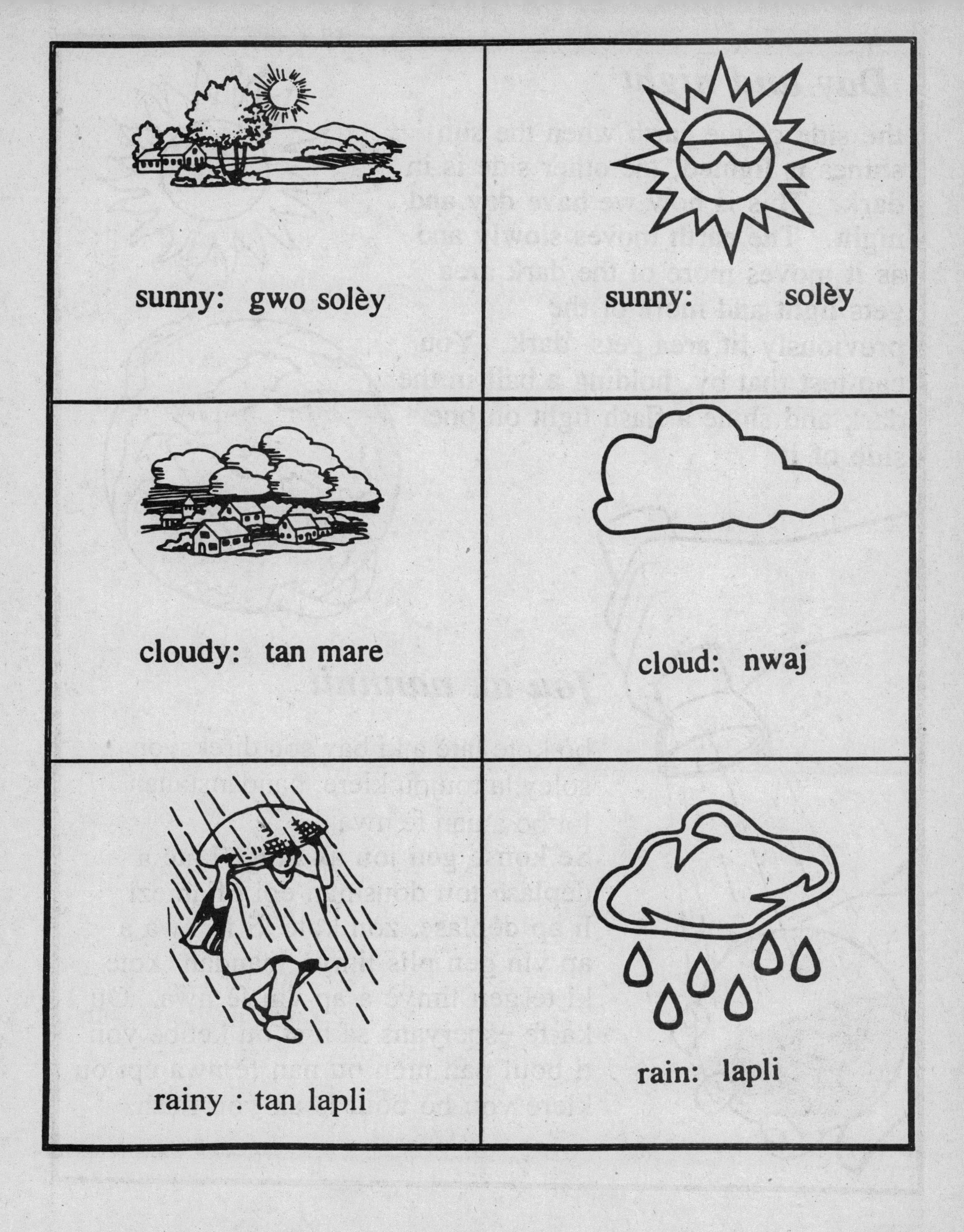
sunny: gwo solèy
sunny: solèy
cloudy: tan mare
cloud: nwaj
rainy : tan lapli
rain: lapli

Day and night

the side of the earth when the sun shines is lighted, the other side is in dark. This is how we have day and night. The earth moves slowly and as it moves more of the dark area gets light and more of the previously lit area gets dark. You can test that by holding a ball in the dark and shine a flash light on one side of it.

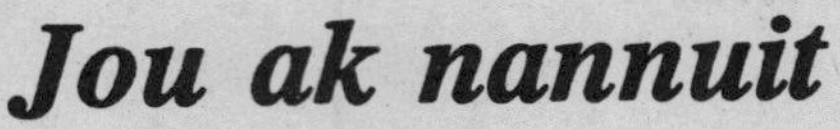

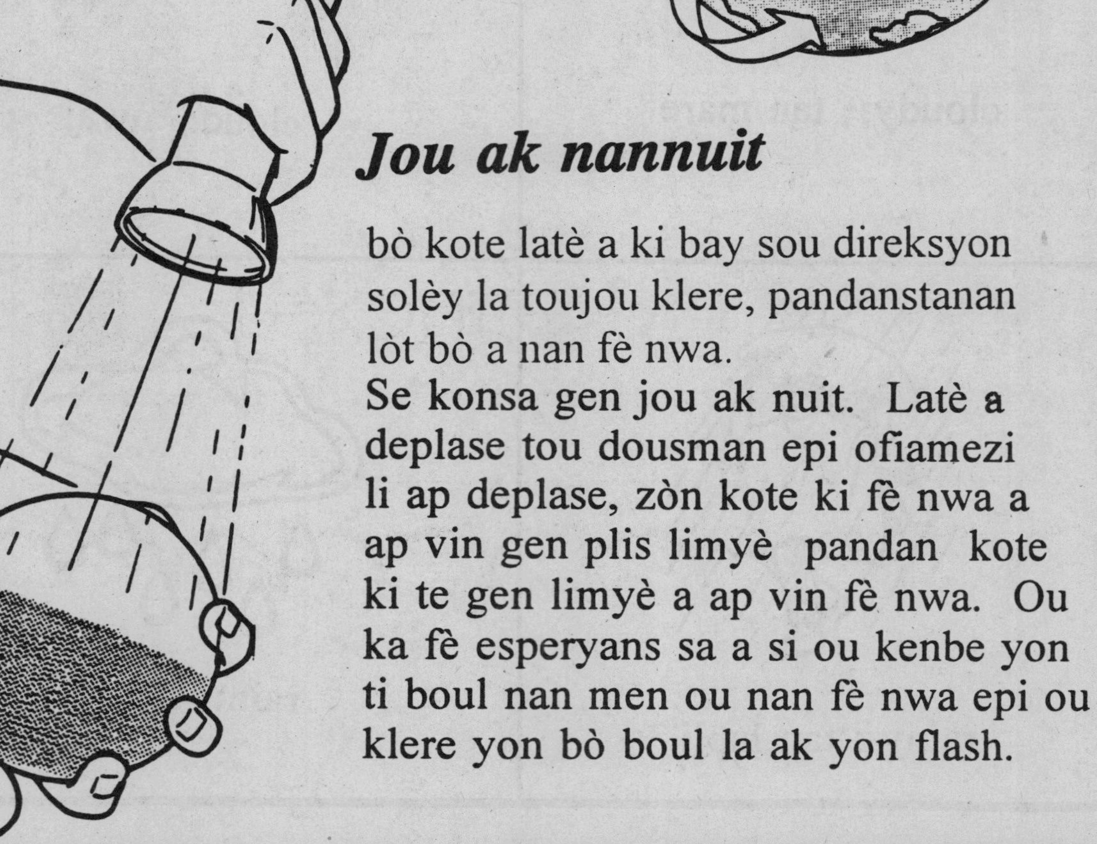

Jou ak nannuit

bò kote latè a ki bay sou direksyon solèy la toujou klere, pandanstanan lòt bò a nan fè nwa.
Se konsa gen jou ak nuit. Latè a deplase tou dousman epi ofiamezi li ap deplase, zòn kote ki fè nwa a ap vin gen plis limyè pandan kote ki te gen limyè a ap vin fè nwa. Ou ka fè esperyans sa a si ou kenbe yon ti boul nan men ou nan fè nwa epi ou klere yon bò boul la ak yon flash.

Atonym : Lekontrè

Antonym
Lekontré

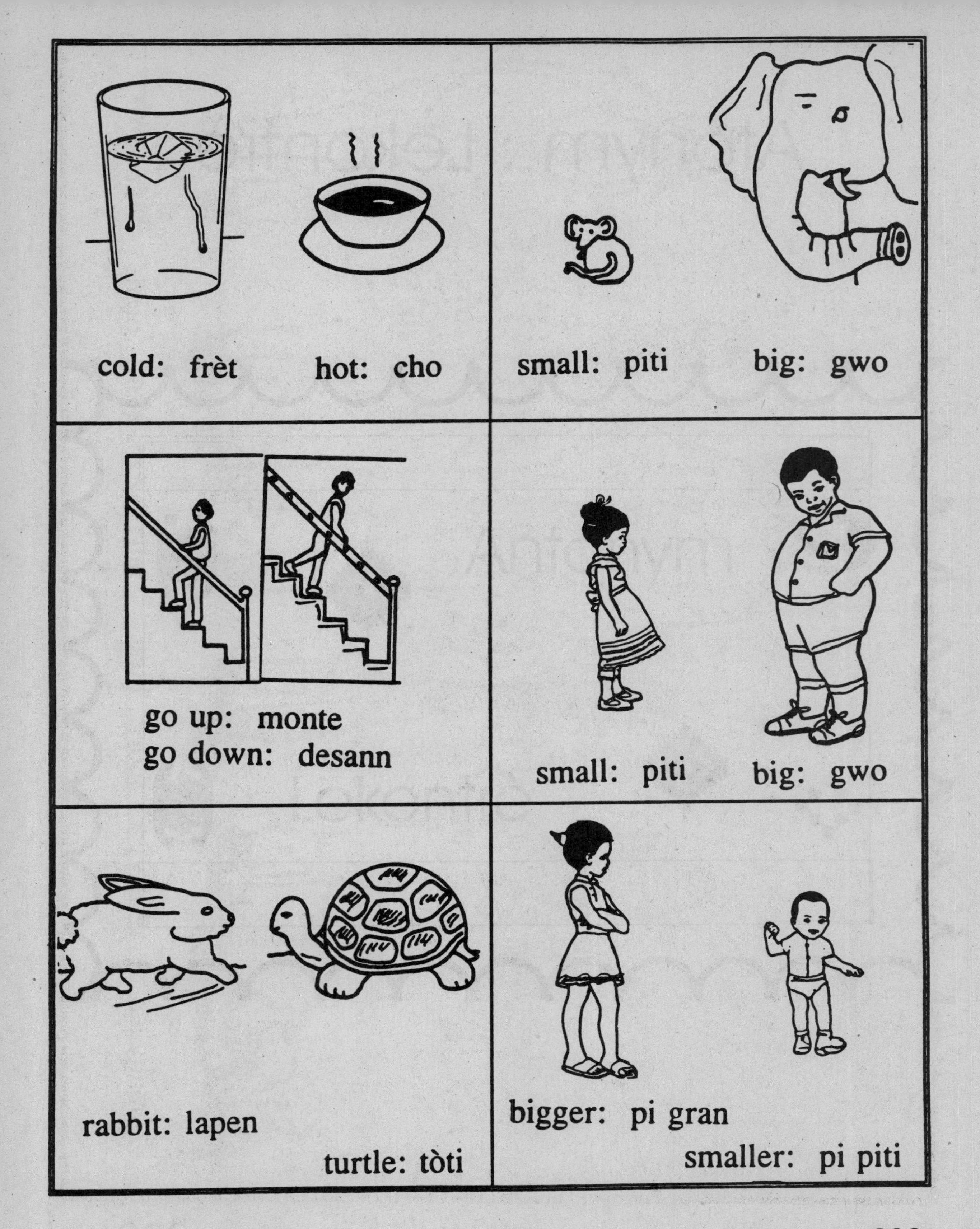
cold: frèt
hot: cho
small: piti
big: gwo
go up: monte
go down: desann
small: piti
big: gwo
rabbit: lapen
turtle: tòti
bigger: pi gran
smaller: pi piti

young: jèn
old: vye
short: kout
tall: wo
slim: mens
big: gwo

above: anwo   below: anba
ahead: devan   back: dèyè
asleep: dòmi   awake: reveye
behind: dèyè   front: devan
big: gwo   small: piti
big: gwo   small: piti
bigger: pi gran   smaller: pi piti
clean: pwòp   dirty: sal
dark: fè nwa   light: fè klè
fast: rapid   slow: dousman
front: devan   back: dèyè
full: plen   empty: vid
go up: monte   go down: desann
good: bon   bad: move
happy: kontan   sad: tris
left: gòch   right: dwat
little: zwit   fat: gwo
long: long   short: kout
low: ba   high: wo
meagre: mèg   fat: gwo
narrow : jis, sere   wide: laj
neat: annòd   messy: andezòd
on: limen   off: tenyen
open: ouvè   closed: fèmen
out: deyò   in: andedan
over: anwo   under: anba
polite: janti   rude: malelve
push: pouse   pull: rale
rabbit: lapen   turtle: tòti
slim: mens   fat: gwo

above: anwo
ahead: devan
asleep: domi
awake: reveye
back: dèyè
bad: move
behind: dèyè
below: anba
big: gwo
bigger: pi gran
bottom: anba
clean: pwop
closed: fèmen
curved: koub
dark: fe nwa
dirty: sal
down: anba
downstairs: anba
dry: sèk
empty: vid
fast: rapid
fat: gwo
front: devan
full: plen
go down: desann
go up: monte
good: bon
happy: kontan
high: wo
in: andedan
left : gòch

light: klè, fè klè, limyè
listen: koute
little: zwit
long: long
loose: lache
low: ba
meagre: mèg
messy : andezòd
narrow: etwa
neat: annod
off: tenyen
on: limen
open: ouvè
out : deyò
over: anwo
polite: janti
pull: rale
push: pouse
rabbit: lapen
right: dwat
rude: malelve
run: kouri
sad: tris
short: kout
sit: chita
slim: mens
slow: dousman
small: piti
smaller: pi piti
stand: kanpe
straight: dwat

summer: ete
talk: pale
tall: wo
thick: epè
thin: mens
tight: sere
top: anlè
turtle: tòti

under: anba
up: anwo
upstairs: anwo
walk: mache
wet: mouye
wide: laj
winter: ivè

From here to there
Soti yon kote ale yon lòt

tap tap
kanntè
chwal
bourik

mache
vole
naje
kouri

transport and communication

transpò ak kominikasyon

Ayiti
Demokrasi pou Ayiti

Annou ale

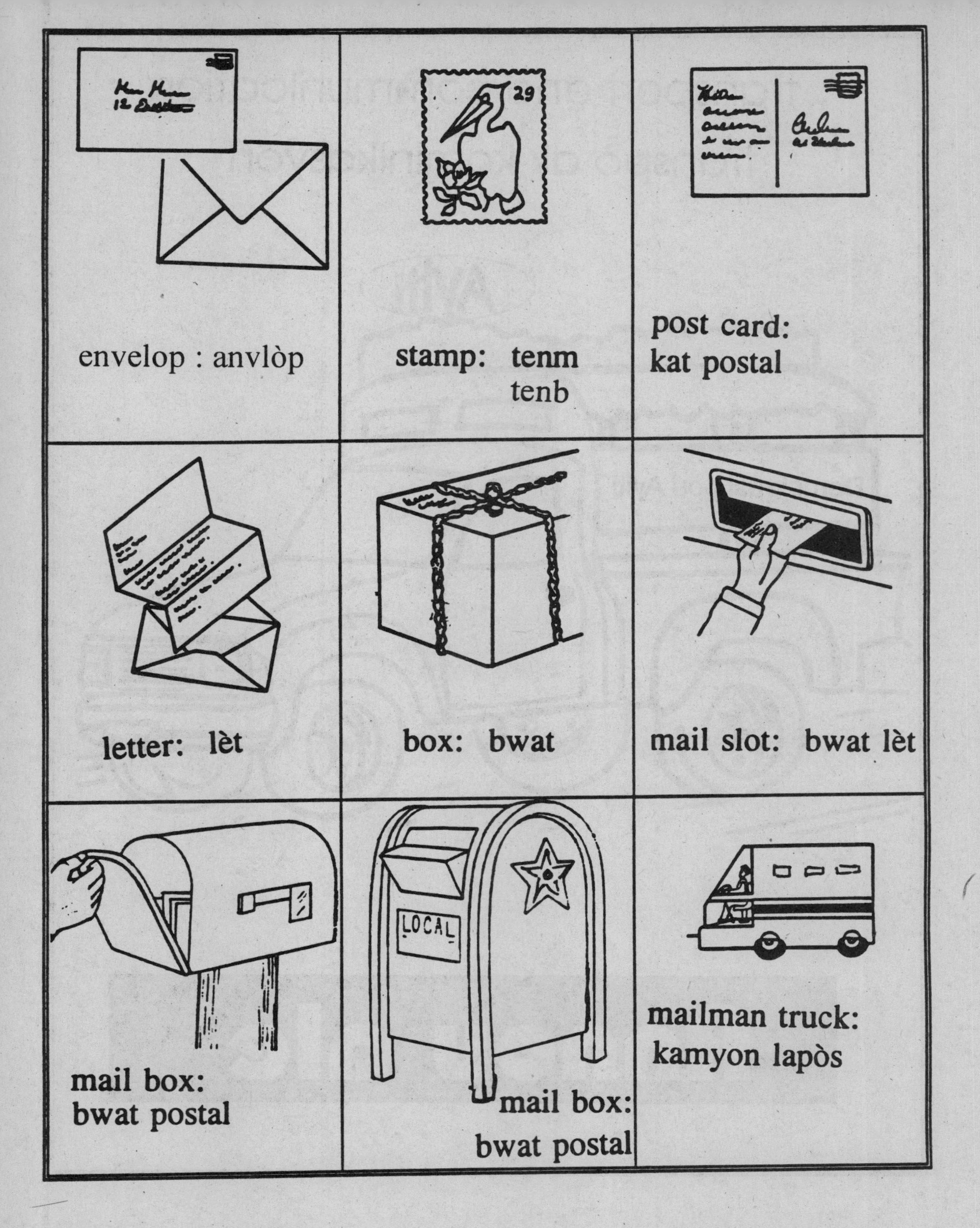
envelop : anvlòp
stamp: tenm
tenb
29
post card:
kat postal
letter: lèt
box: bwat
mail slot: bwat lèt
LOCAL
mail box:
bwat postal
mail box:
bwat postal
mailman truck:
kamyon lapòs

microphone :
mikwo ------
mikwofòn
antenna : antèn
phone pad:
klavye telefòn
ABC
DEF
GHI
JKL
MNO
PRS
TUV
WXY
tv commercial :
anons televizyon
telephone receiver :
manch telefòn
video camera:
kamera video
portable radio:
radyo pòtatif
television :
televizyon
communication
kominikasyon

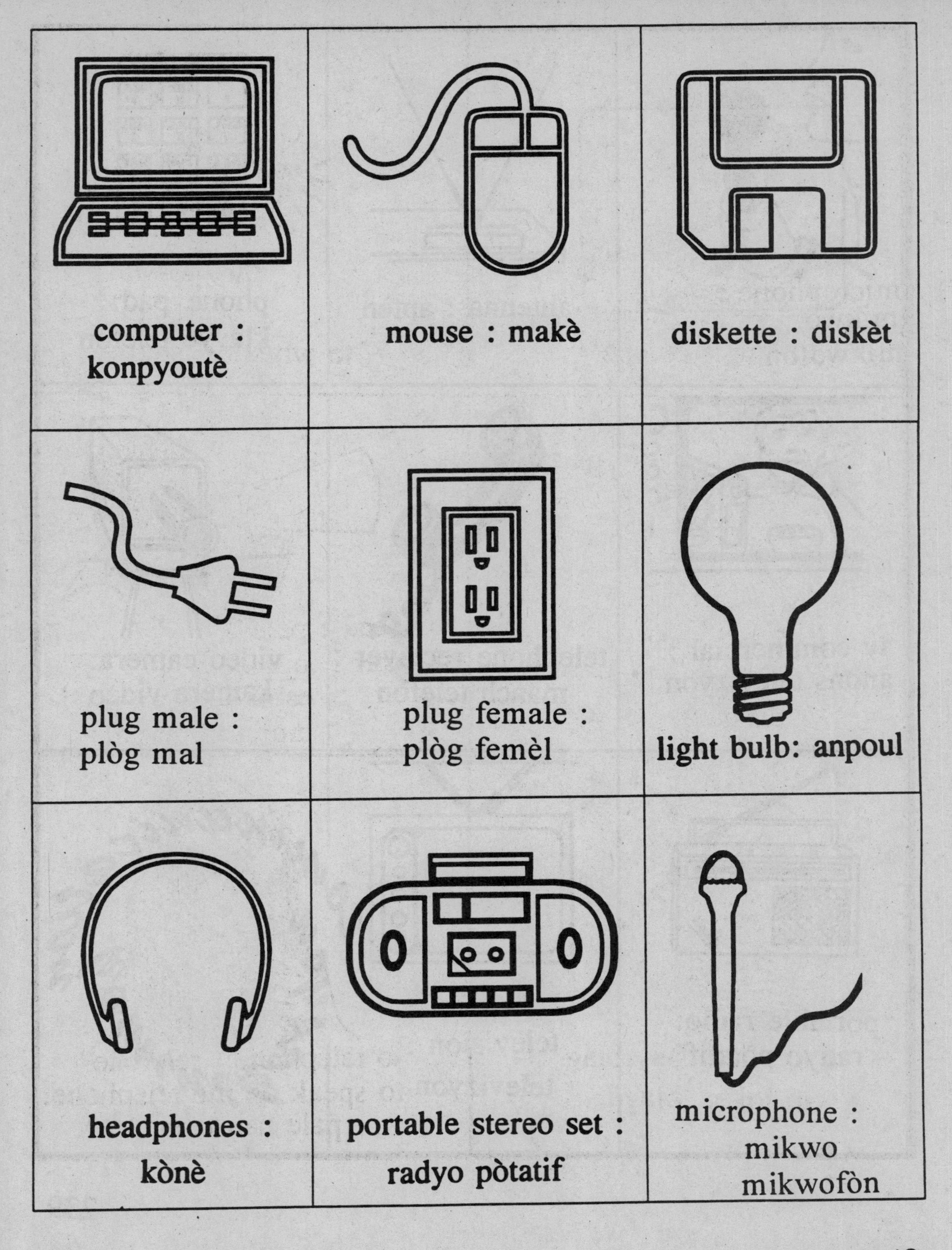
computer :
konpyoutè
mouse : makè
diskette : diskèt
plug male :
plòg mal
plug female :
plòg femèl
light bulb: anpoul
headphones :
kònè
portable stereo set :
radyo pòtatif
microphone :
mikwo
mikwofòn

to sing: chante

to whistle: soufle

to bark: jape
barking: ap jape

to speak : pale
speaker : opalè
espikè
moun ki ap pale

to chat: bay blag
to joke: blage

to telephone: telefone
to speak on the telephone:
pale nan telefòn

 to sing: chante	 to play music: jwe mizik
 to danse: danse danse: dans	 to serve: sèvi bar: ba
 to meet: reyini meeting: reyinyon	 to write: ekri writing: ekriti

transport

transpò

steering wheel:
volan
sideview/
rearview mirror :
retwovizè
spark plug: bouji
battery: batri
motor oil: lwil motè
gasoline: gazolin
OIL
car : oto,
machin
convertible car :
machin dekapotab,
oto dekapotab
race car:
machin kous

steering wheel :

volan machin

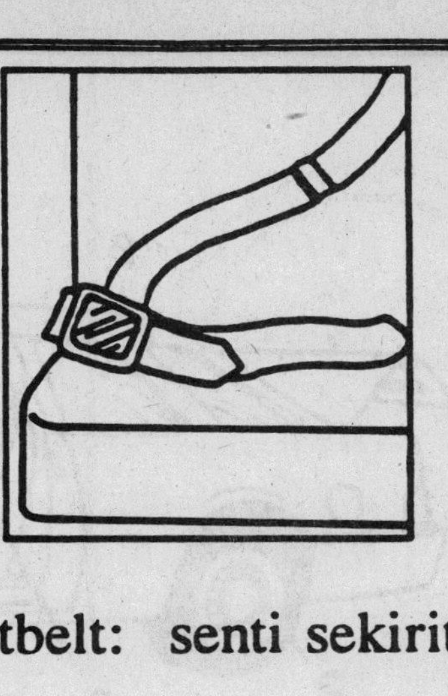

seatbelt: senti sekirite

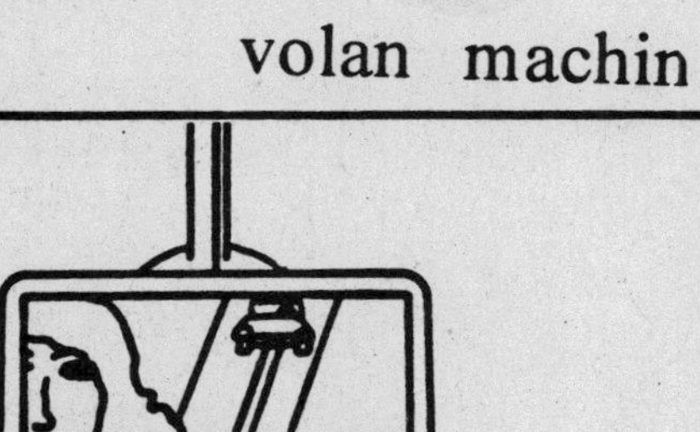

sideview/rearview mirror:
retwovizè

gears: ba vitès

trunk: pòtchay

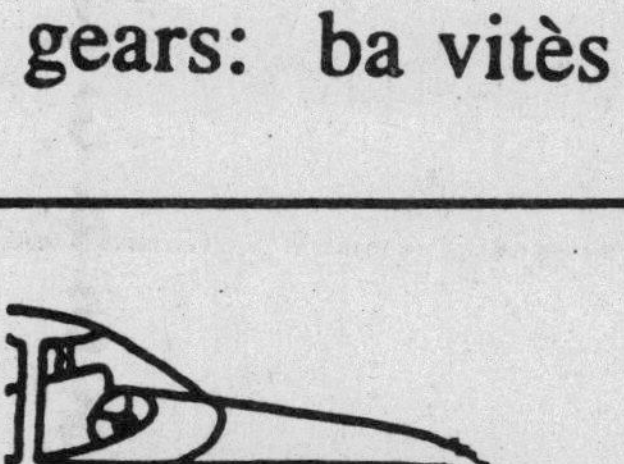

hood: kapo

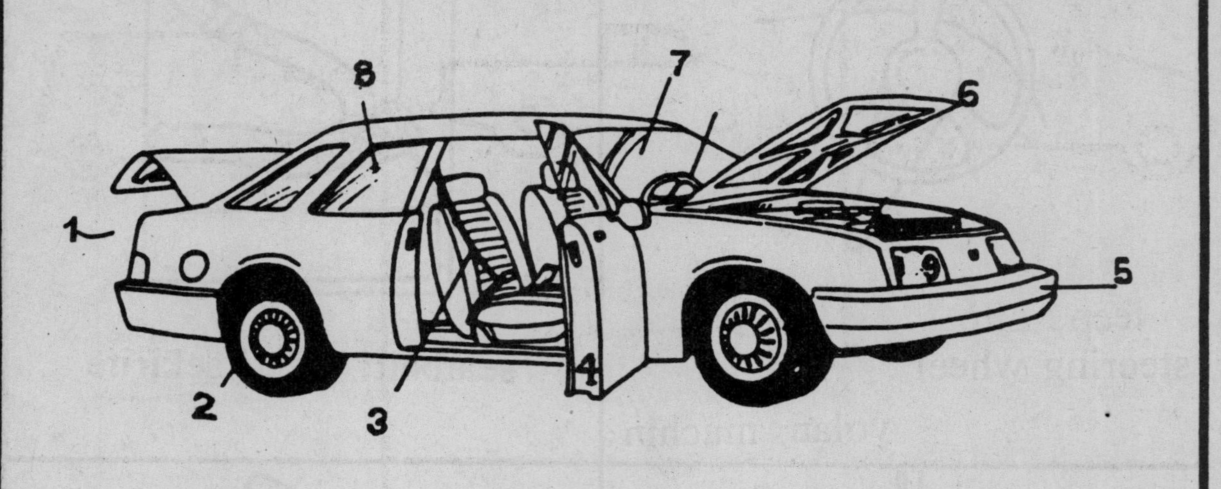
8
7
6
1
5
2
3
4
9

1. luggage compartment: kòf
2. tire: kawoutchou
3. seat belt: senti sekirite
4. door: pòt
5. bumper: defans
6. hood: kapo
7. windshield: vit devan
8. window glas: vit fenèt
9. head light: limyè

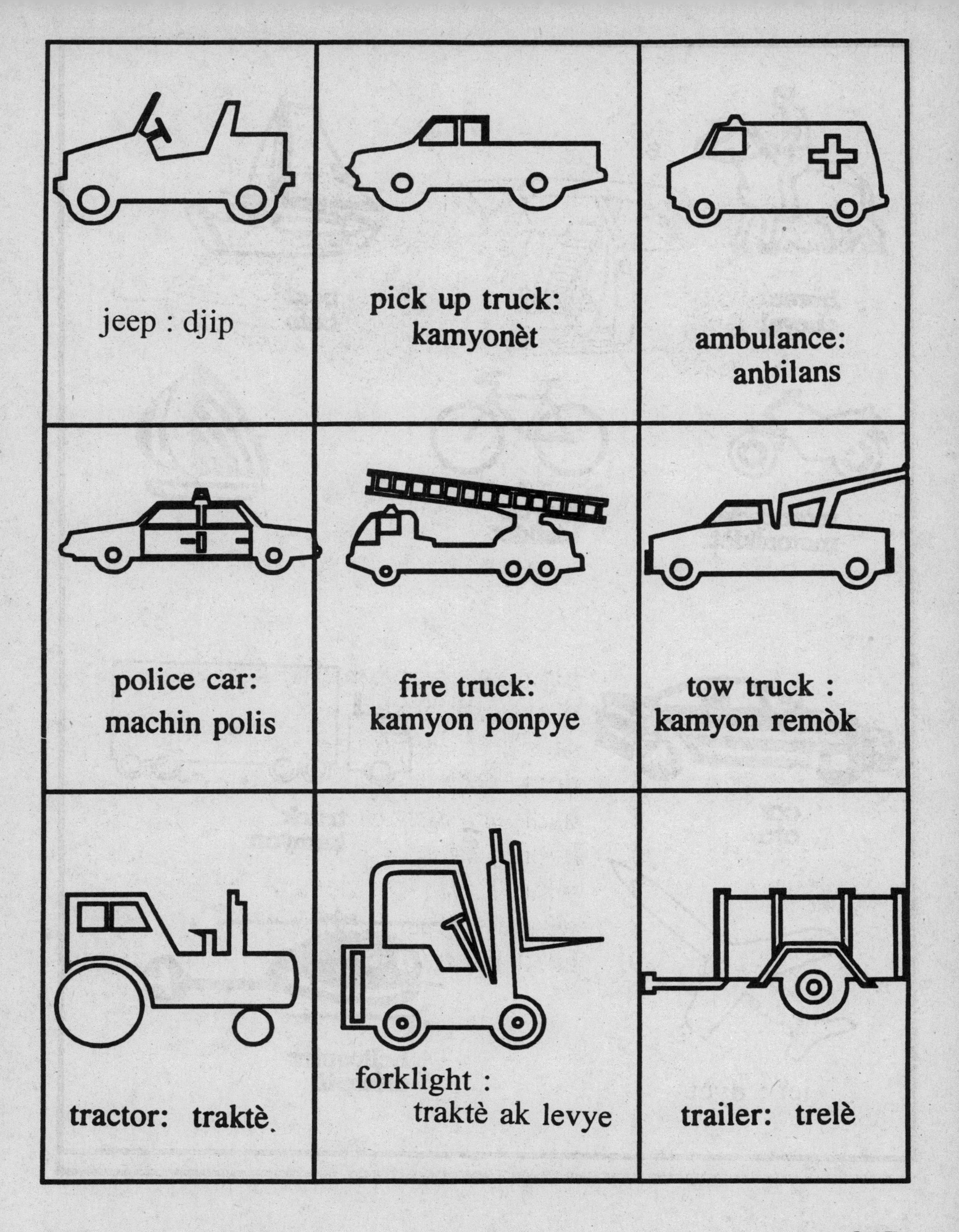
jeep : djip
pick up truck:
kamyonèt
ambulance:
anbilans
police car:
machin polis
fire truck:
kamyon ponpye
tow truck :
kamyon remòk
tractor: traktè.
forklight :
traktè ak levye
trailer: trelè

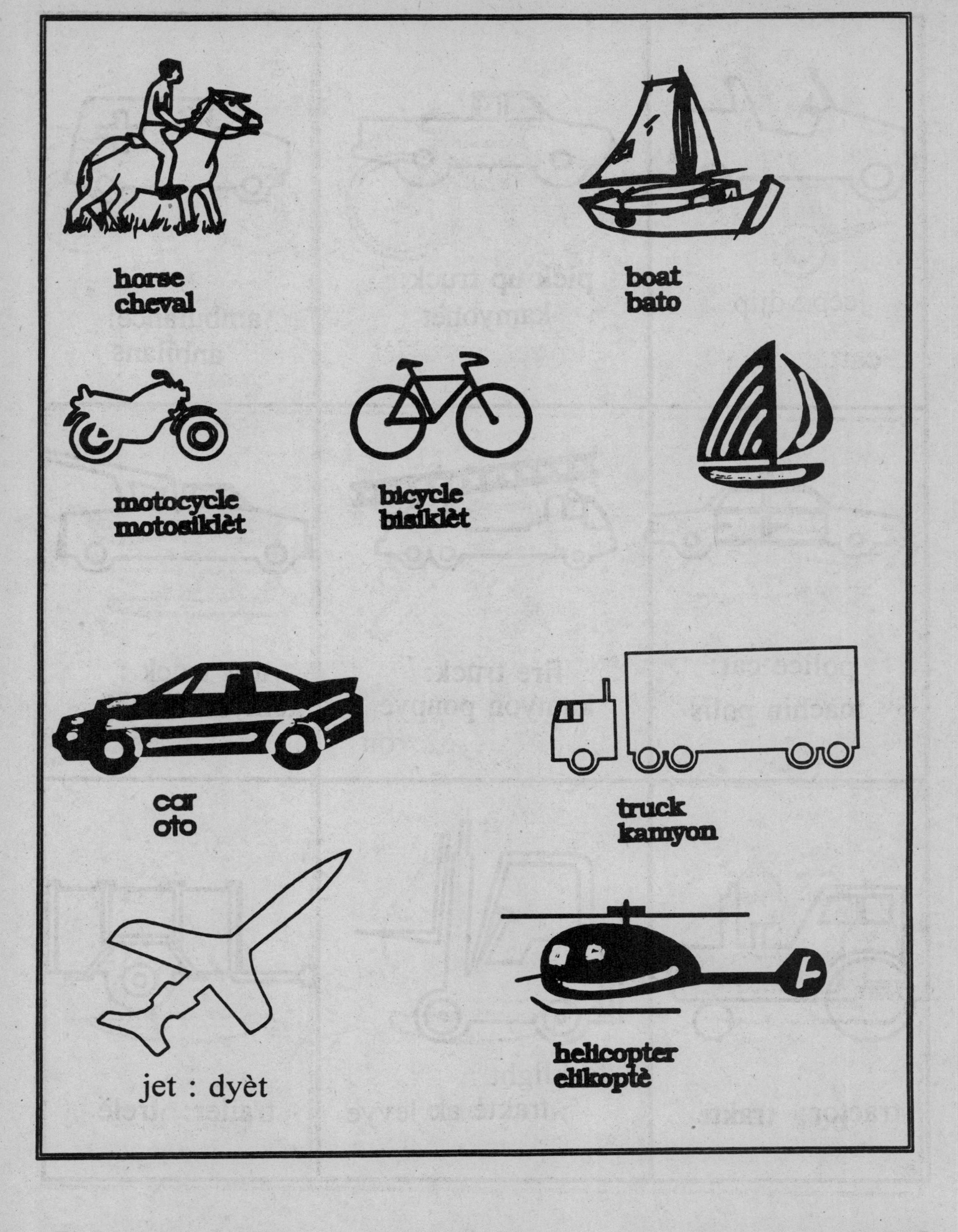
horse
cheval
boat
bato
motocycle
motosiklèt
bicycle
bisiklèt
car
oto
truck
kamyon
jet : dyèt
helicopter
elikoptè

cart: charyo
bicycle: bisiklèt
motorcycle : motosiklèt
helicopter: elikoptè
jet airplane: avyon areyaksyon
hydroplane : idravyon
boat : bato
boat: bato
boat : bato

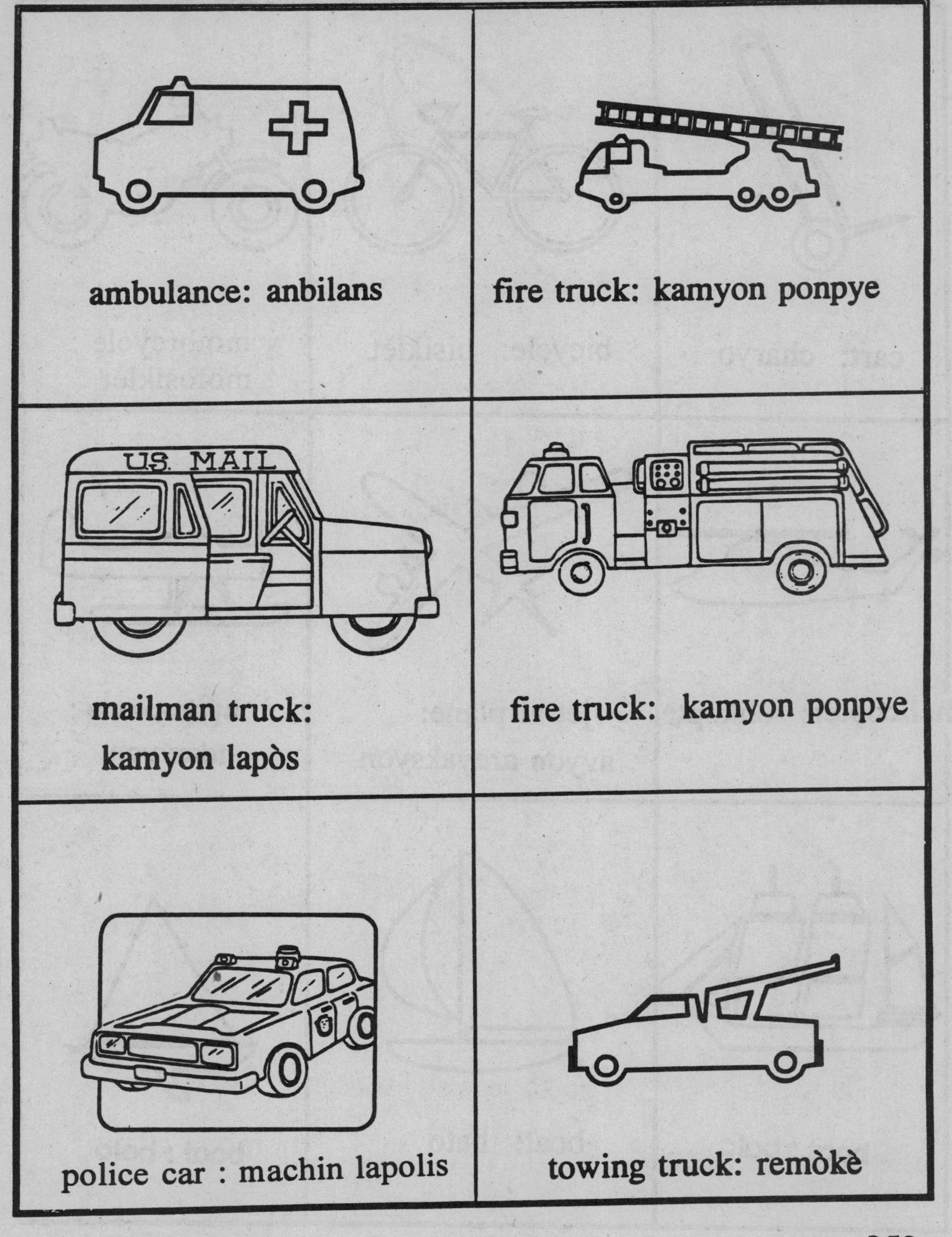
ambulance: anbilans
fire truck: kamyon ponpye
U.S. MAIL
mailman truck:
kamyon lapòs
fire truck: kamyon ponpye
police car : machin lapolis
towing truck: remòkè

 antenna : antèn	 parabolic antenna : antèn parabolik	 movie projector : pwojektè silema
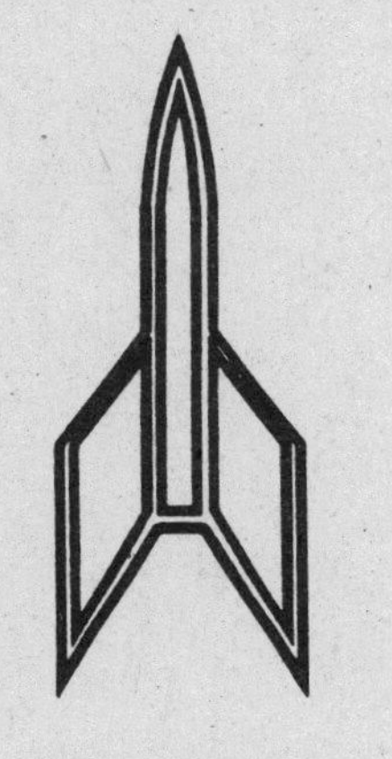 rocket: fize	 space shuttle: navèt	 launching platform: platfòm
 telescope: teleskòp	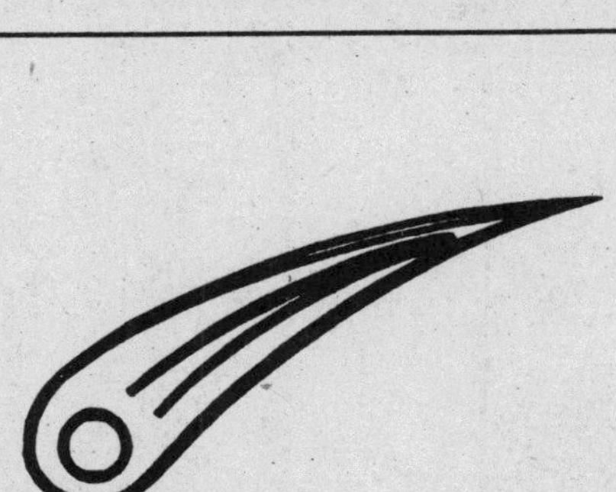 comet: etwal filant	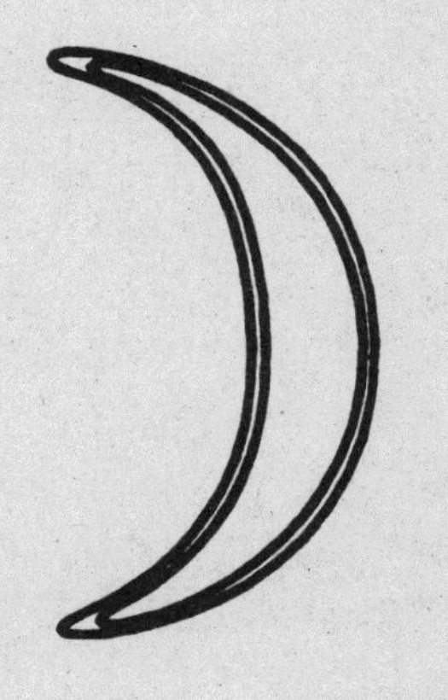 moon : lalin

note

INDEX : ENDÈKS

abdomen : vant p. 82
above : anwo p. 222
above: anwo p. 232, 234
accordion : akòdeyon p. 177
ace: las p.212
adrenal : adrenal p. 110
afraid: pè p.57
Africa : Afrik p. 69
afro: afwo p.61
after shave : dezodoran p. 157
ahead: devan p. 232, 234
Argentina : Ajantin p. 71
alarm clock : revèy, pandil p. 142, 188, 190
ambulance : anbilans p. 120, 247, 250
America : Amerik p. 70
and : siy "epitou" p. 209
anemometer: aparèy pou mezire van p. 188
angry: fache p.57
animal cell : selil bèt p.13, 95
ant : foumi p.35
antenna (parabolic): antèn parabolik p. 251
antenna: antèn p.239, 251
antonym : lekontrè p. 229
anus : twou dèyè p. 86, 107
apartment building : bilding apatman p. 134
apple: pòm p.9, 15, 30
april : avril p. 221
Aquarius: Vèso
Arab: Arab p. 64
Aries: Belye p. 218
arm : bra p. 85
artery : venn san wouj p. 102, 105
artery and vein : atè ak venn p. 102, 105
artichoke: aticho p.11 , 17
artillery: kanno p. 214
asleep: dòmi p. 232, 234
asparagus: aspèj p.19
attic : fetay p. 136
august : out p. 221
auto accident : aksidan oto p. 116
avocado: zaboka p.7, 18
awake: reveye p. 232, 234
axe : rach p. 122
Asia : Azi p. 69

baby : tibebe p.45, 47, 48
baby bottle: bibwon p.46
baby car seat: chèz tibebe p.45
baby doll : chemiz denuit p. 76
baby food: manje tibebe p.45
baby oil : luil bebe p. 157
baby-sit: gade tibebe p. 46
back : dèyè p. 232, 234
back : do p. 81:
bad : pabon p. 215
bad: move p. 232, 234
bake : met nan fou p. 148
baking : ap kwit p. 148
baking soda : bikabonat p. 148
bamboo : banbou p. 9
bamboo tree : pye banbou p. 9
banana : bannann p.11, 16, 18, 30
banana bunch : rejim bannann p.11,18
banana tree : pye bannann p. 11
banana: fig p.7, 9, 15, 28
banjo : bandjo p. 177
bar: ba p. 242
barber shop: kwafè p. 161
bark: jape p.241
bark : ekòs p. 8
barking: ap jape p.241
barrette : barèt p. 164
baseball : bezbòl p. 173
baseball mit : gan bezbòl p. 171
baseball: bezbòl p. 173
basement : sousòl p. 136
basket: pànye p. 54
basketball : balon pànye p. 172, 173
basketball hoop : sèk balon pànye p. 171
bat : chòvsourit p.34
bath : basen p. 167
bathtub : basen p. 136, 167
bath tub: benywa p. 167
bath: beny p.165
bathroom : saldeben; twalèt p. 137, 157
battery: batri p. 244
be in shock : fè sezisman
beach: plaj p. 223
beak: bèk p.39

beaker : bechè p. 201
bean: pwa p.12, 19
bear: lous p.41
beauty salon : salon kwafi
bed : kabann p. 140, 141, 157
bedding : dra p. 141
bedroom : chanm p. 137, 140, 157
bedspread : kouvreli p. 157
beef: bèf p.30
beer: byè p.22
beets: bètrav p.20
behind: dèyè p. 232, 234
below: anba p. 232, 234
belt: sentiwon p. 78
bench : ban p. 140, 154, 225
bib: bavèt p.47
bicycle: bisiklèt p.47, 175, 176, 248, 249
big: gwo p. 230, 232, 234
bigger: pi gran p.230, 232, 234
bikini slip : bikini
bird: zwazo p.38, 40
bishop : evèk p. 175, 176
bishop: fou p. 173, 174
bite : mòde p. 29
black : nwa p. 222
bladder: blad pipi p. 108
bleach : klowòks p. 148
blood transfusion : bay san p. 118
blouse : kòsaj p. 75, 157
blow air: soufle p.57
blow dryer : sechwa p. 161
blue : ble p. 222
boat : bato p. 248, 249
bobby pin: pens cheve p. 164
boil : bouyi p. 148
boiling : ap bouyi p. 148
Bolivia : Bolivi p. 71
bomb: bonm p. 214
bones : zo p. 101
book : liv p. 157, 195
bookcase : bibliyotèk
boots : bòt p. 79
bottle : bibwon p.45
bottle opener: kle kola p. 151
bottom: anba p.233, 234
bouffant: boufan p.61
bow tie : wozèt p. 78
box : bwat p.156, 238
box cover : kouvèti p. 156
boxer shorts: kalson p. 78
boy scout: skout p.49
boys : tigason p.48, 54
bra : soutyen p. 76
bracelet: goumèt p. 80
brackets: akolad p. 209
braids: ti kouri p.61
branch : branch p. 10
Brazil : Brezil p. 71
bread: pen p.21, 30
breadfruit : lam veritab p.7, 18
breakfast : manje maten p.158
breast: tete p. 94
brick : brik p. 135
brick wall : mi anblòk p. 135
brief case: valiz p. 196
broad: fanm p.50
broccoli: bwokoli p.19, 30
broom : bale p. 153, 154
brown : mawon p. 222
brush : bwòs p. 157, 166, 179
brush: bwòs tèt, 167
bucket : bokit p. 153
building: bilding p. 131
bumper: defans p. 246
bun: chou p.61
buret : biret p. 201
burn : brile; boule p. 148
butter: bè p. 30
butterfly : papiyon p.35
buttock : dèyè p. 81
button: boutonnen p. 77
buttons : bouton p. 77, 80
cabbage: chou p.20
cabinet : amwa p. 142
cactus tree : kandelab p.5
cake: gato p. 28, 30
calculator : kalkilatè p. 142, 194, 195
calf : jarèt p. 81
camera : kamera p. 142, 198
camping : kanmping p. 206
can opener : kle mamit p. 151
candle light : bouji p. 155
candy: sirèt p.22, 30
capillary: kapilè (ti venn piti) p. 93, 94, 105

Capitol : Kapitòl p. 133
car collision : kolizyon p. 116
car: oto p. 136, 244, 248
Caribbean : Karayib p. 70, 72
card game: jwèt kat p. 212
carpet : tapi p. 157
carpus : zo men p. 96
carrot: kawòt p.19, 20
cart : bourèt mason p. 182
cart: bourèt, p. 179, 181
cart: charyo p.47, 179, 249
cat : chat p. 33, 37
catch : atrap p. 85
caterpillar: cheniy p.35
cattle: bèf p.24
cauldron : chodyè p. 147, 152
cell membrane: manbràn nwayo p.96
cement : siman p. 135
Central America : Amerik Santral p. 70
cervical vertebrae : zo kou p. 96
cervix : kòl matris la p. 109, 111
chain: chenn p. 78
chair : chèz p. 142, 143, 197
change: monnen p. 73
charcoal cooker: recho chabon p.154
chat: bay blag p. 241
cheese: fwomaj p.23, 30
cherry: seriz p.9, 15
chess: jwèt echèk p. 175
chest : kès p. 157
chest : kòf lestomak p. 82
chew : moulen p. 29
chick: fi p.50
chicken: poul p.23, 24, 30
chicks : ti poul p.40
chiffonnier : komòd p. 140
chin : manton p. 82
china cabinet : pàntyè p. 143
Chinese: Chinwa p. 64
choke : toufe p. 29, 116
choking : toufe p. 116
circle : wonn p. 211
circle : sèk p. 211
circulatory : san p. 92
circulatory system: sistèm sikilatwa p. 92, 102
clavicle : zo salyè p. 96
clean: pwòp p.158, 232, 234
clipper: sekatè p. 183
clock : revèy p. 188, 190
closed: fèmen p.232, 234
closet : bifèt p. 157
closet: plaka p.46
clothes : rad p. 74
clothes line : kòd rad p. 141
clothes rack : liy p. 141
clothing : rad p. 157
cloud: nwaj p. 227
cloudy: tan mare p. 227
club: trèf p. 212
coat : manto p. 75
cob : zepi p. 9
coccyx : kòksis p. 96, 99
cockroach : ravèt p. 35
coconut fruit : kokoye p. 8 , 16
codfish: lanmori p. 30
coffee : kafe p. 22, 30
coffee cup : tas kafe p. 147
coffee grinder : moulen kafe p. 150
coffee maker : kafetyè p. 149
coffee pot : kafetyè p. 142
cold : frèt p.158, 226, 230
cold water : dlo frèt
coldness: fredi p.226
Colombia : Kolonbi p. 71
colon : depwen p. 209
color : koulè p. 222
comb: peny p. 157, 165, 166
comb: penyen p. 163, 167
comet: etwal filant p. 251
compass: bousòl p. 187
computer : konpyoutè p. 197, 200,240
computer monitor : ekran konpyoutè p. 198
conch: lanbi p.25, 30, 33
concrete block : blòk beton p. 135
concrete mold : kofraj p. 135
concrete wall : mi beton p. 135
concrete works : kofraj p. 135
cone: ko-n p. 211
convertible car: machin dekapotab; oto dekapotab p. 244
cook : kwit p. 66, 148, 158
cooker : recho p. 153, 154
cookie: bonbon p. 30

cooking : ap kwit p. 148
corkscrew: cheve lage sou zèpòl p.61
corn: mayi p.6, 19
corn plant : pye mayi p. 9
corner : kwen p.157
correction fluid : korektè p. 194
Costa Rica : Kostarika p. 71
cotton : koton p.6
counter: kontè p. 187
cow : manman bèf
cow: vach p.37
cowboy : kòbòy p.66
credit card : kat kredi
crib: bèso p.45, 46
croissant: kwasan p.21
cross headed tip: tounvis etwal p. 182
to crouch down : akoupi p. 52
crowd : foul p. 66
crutches : bekiy p. 120
cry: kriye; rele p.53, 56
crying: ap rele; ap kriye p.53, 56
cube : kib p. 211
cup : tas p. 158
cupboard : plaka p. 144
curtain : rido p. 144, 157, 159
curved : koub p. 207, 233, 234
cut the grass : koupe zèb p. 185
cylinder : silend p. 211
cymbal : sènbal p. 177
cytoplasm: sitoplasm p.96
cytoplasm membrane : sitoplas nwayo p. 96
dairy products : manje ki fèt ak lèt p.26
dance : danse p. 242
dance: dans p. 65, 242
Danish: Dannwa p. 62
dark: fè nwa p. 232, 234
december : desanm p. 221
deck of cards: pil kat p. 212
deer crossing: veye bèt kap pase
dentist : dantis p. 118
deodorant : dezodoran p. 157
desk : biwo p. 142, 195, 197, 199
dessert : desè p.158
diamond : kawo p. 212
digest : dijere p. 29
diamond ring : bag dyaman p. 80
diapers: kouchèt p.45
dice: de p. 174
digestive : dijesyon p. 91, 106
digging fork: fouch p. 183
dining room : salamanje p. 137, 143
dinner : soupe p. 158
diploma: diplòm p. 73
direction : direksyon p. 207, 222
dirty: sal p. 232, 234
dish : plat p.158
dishwasher : machin pou lave asyèt
diskette : diskèt p.240
display cabinet : bifèt p. 143
division : siy divizyon p. 216
division: divizyon p. 216
dizziness: toudisman p.57
do not enter : pa antre la p. 208
doctor and nurse : doktè ak enfimyè, doktè ak mis p. 120, 123
dog : chyen p.33, 37
dog barking : jape
dollar bill: lajan papye
dolls: pope p.47
door lock : seri, takèt p. 157
door: pòt p. 157, 246
doubting: doute p.57
down : anba p. 215, 233, 234
down : anba p. 222
downstairs: anba p.233, 234
dragon fly : madmwazèl p.35
drawers : tiwa p. 195
dress : wòb p. 75
dressed : abiye p. 157
dresser : bifèt p. 157
drill : vilbreken elektrik p. 181
drink : bwason p. 158
drink: bwè p.29
drip bowl : bòl pou kras manje p. 145
dropper : konngout p. 119, 201
drown: nwaye p. 116
drowning: nwaye p. 116
drum : tanbou p. 177
dry: seche p. 148, 163, 233
dry: sèk p.234
dryer : sechwa p. 148, 166
drying off : seche p. 165
duck: kanna p.34, 39, 40
dumb: egare p.57

duple: detan p. 213
Dutch: Olandè p. 64
ear: zòrèy p.44
earrings : zanno p. 80
ears : zòrèy p. 83, 84
east : ès p. 222
eat: manje p.29, 158
Ecuador : Ekwatè p. 71
egg : ze p.23, 26, 30, 39, 108
eggplant : berejèn p.11, 17, 19
Egyptian : Ejipsyèn p. 63
Egyptian Pyramid : Piramid Ejipsyen p. 133
Eiffel Tower : Tou Efèl p. 133
eight : uit p. 217
eight hundred : uisan p. 220
eight o'clock : uitè p. 191
eighteen : dizuit p. 217
eighty : katreven p. 220
electric drill : vilbreken elektrik p. 178
electric egg beater : batèz p. 149,
electric range : recho elektrik , fou elektrik p. 144, 145, 148, 149
electric wire: fil elektrik p. 224
electrical appliances : aparèy elektrik p. 148
electrical hazard : senbòl danje elektrik p. 115
electrical hazard: senbòl danje electric p. 115
electrical repairman : boss elektrisyen p. 186
elephant : elefan p.41
eleven : onz p. 217
eleven o'clock : onzè p. 191
empty : vid, vide p. 232, 234
endocrine : andokrin p. 90
endoplasmic reticulum: retikoulòm andoplasmik p.96
enjoy life: jwi kòb
enrage: anraje p.56
enter: antre p. 210
envelope : anvlòp p.238
equal : egal p. 216
equal sign: siy egal p. 216
erlenmeyer flask : flask p. 201
esophagus : kanal pou vale p. 106
Europe : Ewòp p. 68
exclamation point: siy sezisman, pwen sezisman p. 209
excretory : netwaye p. 91
exit : sòti p. 210
explosive: ka eklate p. 214
eye : zye p. 44, 82, 83, 84
eye anterior chamber: blan je
eye brow: sousi p. 83
eye consultation : konsiltasyon zye p. 118
eyeball: zye; boul je
eyeglasses: linèt p.44
F key: kle fa p. 213
face : figi p. 83
fall : tonbe p. 116
falling : tonbe p. 116
fallopian tube : tib p. 109
family : lafami p.48
fan : vantilatè p. 145, 158
fast: rapid p. 232, 234
fat: gwo; gra p.232, 234
faucet : tiyo p. 166, 225
feather: plim p.39
february : fevriye p. 221
feel : santi p. 53
feed a baby: bay tibebe manje p.46
feet : pye p. 82, 85
female : fi p.50, 205
female: fanm (pop)
femur : zo kuis p. 96
fertilization : fètilizasyon p. 108
fertilize: met angrè p. 185
fetus : fetis p. 111
fifteen : kenz p. 219
fifty : senkant p. 220
file folder : katab 195, 196
filing cabinet: klasè p. 196
fill up: ranpli p.29
finger : dwèt p. 85
finger waves: vag p.61
fingerprint: anprent p.49
fir : pye sapen p.5
fire : dife p. 116, 122
fire hydrant : bòn fontèn p.224
fire truck : kamyon ponpye p. 122, 247, 250
fireman : ponpye p. 122
first aid : pote sekou; premye swen p. 116
first aid kit : bwat premye swen p. 123
first floor : premye etaj p. 136
fish tank: tank pwason
fish: pwason p.24, 25, 30, 33
five : senk p. 212, 219

five hundred : sensan p. 220
flammable : flamab; ka pran dife p. 214
flat tip : tounvis plat p. 182
flat: bemòl p. 213
floor : planche p. 157
flower : flè p.5
flower bud : boujon flè p. 11
flute : flit p. 177
fly : mouch p.35, 36
folder : katab p. 195
food : manje p.30
foot : pye p. 81, 82
foot bones : zo pye p. 100
foot: pat p.39
football: balon foutbòl p. 171, 172
footprint: makpye p. 49
forehead : fwon p. 82
fork : fouchèt p. 147, 150, 158
forklift : fòklif p. 247
forty : karant p. 220
four : kat p. 212, 219
four hundred : katsan p. 220
four o'clock : katrè p. 191
fourteen : katòz p. 219
freeze : konjle p. 158
freezer : frizè p. 146, 158
French Guyana : Giyàn Franse p. 71
friday : vandredi p. 221
fridge : frijidè p. 144, 149, 158
fried egg: ze fri p.23
friend : zanmi p. 158
frog : krapo p.33, 34
front: devan p. 232, 234
frontal bone : zo fwon p. 96, 101
fruit: fwi p.30
frying pan : kaswòl p. 149
full: plen p. 232, 234
funnel : antonwa p. 151, 201
G key: kle sòl p. 213
games : jwèt p. 169
garage : garaj p. 136
garbage can : poubèl p. 179
garlic : lay p.10, 27
gas : gazolin p. 244
gas lamp: lanp gaz p. 155
gas lamp: lanp tèt gridap p.155
gas range : recho a gaz p. 148
gas station : estasyon gazolin p. 206
gasoline: gazolin p. 244
gears: ba vitès p. 245
German : Alman p. 62
germination : gèmen p.12
get out of bed : leve; desann kabann p. 141
girl: tifi p.44, 48, 54
glands : glann p 111.112
glass : vè p. 147, 158
gloves : gan p. 179
go down: desann p. 230, 232, 234
go downstairs: desann eskalye
go home : al lakay p. 134
go to bed : al dòmi; al nan kabann p. 141
go up: monte p. 230, 232, 234
goat: kabrit p. 24, 30
golf equipment: ekipman gòlf p. 170
good morning : bonjou p. 157
good: byen, bon p. 232, 234
good: trèbyen p. 215
graduated cylinder : silend a mezire p. 201
grape: rezen p.9, 15, 30
grapefruit: chadèk p.30
grasshopper : krikèt p.36
grate : graj p. 152
gray : gri p. 222
greater than or equal to : pi gwo osinon egal p. 216
greater than: pi gran pase p. 216
green : vèt p. 222
green onion : siv p. 27
green pea : pwa vèt p.11, 17
green pepper : piman vèt p.11, 17
Guatemala : Gwatemala p. 71
guineps : kenèp p.8, 16
guitar : gita p. 177, 178
gun: revolvè p.49
gymnastic : jimnastik p. 173
hair : cheve p. 82
hair clip: pens woulo p. 164
hair clippers : pens p. 161
hair clippers: tondèz p. 161
hair dryer : sechwa p. 161
hair pick : fouch p. 161
hair pick: pik p. 161
hair pin: epeng cheve p. 164
hair shampoo : chanpou p. 161

hairdresser: kwafèz p. 186
hair dryer and blow dryer: sechwa cheve p. 160
half-circle : demisèk p. 211
half note: blanch p. 213
half slip : demi jipon; bout jipon p. 76
hammer: mato p. 177, 180, 182
hand : men p. 98, 100
hand bones : zo men p. 100
hand of card: men p. 212
hand saw : goyin p. 180
handicap : andikape p. 205
handprint: makmen p.49
hang : kwoke pandye p. 77
hang the clothes : pandye rad tann rad p. 141
hanger : sèso p. 141
happy: kè kontan p. 56
happy: kontan p. 54 56, 232, 234
harvest: rekòlt p. 185
harvest: rekòlte p. 185
Hawaiian: Awayèn p. 64
hay : zèb p.6
head : tèt p. 82, 92
head light: limyè p. 246
headboard : tèt kabann p. 140
headphones : kònè p.240
hear : tande p. 84
heart : kè p. 86,102,104, 212
heat: chalè p.53, 225
heater: chofrèt p. 155, 158
heel : talon p. 81
helicopter : elikoptè p. 249
herring: aran p.30
hi: alo p. 215
high chair: chèz tibebe p.46
high heels : talon kikit p. 79
high temperature: gwo chalè p.53
high: wo p.234
hiking: moute mòn p. 171
hip : ranch p. 81
hobby : pastan p. 169
hoe : wou p. 183
hokey : òke p. 173
home : lakay p. 134
home sick : nostaljik p. 134
homeland : peyi p. 134
Honduras : Ondiras p. 71
hood: kapo p. 245, 246
hook: agraf p. 80
horoscope : owoskòp 217, 218
horse : cheval p.33, 37, 248
hose: tiyo dlo p. 122
hospital : lopital p. 205
hot : cho p. 158, 230
hot dog: òtdòg p.21
hot water: dlo cho p.157
hotel : otèl p. 206
house : kay p. 134
humerus : zo bra p. 96
hundred : san p. 220
hydroplane : elikoptè p. 247
hygiene : ijyèn p. 161, 166
I.V : sewòm p. 117
ice : glas p. 158
ice cream: krèm p.22, 28, 30
ice skate : paten sou glas p. 171
ice skater: patinè p. 172
ice tray : plato glas p. 146
identification bracelet : braslè p. 80
in: andedan p.232, 234
Indian: Endyen p. 63
information : enfòmasyon p. 205
intestine : trip p. 86, 106,107
Inuit: Inouit p. 62
Iranian: Irannyèn p. 63
irrigate: wouze p. 185
ischium : zo basen p. 99
january : janvye p. 221
Japanese: Japonèz p. 62
jaw : machwa p. 86
jeep: djip p. 247
jet airplane: avyon areyaksyon 248, 249
jockey : valèt p. 212
joke: blage p.241
juice: ji p.30
july : jiyè p. 221
jumper: salòpèt p. 75
jumping rope : sote kòd p. 170
june : jen p. 221
kangaroo: kangouwou p.41
kettle : bonm p. 152
kettle : kaswòl p. 149
kidney: ren p. 94, 108
king: wa p. 175, 176, 212

kiss: bo p.56, 157
kitchen : kwizin p. 137, 144, 158
knee : jenou p. 82
kneel : ajenou p.51
knife : kouto p. 147, 150, 151, 158
knight: chevalye p.175, 176
lace: lase p. 77
ladder: nechèl p. 122, 179, 181
ladies rest room: twalèt fi p. 205
ladies: medam p.50
ladle : louch p. 152
ladle : louch p. 152
lady bird: koksinèl p.35
lady bug : madmwazèl p. 35
lady: madanm p.50
lamb: mouton p.30
lamp : anpoul p. 156
lamp : lanp p. 153, 157, 197
lamp socket : sòkèt p. 156
large intestine : gwotrip p. 106
larva : lav p.36
Latin America : Amerik Latin p. 70, 71
laugh: ri p.56
launching platform: p. 251
lawn mower : machin pou koupe zèb
lawn rake: rak p. 184
lawn mower: machin pou koupe zèb p. 185
lay down : kouche p. 51,
lay face down: kouche sou vant p.52
lay on the side: kouche sou kote p.52
lazy : parès, kalbende
leaf : fèy p.6, 8, 9, 11
lean : koube, panche p.51
leek : powo p. 27
left : goch p. 222
left: gòch p. 215, 232, 234
lemon or lime : sitwon p.6, 30
lemon: sitron p.9, 15
Leo : lyon p. 218
less than or equal to: pipiti osinon egal p. 216
less than: pipiti pase p. 216
letter : lèt p.238
lettuce: leti p.30
lever corkscrew: kle boutèy p. 151
lie on the back: kouche sou do p.52
light bulb: anpoul p. 240
light: fè klè, limyè p. 232, 234
lighting: zèklè p. 225
lime : lacho p. 135
lion: lyon p.41
lipstick: fa p.44
listen : koute p. 84, 233, 234
little: zwit p.232, 234
liver : fwa p. 86, 106,
living room : salon p. 139
lizard: mabouya p.33
lobster: oma p.25, 30
locker: bifèt lekòl p. 200
long: long p. 232, 234
look : gade p. 84
loose: lache p.233, 234
love : renmen p. 157
low card: pay p. 212
low: ba p. 232, 234
luggage compartment: kòf p. 246
lullaby: chante pou fè timoun dòmi p.46
lunch : manje midi p. 158
lung : poumon p. 86,87,114
lymphatic : lenfatik p. 90
macaroni: makawoni p.21
mail box: bwat postal p.238
mail slot: bwat lèt p.238
mailman truck: kamyon lapòs p. 238, 250
male : gason p. 205
male and female: mal ak femèl p. 205
male urinary: sistèm pipi gason
mammogram : mamogram p. 118
man : gason p. 58
mandible : zo machwa anba, zo manton p. 96, 101
mango : mango p.8, 16, 30
manubrium : zo lestomak p. 96
Map of Haiti: Kat Dayiti p. 204
map: kat p. 197
maraca : tchatcha p. 177
marble game : jwèt mab p. 170
march : mas p. 221
march: mach p.51
marimba: marimba p. 178
matches : alimèt p. 155
material: twal p.174
mature bean plant: pye pwa p.12
maxilla : zo machwa anwo p. 96
maxillary : zo machwa anwo p. 99

may : me p. 221
Mayan Piramid : Piramid Maya p. 133
meager: mèg p. 232, 234
mean: mechan p.57
measure blood pressure : pran tansyon p. 120
measure temperature: pran tanperati p.53
measuring cup: tasamezire p. 187
measuring tape : mèt p. 178, 187
measuring tape: tep
meat: viann p.26, 30
medication : medikaman p. 120
meet: reyini p. 242
meeting: reyinyon p. 242
men : gason p.48
men rest room: twalèt gason p. 205
merge left : kenbe goch ou p. 207
merge left: mete w agòch p. 207
messy: andezòd p.232, 234
metatarsus : zo pye p. 96
Mexican: Meksiken p. 63
Mexico : Meksik p. 71
microphone: mikwo p.239, 240
microscope : mikroskòp p. 201
microwave oven : fou mikwoond p. 158
midnight : minwi p. 191
military: militè p. 214
milk : lèt p.22, 23
minus: mwens; siy soustraksyon p. 216
mirror : glas p. 140, 157, 168
mit : mitèn , gan p. 171
mixer : malaksè; miksè p. 142
moccasin: mokasen p. 79
mold : moul p. 151
monday : lendi p. 221
monkey: makak p.41
monte eskalye: desann eskalye
moon : lalin p. 251
Moroccan: Mawoken p. 62
mortar : pilon p. 153
mortar and pestle: pilon ak manch pilon p. 150, 201
moth: papiyon de nuit p.36
motor oil: lwil motè p. 244
motorcycle: motosiklèt p. 248, 249
mouse : makè p.240
mouse : sourit p.34
mouth : bouch p. 44, 82, 83
mouth to mouth resuscitation : bouch a bouch p. 117
mow the lawn: koupe gazon p. 185
muffin: ponmkèt p.21, 28
mule: sapat p. 79
multiplication : miltiplikasyon p. 216
muscular : mis p. 92
mushroom : dyondyon p.5, 19
music : mizik p. 175
musical instrument : enstriman mizik p. 175
nail : klou p. 182
nail polish : kitèks p.44
nail: klouwe p. 182
naked : toutouni p. 157
napkin : sèvyèt an papye p. 158
narrow: etwa p. 232, 233, 234
nasal bone : zo nen p. 96
Native American : Endyen p. 63
navel : lonbrit p. 82
neat: annòd p. 232, 234
neck : kou p. 82
needle: zegwi p. 174
nervous : nè p. 90
Nicaragua : Nikaragwa p. 90
nervous system : sistèm nè p. 109
night gown : chemizdenuit p. 157
night lamp : lanpdenui p. 157
nightstand : tabdenui p. 157
night street light: poto elektrik
night table : tabdenui p. 140
nine : nèf p. 219
nine hundred : nèfsan
nine o'clock : nevè p 191
nineteen : diznèf p. 219
ninety : katrevendis p. 220
nipple : tetin, pwent tete p.45, 82
no admittance : pa antre la p. 210
node : ne p. 9
no left turn : pa vire agoch p. 208
no parking : pa pake la p. 206
no pedestrians : moun apye pa pase
no u-turn : pa vire won p. 208
No parking : pa estasyone p. 206
No smoking : pa fimen
No trespassing : pa pase la p. 210
noon : midi p. 191
north : nò p. 222

North America : Amerikdinò p. 70
nose: nen p. 44, 82 , 83, 84
note pad: kaye p. 199
november : novanm p. 221
nuclear membrane: manbràn nwayo p.96
nucleus: nwayo p.13
number : chif p. 219
number symbol: senbòl nimewo p. 209
nurse : enfimyè p. 117
nurse: bay tete; fè tibebe rann gaz p.46
nursery rhyme: chante timoun p.46
nursery: jaden danfan; gadri p.46
nut and bolt: ekwou ak boulon
occipital : zo dèyè tèt p. 96, 101
october : oktòb p. 221
off: tenyen p.232, 234
office supply : zafè biwo p. 191
oil : lwil p.30
old : vye granmoun
old age: vye granmoun
on : sou p. 222
on: limen p. 232, 234
one : en, youn p. 219
one o'clock : inè p. 191
one story house : kay p. 134
on the back : sou do p. 52
one thousand : mil p. 220
onion : zonyon p.10, 27
open: ouvè p. 232, 234
ophthalmoscope : zouti pou konsilte zye p. 121
optometry : mezire zye p. 118
orange : zoranj p. 15, 30
orange juice : ji zoranj p.22
orange juicer : près zoranj p. 149
otoscope : zouti pou konsilte zorèy p. 121
out: deyò p.232, 234
ovaries : ovè p. 110
ovary : ovè p. 94
oven : fou p. 136, 142, 144, 158
over: anwo p. 232, 234
overcast: tan mare
overhead projector : pwojektè p. 198
ovum : ze p. 108
owl : koukou p.40
oyster: zwit p.30, 33
pacifier : sison p.47
page boy: chela p.61
pail : bokit p. 150
paint brush : penso p.180, 181
paint roller : penso a woulo, 177, 178
painting : tablo, penti p. 140, 157
pale : bokit p. 154
palm tree : pye palmis p. 5
pan : kaswòl p. 147
Panama : Panama p. 71
pancreas: pankreas p. 110
pants : pantalon p. 75
panty : pantalèt p. 157
panty hose : bakilòt p. 76
papaya : papay p. 11, 17, 30
paper clip : klip p. 194
paper clip: klips
paper holder: pens
paper pin: pinèz
paper tissue : klinèks p. 168
parabolic antenna : antèn parabolik p. 251
Paraguay : Paragwe p. 71
parcometer: pakomèt p. 224
parenthesis: parantèz
parietal : zo tèt p. 96, 101
park: plas p. 225
parking : estasyonman
parking : pakin
parrot : jako p.40
part of a house: pati nan yon kay
passion fruit: grenadya p.30
patella : kakòn jenou p. 96
pattern: patwon p. 174
patties: pate p.30
pawn: sòlda p. 175, 176
peach: pèch p.9, 15, 30
peanut : pistach p.6
pear: pwa p.9, 15
pelican: pelikan
pencil sharpener: tay kreyon
pencil: kreyon p. 195,199
pendant: meday p. 78
penguin: pengwen p.34
penis : pijon p. 110
people: moun p.42
pepper: piman p.19
petal : petal p. 8
percentage : pousantay p. 209

percussion set: batri p. 178
perfume bottle : boutèy pafen p. 157, 168
Peru : Pewou p. 71
phalanges : zo dwèt p. 96
phalanges : zo zòtèy p. 98
phone pad: klavye telefòn p.239
photographer : fotograf p. 186
piano: pyano p. 178
pick up truck: kamyonèt p. 247
pick: pikwa p. 183
pick-up truck : pikòp
picnic : piknik p. 206
picture : foto p. 158
pith : mwèl bwa p.8
picture frame : ankadreman p. 158
pie: tat p.28
pig : kochon p.37
piggy bank: bwat sekrè p. 196
pigtails: detrès p.61
pillow : zòrye p. 140, 157
pills : grenn p. 117
pin: tache
pineal and pituitary : pineal ak glann pituitè p 110
pineapple : anana p.7, 18, 30
pink : woz p. 222
pins : pens p. 174
Pisces : pwason
piston : piston p. 177
pizza: pitza p.21
plant : plant p. 157, 158, 182
plant a tree: plante yon pye bwa p. 185
plant cell : selil plant p. 95, 96
plaster : anplat p. 120
plate : asyèt p. 147
play a record: jwe yon disk
play cards: jwe kat p. 212
play music: jwe mizik p. 242
play pen: pak p.45
play the drum: bat tanbou
play the piston : jwe piston
playground: pak; plas
pliers: pens p. 178
plug : plòg p. 156
plug female : plòg p. 240
plug male : plòg p.240
plus : plis p. 216
plus: plis; adisyon
pocket knife : kanif p. 150
poison : pwazon p. 214
poisonous symbol : senbòl pou pwazon p. 123
police car : machin polis p. 250
polite: janti p. 232, 234
pomegranate: grenad p.8, 16
pony tails: ke cheval p.61
popsicle: krèm p.22
pork: kochon p.23
portable cassette player : radyo kasèt pòtatif p. 198
portable radio: radyo pòtatif p.239
portable stereo set : radyo pòtatif p.240
portable telephone : telefòn pòtatif p. 198
position: pozisyon p.52
post card : kat postal p. 238
pot : chodyè p. 153
pot : po p. 182
potato: pòmdetè p.21
pour: vide p.29
prayer : lapriyè p. 157
pregnant woman : fanm ansent p. 111
prostate gland : pwostat p. 110
protein: pwoteyn p.26
protractor: rapòtè p. 189
pubic bone : zo devan p. 109, 110
pubis : devan p. 82
pudding: poudin p.28
pull: rale; tire p.232, 234
pulmonary : poumon p. 91
push: pouse p. 232, 234
put on rollers: mete woulo p. 160
put to bed : mete kouche p. 141
quadruple: kat tan p. 213
quarter note: kwochè p. 215
queen: dam p. 175, 176
queen: rènn p. 212, 214
question mark : pwen kesyon p. 209
question mark: siy poze kesyon
rabbit : lapen p.30, 33, 230, 232, 234
race car: machin kous p. 244
radicle : ti rasin p. 10
radio : radyo p. 142, 198
radio announcer : espikè radyo p. 186
radio set: radyo p. 197

radioactive : radyoaktif p. 214
radiography; x-ray : radyografi p. 115
radius : radiyis p. 96
railroad crossing : kote tren koupe lari a p., 208 210
railroad: wout tren p. 210
rain: lapli p. 227
rainy: lapli p. 227
rake: rato p. 183, 184
range : recho elektrik p. 148
rattle: jwèt tibebe p.47
razor : razwa p. 164
razor blade : jilèt p. 164
rear view mirror : retrovisè p. 245
record : disk p. 198
rectangle : rektang p. 211
red : wouj p. 222
red blood : globil wouj p. 103
red cross : lakwa wouj p. 205
reduce : redwi p. 148
refrigerator : frijidè p. 144, 146
reinforcing bar : ba fè p. 135
respiratory system : sistèm respiratwa p. 113
resuscitation : bouch nan bouch p. 117
restaurant : restoran p. 206
restless : san pozisyon p. 52
return home : retounen lakay p. 134
ribs : zo kòt p. 98, 101
rice: diri p.21
right : adwat p. 215, 232, 234
right : dwat p. 222
ring the bell : sonnen klòch
rinse: rense p. 163
roast : griye p. 148
roasting : ap griye p. 148
rocking chair : dodin p. 141, 158
roller : woulo p. 179
roller brush : woulo penti p. 181
roller skates : paten p. 171
rollers : woulo p. 161, 164
roof : tèt kay p. 136
rook: tou p. 175, 176
rooster : kòk p.40
root : rasin p.10
root: anrasinen p. 185
rubber band : elastik p. 194
rude: malelve, 234
ruler: règ p. 199
run: kouri p. 85, 233, 235
Russian: Ris p. 64
sad : tris p.53, 54, 234
sadness: tristès p.53
safe: kòfrefò p. 196
safety pin : zepeng kwochèt p. 77
salad: salad p.30
salivary gland : gland saliv p. 106
Salvador : Salvadò p. 71
sand : sab p. 135
sandals : sandal p. 79
sandwich: sandwich p.21
sapen, pye sapen : fir p. 5
sardines: sadin p.30
saturday : samdi p. 221
saucepan : bonm p. 149
saucepan : kaswòl p. 152
saw : si p. 179
sawing: siye
saxophone : saksofòn p. 177
scale : balans p. 121, 188, 201
scale: balans elektwonik
scallion : poro p.10, 27
scalpel : bistouri p. 117
scapula : omoplat p. 96
scare: pè p.55
scared : pè p. 57, 116
scared: gen laperèz p.55
scarf: mouchwa
scaring: fè pè p.55
school bag : sak lekòl p. 200
school supply : zafè lekòl p. 191
scissors : sizo p. 174
Scorpion : eskòpyon
Scottish: Ekosè p. 64
screw : vis p. 182
screw driver : tounvis p. 179, 180, 184, 186
scrotum : sak grenn p. 110
seat belt: senti sekirite p. 245, 246
second floor: dezyèm etaj
security guard: gadyen sekirite p.49
see : wè, gade p. 84
semi colon : pwen vigil p. 209
september : septanm p. 221
serve: sèvi p. 242
seven : sèt p. 212, 219

seven hundred : sètsan p. 220
seventeen : disèt p. 219
seventy : swasantdis p. 220
sew: koud p. 77
sewing : koud p. 77
sewing machine : machin a koud p. 174
shampoo: savonnen p. 163
sharp : dyèz p. 213
shaving brush: blero p. 164
shaving cream : krèmlabab p. 166
sheep : mouton p.37
shirt : chemiz p. 75
shirt: chemiz p. 75
shiver: tranble p.53
shiver: tranbleman p.53
shock: sezisman p.55
shoe lace : lasèt p. 77
shoe print: mak soulye p.49
shoes : soulye p. 75, 79
short curls: modèn
short: kout p.233, 234
shoulder : zèpòl p. 82
shoulder blade : omoplat p. 81, 82
shovel : pèl p. 179, 183,184
shower : douch p. 157, 165, 166, 225
shower head: tèt douch p. 166
shrimp: krevèt p.23, 25, 30
shuffle: bat ba p.212
sickle: sèpèt p. 183
side view mirror : retrovizè p. 244
sieve : paswa p. 151
sing : chante p. 57, 241, 242
sink : basen p. 144, 158, 166
sink: lavabo p. 157, 163
sit down : chita p.51, 52
sit: chita p.233, 234
six : sis p. 212, 219
six hundred : sisan p. 220
six o'clock : sizè p. 191
sixteen : sèz p. 219
sixty : swasant p. 220
skate: paten p. 172
skeletal : eskelèt p. 92
skeleton system : sistèm eskelèt p. 97, 102
skimmer : louch fritay p. 152
skin: po p. 93, 94
skirt: jip p. 157
sky scrapper: gratsyèl p. 134
sleep: dòmi p.52
sleeping: ap dòmi p.52
slim: mens; thin p.232, 234
sling shot : fistibal p. 170
slip: jipon p. 76
slip: pantalèt p. 76
slippery road: atansyon, wout glise! p. 207
slow: dousman p.232, 234
small intestine : titrip p. 106
small: piti p. 230, 232, 235
smaller: pi piti p.235
smell : santi; pran odè p. 84
smell: santi p.57, 158
smile : souri p.53
smiling: ap souri p.53
snack : kolasyon p. 158
snake: koulèv p.41
snap : presyon p. 80
snap button: presyon
snowman: tonton lanèj
so sleep: dòmi
soap : savon p. 148, 157
soccer : foutbòl p. 170
soccer ball: balon foutbòl p. 171
soccer player: foutbolè p.66, 172
soccer: foutbòl
socket : sòkèt p.156
socks: chosèt p. 78
sofa: sofa p. 158
soldier : solda p.49
song: chante; chan
soursop : kowosòl p.8, 16, 30
South America : Amerikdisid p. 70
south : sid p. 222
sow : plante p. 185
space shuttle: navèt p. 251
spade: pik p. 212
Spaniard: Espànyòl p. 63
spark plug: bouji p. 244
speak on the telephone: pale nan telefòn p.241
speak: pale p.241
speaker: spikè; opalè p. 241
sperm: dechaj
spermatozoid : espèmatozoyid, jèm p. 108
sphere : esfè p. 211

sphingscope : tansyomèt p. 121
Sphinx : Esfinks p. 133
spices: epis p.10, 27
spider : zarenyen p.36
spinach: zepina p.20
spoon : kiyè p. 147, 150, 158
sport : espò p. 169
spray: flite p. 163
square headed tip : tounvis tèt kare p. 182
square ruler : ekè p. 181
square: kare p. 211
squash: joumou p.19, 20
squirrel: ekirèy p.33
stamp: estanp; so p. 196
stamp: tenm, temb p.238
stand up : kanpe p.51, 52
stand: kanpe p.233, 235
staple remover : deklipsè p. 194
stapler : klipsè p. 194
star: etwal
Statue of Liberty : Estati Lalibète p. 133
steak : viann; biftèk p.23, 26
steering wheel: volan p. 244, 245
stem : tij p. 11
stereo : aparèy radyo p.158
sterilize baby bottle: bouyi bibwon p.46
sternum : zo biskèt p. 99
stethoscope : sond p. 121, 123
stomach : lestomak p. 86, 106, 107
stone : wòch p. 135
stone wall: mi wòch
stop sign : estòp p. 210
stop sign: siy pou w kanpe p. 208
stove : recho p. 148
straight: dwat p.233, 235
strainer : paswa p. 152
straw house: kay pay p. 134
strawberry: frèz p.9 , 15
street light: poto elektrik p. 224
street signs: siy lari p. 224
street traffic light: limyè trafik
stroller: charyo tibebe p.45
stump : choukbwa p.6
stump : chouk p. 8
sugar cane stick : kann p.7, 18
sugarapple: kachiman p. 18
summer: ete p.235
sun : solèy
sun bath: pran beny solèy
sunday : dimanch
sunny: gwo solèy p.227
sunny: solèy p. 227
support : sipò p. 201
surgery : operasyon p. 118, 120
Surinam : Sirinam p. 71
suspenders: bretèl p. 78
swallow : vale p. 29
swimmer: najè p. 172
swimming: natasyon p. 172
swing: balansin p.47
switch: switch p. 156
sword : epe p. 214
symbol: senbòl p. 203
syringe : sereng p. 119, 120
system : sistèm p. 89
t-shirt : mayo p. 78
T-shirt: chemizèt p. 78
table : tab p. 136, 139, 142, 143,
table cloth : nap p. 147
take a picture : pran foto p. 43
take temperature : pran tanperati p. 119
talk: pale p.233, 235
tall: wo p.233, 235
tamarind : tamaren p.8, 16
tape : tep p. 194
tarsus : tas p. 96
taste: goute p.57
tea kettle : teyè p. 147, 149
tea kettle : pòt te p. 148, 155
tea: te p.22, 30
telephone : telefòn p. 241
telephone call: kòl
telephone emergency number : nimewo telefòn ijans p. 123
telephone receiver: manch telefòn p.239
telescope: teleskòp p. 251
television : televizyon p. 158, 239
television screen : ekran televizyon p. 141
temperature control knob : bouton pou kontwole p. 146
temporal bone : zo tanp p. 96, 101
ten : dis p. 219
ten o'clock : dizè p. 191
ten thousand : dimil p. 220

tennis ball : boul tenis p. 171
tennis racket : rakèt tenis p. 171
test tube : tib p. 117
testes : grenn p. 110
testis : grenn p. 110
thaw : dejle p. 158
thermometer : tèmomèt p. 123, 188
thermostat: tèmostat p. 187
thick: epè p.233, 235
thigh : kwis p. 81, 82
thin: mens p.233, 235
think: panse p.55
thinking: ap panse p.55
thirteen : trèz p. 219
thirty : trant p. 220
thither: sison
thoracic and lumbar vertebrae : zo do p. 96
thought: panse p.55
thread: fil; bobin fil p. 174
three : twa p. 212, 219
three hundred : twasan p. 220
throat: gòj 106
throw : voye p. 85
thursday : jedi p. 221
thyroid and parathyroid : tiwoyd ak paratiwoyid p. 110
tibia and fibula : zo janm p. 96
tight: sere p.233, 235
time : lè p. 188, 189
timer : kontè p. 198
tire: kawoutchou p.246
to be lazy: kalbende
to sow: plante p. 183
toaster : tostè p. 142
toes : zòtèy p. 82
toilet : saldeben p. 137
toilet bowl: bòl twalèt p.157, 167, 168
toilet paper : papye twalèt p. 166, 168
tomato: tomat p.11, 17
tongue : lang p. 101
tool box : bwat zouti p. 178
tools : zouti p. 179
tooth brush: bwòsadan p. 157, 161
toothpaste : pat dantifris p. 157, 161
top: anlè p.233, 235
touch : manyen, touche p. 85
tow truck : remòkè p. 247
tow truck: kamyon remòk p. 247
towel : sèvyèt p. 157, 166, 167, 168
towing truck: remòkè p. 250
tractor : traktè p. 247
traffic light : limyè p. 224
trailer : trelè p. 247
train : wout tren p. 207
transport : transpò p. 243
trash container: poubèl p. 197
tree : pye bwa p.5, 10
tree branch : branch bwa p.5
triangle: triyang p. 211
trim : dekorasyon p. 145
Triumph Arch : Ak de Triyonf p. 133
truck : kamyon p. 248
trunk : kòf machin. 245
trunk : tij p.8, 9, 10
trunk: pòtchay p. 245
tubular element : eleman p. 145
tuesday : madi p. 221
tuning fork : zouti pou mezire son
Turk: Tik p. 62
turkey: kodenn p.26, 30, 38
turner : pèl p. 150
turnip : nave p.20
turntable : toundisk p. 142, 198
turtle : tòti p.33, 230, 232, 235
tv commercial : piblisite p.239
twelve : douz p. 219
twenty : ven p. 220
twig : ti branch p. 10
two : de p. 219
two direction: de direksyon p. 207
two hundred : desan p. 220
two o'clock : dezè p. 191
two thousand : demil p. 220
typewriter : machin aekri p. 194
ulna : kibitis p. 96
unconscious person : moun ki endispoze p. 123
under : anba p. 222
under: anba p.232, 235
underwear: kalson; slip p. 78
undressed : dezabiye p. 157
up : anwo p. 215 , 232, 233, 235
up : anwo p. 222
uproot: dechouke p. 185

upstairs: anwo p.233, 235
urethra : kanal pipi p. 109
urinary system : sistèm pipi p. 97
Uruguay : Irigwe p. 71
uterus : matris p. 109, 112
vagina : vajen; bouboun (children) p. 109, 111
valves : valv p. 104
vein : venn san fonse p. 94
vein : venn p.8
Venezuela : Venezwela p. 71
vertebra : vètèb p. 112
vertebral column : zo rèl do p. 99
very good: trè byen p. 215
victory: laviktwa p. 215
video camera: kamera video p.239
violin: vyolon p. 178
visitor : vizitè p. 158
volley ball player : voleyè p.66
wake up: reveye; leve; pantan
walk : mache p. 85, 233, 235
wall : mi p. 157
warm : tyèd p. 158
warm up : rechofe p. 148
wash : lave p. 148, 165
wash hand with soap: savonnen men p. 165
wash hands: lave men p. 165
wash towel: sèvyèt figi p. 166
wash: lave p. 77
washbowl : lavabo p. 168
washing machine : machinalave p. 148
watch : mont p. 188
water : dlo p.22, 157, 206
water cress: kreson p.30
water fountain : fontèn p. 225
water jug : krich p. 150
water pale : awozwa p. 182
water plant : wouze plant p. 182
water skiing : glisad sou dlo p. 173
water the lawn: wouze gazon p. 185
watermelon: melon p.8, 16, 30
wave clip: pens woulo p. 164
wear cap: met bone p. 161
wedding band: bag maryaj p. 80
wednesday : mèkredi p. 221
weed: detwi move zèb p. 185
west : wès p. 222
wet: mouye p.233, 235
what time is it : kilè li ye 188
wheel chair : chèz woulant p. 120
whistle : soufle p. 241
whistle: souflèt p. 241
white : blan p. 222
white blood cell : globil blan p.103
whole: wonn, antye p. 213
wide: laj p.232, 233, 235
wind: van p. 226
wind: vante p. 226
window : fenèt p. 144, 157, 197
window glas: vit fenèt p. 246
windshield: vit devan p. 246
windy : gen van p. 226
windy: fè van p. 226
wine bottle : boutèy diven p. 147
wing: zèl p.39
winter: ivè p.233, 235
woman: fi p.44, 58
women : fi p.48, 50
wood charcoal: chabon bwa p. 154
wood chisel : sizo bwa p. 182
wood fire: dife bwa p.155
wooden chair: chèz
work : travay p. 73
workbench : tabli p. 186
world map : kat latè p. 68
worm : vè p.34
wrench: kle p. 178
write : ekri p. 242
writing: ekriti p. 242
X-ray : radyografi p. 123
xiphoid process : biskèt p. 96
yam: fil triko p. 174
yarn : fil p.174
yellow : jòn p. 222
yield: sede p. 20, 208
yogurt: yogout
zero : zewo p. 219
zipper : zip p. 77
Zodiac signs: Siy owoskòp p. 215, 218
zygomatic bone : zo figi p. 96

CREOLE TO ENGLISH INDEX
ENDÈKS KREYÒL ANGLÈ

abiye : dressed p. 157
adrenal : adrenal p. 110
adwat : right p. 215, 232, 234
Afrik : Africa p. 69
afwo : afro p. 61
agraf : hook p. 80
Ajantin : Argentina p. 71
ajenou : kneel p. 51
Ak de Triyonf : Triumph Arch p. 133
akòdeyon : accordion p. 177
akoupi : to crouch down
akolad : brackets p. 209
aksidan oto : auto accident p. 116
al dòmi; al nan kabann : go to bed p. 141
al lakay : go home p. 134
alimèt : matches p. 155
Alman : German p. 62
alo : hi p. 215
Amerik : America p. 70
Amerikdinò : North America p. 70
Amerikdisid : South America p. 70
Amerik Latin : Latin America p. 70
Amerik Santral : Central America p. 70
amwa : cabinet p. 142
anana : pineapple p. 18, 30
anba : below p. 232, 234
anba : bottom p. 233, 234
anba : down p. 215, 222, 233, 234
anba : downstairs p. 233, 234
anba : under p. 232, 235
anbilans : ambulance p. 120, 247, 250
andedan : in p. 232, 234
andezòd : messy p. 232, 234
andikape : handicap p. 205
andokrin : endocrine p. 90
ankadreman : picture frame p. 158
anlè : top p. 233, 235
annòd : neat p. 232, 234
anplat : plaster p. 120
anpoul : lamp p. 156
anpoul : light bulb p. 240
anprent : fingerprint p. 49
anraje : enrage p. 56
anrasinen : root p. 185
anwo : up p. 215 , 232, 233, 235
antèn : antenna p. 239, 251
antèn parabolik : parabolic antenna p. 251
antèn parabolik : antenna (parabolic) p. 251
antonwa : funnel p. 151, 201
antre : enter p. 210
anvlòp : envelope p. 238
anwo : above p. 232, 234
anwo : above p. 222
anwo : over p. 232, 234
anwo : up p. 222
anwo : upstairs p. 233, 235
aparèy elektrik : electrical appliances p. 148
aparèy pou mezire van : anemometer p. 188
aparèy radyo : stereo p. 158
Arab : Arab p. 64
aran : herring p. 30
aspèj : asparagus p. 19
asyèt : plate p. 147
atansyon, wout glise! : slippery road p. 207
atè ak venn : artery and vein p. 102, 105
aticho : artichoke p. 17
atrap : catch p. 85
avril : april p. 221
avyon areyaksyon 248, 249 : jet airplane
Awayèn : Hawaiian p. 64
awozwa : water pale p. 182
ba : bar p. 242
ba : low p. 232, 234
ba fè : reinforcing bar p. 135
ba vitès : gears p. 245
bag dyaman : diamond ring p. 80
bag maryaj : wedding band p. 80
bakilòt : panty hose p. 76
balans : scale p. 121, 188, 201
balans elektwonik : scale
balansin : swing p. 47
bale : broom p. 153, 154
balon foutbòl : football p. 171, 172
balon foutbòl : soccer ball p. 171

balon pànye : basketball p. 172, 173
ban : bench p. 140, 154, 225
bandjo : banjo p. 177
bannann : banana p. 16, 18, 30
barèt : barrette p. 164
basen : bath p. 136, 167
basen : bath tub p. 167
basen : sink p. 144, 158, 166
bat ba : shuffle p. 212
bat tanbou : play the drum
batèz : electric egg beater p. 149,
bato : boat p. 248, 249
batri : battery p. 244
batri : percussion set p. 178
bavèt : bib p. 47
bay blag : chat p. 241
bay san : blood transfusion p. 118
bay tete; fè tibebe rann gaz : nurse p. 46
bay tibebe manje : feed a baby p. 46
bè : butter p. 30
bechè : beaker p. 201
bèf : beef p. 30
bèf : cattle p. 24
bèk : beak p. 39
bekiy : crutches p. 120
Belye : Aries p. 218
bemòl : flat p. 213
beny : bath p. 165
benywa : bath tub p. 167
berejèn : eggplant p. 17, 19
bèso : crib p. 45, 46
bèt pa pase : no pets
bètrav : beets p. 20
bezbòl : baseball p. 173
bezbòl : baseball p. 173
bibliyotèk : bookcase
bibwon : baby bottle p. 46
bibwon : bottle p. 45
bifèt : closet p. 157
bifèt : display cabinet p. 143
bifèt : dresser p. 157
bifèt lekòl : locker p. 200
bikabonat : baking soda p. 148
bilding : building p. 131
bilding apatman : apartment building p. 134
biret : buret p. 201
bisiklèt : bicycle p. 47, 175, 176, 248, 249
bisiklèt pa gen dwa pase : closed to bicycles
biskèt : xiphoid process p. 96
bistouri : scalpel p. 117
biwo : desk p. 142, 195, 197, 199
blad pipi : bladder p. 108
blage : joke p. 241
blan : white p. 222
blanch : half note p. 213
ble : blue p. 222
blero : shaving brush p. 164
blòk beton : concrete block p. 135
bo : kiss p. 56, 157
bokit : bucket p. 153
bokit : pail p. 150
bokit : pale p. 154
bòl pou kras manje : drip bowl p. 145
bòl twalèt : toilet bowl p. 157, 167, 168
Bolivi : Bolivia p. 71
bon : good p. 232, 234
bòn fontèn : fire hydrant p. 224
bonbon : cookie p. 30
bonjou : good morning p. 157
bonm : bomb p. 214
bonm : kettle p. 152
bonm : saucepan p. 149
boss elektrisyen : electrical repairman p. 186
bòt : boots p. 7, 79
bouch : mouth p. 44, 82, 83
bouch a bouch : mouth to mouth resuscitation p. 117
boufan : bouffant p. 61
bouji : candle light p. 155
bouji : spark plug p. 244
boul tenis : tennis ball p. 171
bourèt, : cart p. 179, 181
bourèt mason : cart p. 182
bousòl : compass p. 187
boutèy diven : wine bottle p. 147
boutèy pafen : perfume bottle p. 157, 168
bouton : buttons p. 77, 80
bouton : knob p. 146
bouton televizyon : TV knob
boutonnen : button p. 77
bouyi : boil p. 148
bouyi : boiling , to boil p. 148
bouyi bibwon : sterilize baby bottle p. 46
boy : gason, tigason p. 67

bra : arm p. 85
branch bwa : tree branch p. 6
braslè : identification bracelet p. 80
bretèl : suspenders p. 78
Brezil : Brazil p. 71
brik : brick p. 135
brile; boule : burn p. 148
bwason : drink p. 158
bwat : box p. 156, 238
bwat lèt : mail slot p. 238
bwat postal : mail box p. 238
bwat premye swen : first aid kit p. 123
bwat sekrè : piggy bank p. 196
bwat zouti : tool box p. 178
bwè : drink p. 29
bwokoli : broccoli p. 19, 30
bwòs : brush p. 157, 166, 179
bwòsadan : tooth brush p. 157, 161
byè : beer p. 22
chabon bwa : wood charcoal p. 154
chadèk : grapefruit p. 30
chagren : homesick p. 134
chalè : heat p. 53, 225
chanm : bedroom p. 137, 140, 157
chanm vizitè : guest bedroom
chanpou : hair shampoo p. 161
chante : sing p. 57, 241, 242
chante pou fè timoun dòmi : lullaby p. 46
chante timoun : nursery rhyme p. 46
charyo : cart p. 47, 179, 249
charyo tibebe : carriage stroller
charyo tibebe : stroller p. 45
chat : cat p. 33, 37
chela : page boy p. 61
chemiz : shirt p. 75
chemiz : shirt p. 75
chemiz denuit : baby doll p. 76
chemizdenuit : night gown p. 157
chemizèt : T-shirt p. 78
cheniy : caterpillar p. 35
chenn : chain p. 78
cheval : horse p. 33, 37, 248
chevalye : knight p. 175, 176
cheve : hair p. 82
chèz : chair p. 142, 43, 197
chèz tibebe : baby car seat p. 45
chèz tibebe : high chair p. 46
chèz woulant : wheel chair p. 120
chif : number p. 219
Chinwa : Chinese p. 64
chita : sit p. 233, 234
chita : sit down p. 51, 52
cho : hot p. 53, 158, 230
chodyè : cauldron p. 147, 152
chodyè : pot p. 153
chofrèt : heater p. 155, 158
chokan : shocking
chosèt : socks p. 78
chou : bun p. 61
chou : cabbage p. 20
chouflè : cauliflower
chouk : stump p. 8
choukbwa : stump p. 6
chòvsourit : bat p. 34
chyen : dog p. 33, 37
dam : queen p. 175, 176
dans : dance p. 65, 242
danse : dance p. 242
dantis : dentist p. 118
Dannwa : Danish p. 62
day and night; Jou ak nwit
de : dice p. 174
de : two p. 219
de direksyon : two direction p. 207
dechouke : uproot p. 185
defans : bumper p. 246
dejle : thaw p. 158
deklipsè : staple remover p. 194
dekorasyon : trim p. 145
demi jipon; bout jipon : half slip p. 76
demil : two thousand p. 220
demisèk : half-circle p. 211
depwen : colon p. 209
desan : two hundred p. 220
desanm : december p. 221
desann : go down p. 230, 232, 234
desann eskalye : go downstairs
desann eskalye : monte eskalye
desè : dessert p. 158
detan : duple p. 213
detrès : pigtails p. 61
detwi move zèb : weed p. 185
devan : ahead p. 232, 234
devan : front p. 232, 234

devan : pubis p. 82
dèyè : back p. 232, 234
dèyè : behind p. 232, 234
dèyè : buttock p. 81
deyò : out p. 232, 234
dezabiye : undressed p. 157
dezè : two o'clock p. 191
dezodoran : after shave p. 157
dezodoran : deodorant p. 157
dife : fire p. 116, 122
dife bwa : wood fire p. 155
dijere : to digest p. 29
dijesyon : digestive p. 91, 106
dimanch : sunday
dimil : ten thousand p. 220
diplòm : diploma p. 73
diplome : graduate
direksyon : direction p. 207, 222
diri : rice p. 21
dis : ten p. 219
disèt : seventeen p. 219
disk : record p. 198
diskèt : diskette p. 240
diven : wine p. 147
divizyon : division p. 216
dizè : ten o'clock p. 191
diznèf : nineteen p. 219
dizuit : eighteen p. 217
dizuityèm : corkscrew p. 61
djip : jeep p. 247
dlo : water p. 22, 157, 206
dlo cho : hot water p. 157
dlo frèt : cold water
do : : back p. 81
dodin : rocking chair p. 141, 158
doktè, enfimyè, mis : doctor & nurse p. 120, 123
dola : dollars
dòmi : asleep p. 232, 234
dòmi : sleep p. 52
dòmi : sleeping , to sleep p. 52
douch : shower p. 157, 165, 166, 225
dousman : slow p. 232, 234
doute : doubting p. 57
douz : twelve p. 219
dra : bedding p. 141
dwat : right p. 222
dwat : straight p. 233, 235
dwèt : finger p. 85
dyèz : sharp p. 213
dyondyon : mushroom p. 5, 19
egal : equal p. 216
egare : dumb p. 57
Ejipsyèn : Egyptian p. 63
ekè : square ruler p. 181
ekipman gòlf : golf equipment p. 170
ekirèy : squirrel p. 33
ekòs : bark p. 8
Ekosè : Scottish p. 64
ekran konpyoutè : computer monitor p. 198
ekran televizyon : television screen p. 141
ekran televizyon : TV screen
ekri : write p. 242
ekriti : writing p. 242
Ekwatè : Ecuador p. 71
elastik : rubber band p. 194
elefan : elephant p. 41
eleman : tubular element p. 145
elikoptè : helicopter p. 249
elikoptè : hydroplane p. 247
en, youn : one p. 219
Endyen : Indian p. 63
Endyen : Native American p. 63
enfimyè : nurse p. 120, 123
enfimyè : nurse p. 117
enfòmasyon : information p. 205
enstriman mizik : musical instrument p. 175
epe : sword p. 214
epè : thick p. 233, 235
epeng cheve : hair pin p. 164
epis : spices p. 10, 27
ès : east p. 222
esfè : sphere p. 211
Esfinks : Sphinx p. 133
eskelèt : skeletal p. 92
eskòpyon : Scorpion
Espànyòl : Spaniard p. 63
espatil : spatula
espèmatozoyid, jèm : spermatozoid p. 108
espò : sport p. 169
estanp; so : stamp p. 196
estasyon gazolin : gas station p. 206
Estati Lalibète : Statue of Liberty p. 133
ete : summer p. 235

etwa : narrow p. 232, 233, 234
etwal filant : comet p. 251
evaporasyon : evaporation
evèk : bishop p. 175, 176
fa : lipstick p. 44
fache : angry p. 57
fanm : broad p. 50
fanm (pop) : female
fanm ansent : pregnant woman p. 111
fè klè, limyè : light p. 232, 234
fè nwa : dark p. 232, 234
fè pè : scaring p. 55
fè van : windy p. 226
fèmen : closed p. 232, 234
fenèt : window p. 144, 157, 197
fetay : attic p. 136
fètilizasyon : fertilization p. 108
fetis : fetus p. 111
fevriye : february p. 221
fèy : leaf p. 6, 8
fi : chick p. 50
fi : female p. 50, 205
fi : woman p. 44
fi : women p. 48, 50
fig : banana p. 15, 28
figi : face p. 83
fil : yarn p. 174
fil elektrik : electric wire p. 224
fil triko : yam p. 174
fil; bobin fil : thread p. 174
fistibal : sling shot p. 170
fize : rocket
flamab; ka pran dife : flammable p. 214
flask : erlenmeyer flask p. 201
flè : flower p.6 , 8
flit : flute p. 177
flite : spray p. 163
fòklif : forklift p. 247
fontèn : water fountain p. 225
foto : picture p. 158
fotograf : photographer p. 186
fou : bishop p. 173, 174
fou : oven p. 142, 144, 158
fou : stove p. 136
fou mikwoond : microwave oven p. 158
fouch : digging fork p. 183
fouch : hair pick p. 161
fouchèt : fork p. 147, 150, 158
foul : crowd p. 66
foumi : ant p. 35
foutbòl : soccer p. 170
foutbolè : soccer player p. 66, 172
fredi : coldness p. 53, 226
frèt : cold p. 53, 158, 226, 230
frèz : strawberry p. 15
fri : frying, to fry
frijidè : fridge p. 144, 149, 158
frijidè : refrigerator p. 144, 146
frizè : freezer p. 146, 158
fwa : liver p. 86, 106,
fwi : fruit p. 30
fwomaj : cheese p. 23, 30
fwon : forehead p. 82
gade : look p. 84
gade tibebe : baby-sit p. 46
gadyen sekirite : security guard p. 49
gan : gloves p. 179
gan bezbòl : baseball mit p. 171
garaj : garage p. 136
gason : male p. 205
gason : men p. 48
gato : cake p. 28, 30
gazolin : gas p. 244
gazolin : gasoline p. 244
gèmen : germination p. 12
gen laperèz : scared p. 55
gen van : windy p. 226
gita : guitar p. 177, 178
Giyàn : Guyana p. 71
Giyàn Franse : French Guyana p. 71
gland saliv : salivary gland p. 106
glann p 111.112 : glands
glann pineal ak glann pituitè p 110 : pineal and pituitary
glann pituitè p 110 : pineal and pituitary
glas : ice p. 158
glas : mirror p. 140, 157, 168
glisad sou dlo : water skiing p. 173
globil blan : white blood cell p. 103
globil wouj : red blood p. 103
goch : left p. 222
gòch : left p. 215, 232, 234
goumèt : bracelet p. 80
goute : taste p. 57

goyin : hand saw p. 180
graj : grate p. 152
gratsyèl : sky scrapper p. 134
grenad : pomegranate p. 16
grenadya : passion fruit p. 30
grenn : pills p. 117
grenn : testes p. 110
grenn : testis p. 110
gri : gray p. 222
griye : roast p. 148
griye : roasting, to roast p. 148
Gwatemala : Guatemala p. 71
gwo : big p. 230, 232, 234
gwo chalè : high temperature p. 53
gwo solèy : sunny p. 227
gwo; gra : fat p. 232, 234
gwotrip : large intestine p. 106
ijyèn : hygiene p. 161, 166
inè : one o'clock p. 191
Inouit : Inuit p. 62
Irannyèn : Iranian p. 63
Irigwe : Uruguay p. 71
ivè : winter p. 233, 235
jaden danfan; gadri : nursery p. 46
jako : parrot p. 40
janti : polite p. 232, 234
janvye : january p. 221
jape : bark p. 241
jape : barking, to bark p. 241
jape : dog barking
Japonèz : Japanese p. 62
jarèt : calf p. 81
jedi : thursday p. 221
Jemo : Gemini
jen : june p. 221
jenou : knee p. 82
ji : juice p. 30
ji zoranj : orange juice p. 22
jilèt : razor blade p. 164
jimnastik : gymnastic p. 173
jip : skirt p. 157
jipon : slip p. 76
jiyè : july p. 221
jòn : yellow p. 222
joumou : squash p. 19, 20
jwe kat : play cards p. 212
jwe mizik : play music p. 242
jwèt : games p. 169
jwèt echèk : chess p. 175
jwèt kat : card game p. 212
jwèt mab : marble game p. 170
jwèt tibebe : rattle p. 47
jwi kòb : enjoy life
ka eklate : explosive p. 214
kab televizyon : cable TV
kabann : bed p. 140, 141, 157
kabrit : goat p. 30
kachiman : sugarapple p. 18
kafe : coffee p. 22, 30
kafetyè : coffee pot p. 142
kafetyè : coffee maker p. 149
kakòn jenou : patella p. 96
kalkilatè : calculator p. 142, 194, 195
kalson : boxer shorts p. 78
kalson; slip : underwear p. 78
kamera : camera p. 142, 198
kamera video : video camera p. 239
kamyon : truck p. 248
kamyon lapòs : mailman truck p. 238, 250
kamyon ponpye : fire truck p. 122, 247, 250
kamyon remòk : tow truck p. 247
kamyonèt : pick up truck p. 247
kanal pipi : urethra p. 109
kanal pou vale : esophagus p. 106
kandelab : cactus tree p. 5
kangouwou : kangaroo p. 41
kanif : pocket knife p. 150
kanmping : camping p. 206
kann : sugar cane stick p. 18
kanna : duck p. 34, 39, 40
kanno : artillery p. 214
kanpe : stand up p. 51, 52
kanpe : stand p. 233, 235
kansè : Cancer
kaoutchou : rubber p.7
kaoutchou oto : tire
kapilè (ti venn piti) : capillary p. 93, 94, 105
Karayib : Caribbean p. 70, 72
Kapitòl : Capitol p. 133
kapo : hood p. 245, 246
Kaprikòn : Capricorn
karant : forty p. 220
kare : square p. 211
kaswòl : frying pan p. 149

kaswòl : kettle p. 149
kaswòl : pan p. 147
kaswòl : saucepan p. 152
kat : four p. 212, 219
kat : map p. 197
kat postal : post card p. 238
kat tan : quadruple p. 213
Kat Dayiti : Map of Haiti: p. 204
katab : folder p. 195
katab 195, 196 : file folder
katedral : cathedral
katòz : fourteen p. 219
katrè : four o'clock p. 191
katreven : eighty p. 220
katrevendis : ninety p. 220
katsan : four hundred p. 220
kawo : diamond p. 212
kawòt : carrot p. 19, 20
kawoutchou : tire p. 246
kay : house p. 134
kay : one story house p. 134
kay pay : straw house p. 134
kaye : note pad p. 199
ke cheval : pony tails p. 61
kè : heart p. 86,102,104, 212
kè bwa : heartwood p. 8
kè kontan : happy p. 56
kenbe goch ou : merge left p. 207
kenèp : guineps p. 16
kenz : fifteen p. 219
kès : chest p. 157
kib : cube p. 211
kibitis : ulna p. 96
kilè li ye 188 : what time is it
kitèks : nail polish p. 44
kiyè : spoon p. 147, 150, 158
kizin : kitchen p, 137
kizin : kitchen p. 137
klasè : filing cabinet p. 196
klavye telefòn : phone pad p. 239
kle : wrench p. 178
kle boutèy : lever corkscrew p. 151
kle fa : F key p. 213
kle kola : bottle opener p. 151
kle kola : bottle opener
kle mamit : can opener p. 151
kle sòl : G key p. 213
klinèks : paper tissue p. 168
klip : paper clip p. 194
klips : paper clip
klipsè : stapler p. 194
klòch : bell
klou : nail p. 182
kloure : hammering
klouwe : nail p. 182
klowòks : bleach p. 148
kòbòy : cowboy p. 66
kòn: kònèt p. 211
kòb : money
kochon : pig p. 37
kochon : pork p. 23
kòd rad : clothes line p. 141
kodenn : turkey p. 26, 30, 38
kòf : luggage compartment p. 246
kòf lestomak : chest p. 82
kòf machin : trunk p. 245
kofraj : concrete mold p. 135
kofraj : concrete works p. 135
kòfrefò : safe p. 196
kòk : rooster p. 40
kokoye : coconut fruit p 16
koksinèl : lady bird p. 35
kòksis : coccyx p. 96, 99
kòl matris la : cervix p. 109, 111
kolasyon : snack p. 158
kolizyon : car collision p. 116
Kolonbi :Colombia p. 71
komòd : chiffonnier p. 140
kònè : headphones p. 240
konjle : freeze p. 158
konngout : dropper p. 119, 201
konpyoutè : computer p. 197, 200,240
konsiltasyon zye : eye consultation p. 118
kontan : happy p. 54 56, 232, 234
kontè : counter p. 187
kontè : timer p. 198
korektè : correction fluid p 194
kòsaj : blouse p. 75, 157
Kostarika : Costa Rica p. 71
kote tren koupe lari a : railroad crossing p. , 208 210
koton : cotton p. 6
kou : neck p. 82
koub : curved p. 207, 233, 234

koube, panche : lean p. 51
kouche : lay down p. 51,
kouche sou do : lie on the back p. 52
kouche sou kote : lay on the side p. 52
kouche sou vant : lay face down p. 52
kouchèt : diapers p. 45
koud : sew p. 77
koud : sewing p. 77
koukou : owl p. 40
koulè : color p. 222
koulèv : snake p. 41
koupe gazon : mow the lawn p. 185
koupe zèb : cut the grass p. 185
kouri : run p. 85, 233, 235
kout : short p. 233, 234
koute : listen p. 84, 233, 234
kouto : knife p. 147, 150, 151, 158
kouvèti : box cover p. 156
kouvreli : bedspread p. 157
kowosòl : soursop p.16, 30
krapo : frog p. 33, 34
krèm : ice cream p. 22, 28, 30
krèm : popsicle p. 22
krèmlabab : shaving cream p. 166
kreson : water cress p. 30
krevèt : shrimp p. 23, 25, 30
kreyon : pencil p. 195,199
krich : water jug p. 150
krikèt : grasshopper p. 36
kriye; rele : cry p. 53, 56
kwafè : barber shop p. 161
kwafèz : hairdresser p. 186
kwasan : croissant p. 21
kwen : corner p. 157
kwis : thigh p. 81, 82
kwit : baking, to bake p. 148
kwit : cook p. 148, 158
kwit : cooking, to cook p. 148
kwizin : kitchen p. 137, 144, 158
kwochè : quarter note p. 215
kwoke pandye : hang p. 77
lache : loose p. 233, 234
lacho : lime p. 135
lafami : family p. 48
laj : wide p. 232, 233, 235
lajan papye : dollar bill
lakay : home p. 134
lakwa wouj : red cross p. 205
lalin : moon p. 251
lam veritab : breadfruit p. 18
lanbi : conch p. 25, 30, 33
lang : tongue p. 101
lanmori : codfish p. 30
lanp : lamp p. 153, 157, 197
lanp gaz : gas lamp p. 155
lanp tèt gridap : gas lamp p. 155
lanpdenui : night lamp p. 157
lapen : rabbit p. 30, 33, 230, 232, 234
lapli : rain p. 227
tan lapli : rainy p. 227
lapolis : police
lapriyè : prayer p. 157
las : ace p. 212
lase : lace p. 77
lasèt : shoe lace p. 77
lav : larva p. 36
lavabo : sink p. 157, 163
lavabo : washbowl p. 168
lave : wash p. 77
lave : wash p. 148, 165
lave men : wash hands p. 165
laviktwa : victory p. 215
lay : garlic p. 27
Lazi : Asia p. 69
lè : time p. 188, 189
lekontrè : antonym p. 229
lendi : monday p. 221
lenfatik : lymphatic p. 90
lestomak : stomach p. 86, 106, 107
lèt : letter p. 238
lèt : milk p. 22, 23
leti : lettuce p. 30
leve; desann kabann : get out of bed p. 141
li fè cho : it is hot
lim zong : nail file
limen : on p. 232, 234
limyè : head light p. 246
limyè : traffic light p. 224
limyè trafik : street traffic light
linèt : eyeglasses p. 44
liv : book p. 157, 195
liy : clothes rack p. 141
lonbrit : navel p. 82
long : long p. 232, 234

lonje kò : lay down
lopital : hospital p. 205
louch : ladle p. 152
louch : ladle p. 152
louch fritay : skimmer p. 152
lous : bear p. 41
luil bebe : baby oil p. 157
lwil : oil p. 30
lwil motè : motor oil p. 244
lyon : Leo p. 218
lyon : lion p. 41
mabouya : lizard p. 33
mach : march p. 51
mache : march
mache : walk p. 85, 233, 235
machin : car p. 244
machin a koud : sewing machine p. 174
machin aekri : typewriter p. 194
machin dekapotab : convertible car p. 244
machin kous : race car p. 244
machin polis : police car p. 250
machin pou koupe zèb : lawn mower p. 185
machinalave : washing machine p. 148
machwa : jaw p. 86
madanm : lady p. 50
madi : tuesday p. 221
madmwazèl : dragon fly p. 35
madmwazèl : lady bug p. 35
mak soulye : shoe print p. 49
makak : monkey p. 41
makawoni : macaroni p. 21
makè : mouse p. 240
makmen : hand print p. 49
makpye : footprint p. 49
mal ak femèl : male and female p. 205
malaksè; miksè : mixer p. 142
malelve : rude p. 234
mamogram : mammogram p. 118
manbràn nwayo : cell membrane p. 96
manch pilon : pestle p. 150, 201
manch telefòn : telephone receiver p. 239
mango : mango p. 16, 30
manje : eat p. 29, 158
manje : food p. 30
manje ki fèt ak lèt : dairy products p. 26
manje maten : breakfast p. 158
manje midi : lunch p. 158
manje tibebe : baby food p. 45
manman : mother p. 67
manman bèf : cow
manto : coat p. 75
manton : chin p. 82
manyen, touche : touch p. 85
marimba : marimba p. 178
mas : march p. 221
mato : hammer p. 177, 180, 182
matris : uterus p. 109, 112
Mawoken : Moroccan p. 62
mawon : brown p. 222
mayi : corn p. 6, 19
mayo : t-shirt p. 78
me : may p. 221
mechan : mean p. 57
medam : ladies p. 50
meday : pendant p. 78
medikaman : medication p. 120
mèg : meager p. 232, 234
mèkredi : wednesday p. 221
Meksiken : Mexican p. 63
Meksik : Mexico p. 71
melon : watermelon p. 16, 30
men : hand p. 98, 100
men : hand of card p. 212
mens : thin p. 233, 235
mens; thin : slim p. 232, 234
met angrè : fertilize p. 185
met bone : wear cap p. 161
met nan fou : bake p. 148
mèt : measuring tape p. 178, 187
mete kouche : put to bed p. 141
mete w agòch : merge left p. 207
mete woulo : put on rollers p. 160
mezire zye : optometry p. 118
mi : wall p. 157
mi an blòk : brick wall p. 135
mi beton : concrete wall p. 135
midi : noon p. 191
mikroskòp : microscope p. 201
mikwo : microphone p. 239, 240
mil : one thousand p. 220
militè : military p. 214
miltiplikasyon : multiplication p. 216
minwi : midnight p. 191
mis : muscular p. 92

mis: nurse p. 120, 123
mitèn : mit p. 171
mizik : music p. 175
mòde : to bite p. 29
mokasen : moccasin p. 79
monnen : change p. 73
mont : watch p. 188
monte : go up p. 230, 232, 234
monte eskalye : go upstairs
motosiklèt : motorcycle p. 248, 249
motosiklèt pa gen dwa pase : closed to motorcycles
mouch : fly p. 35, 36
mouchwa : scarf
moul : mold p. 151
moulen : to chew p.29
moulen kafe : coffee grinder p. 150
moulen pwav : black pepper grinder
moun : people p. 42
moun apye pa pase : no pedestrians
moun ki endispoze : unconscious person p. 123
moute mòn : hiking p. 171
mouton : lamb p. 30
mouton : sheep p. 37
mouye : wet p. 233, 235
move : bad p. 232, 234
mwèl bwa : pith p.8
mwens; siy soustraksyon : minus p. 216
najè : swimmer p. 172
nap : table cloth p. 147
natasyon : swimming p. 172
nave : turnip p. 20
navèt : space shuttle p. 251
nè : nervous p. 90
nechèl : ladder p. 122, 179, 181
nèf : nine p. 219
nèfsan : nine hundred
nen : nose p. 44, 82 , 83, 84
netwaye : excretory p. 91
nevè p 191 : nine o'clock
Nikaragwa : Nicaragua p. 71
nimewo telefòn ijans : telephone emergency number p. 123
nò : north p. 222
novanm : november p. 221
nwa : black p. 222
nwa je, kòne : iris
nwaj : cloud p. 227
nwaye : drown p. 116
nwaye : drowning p. 116
nwayo : nucleus p. 13
òke : hokey p. 173
oktòb : october p. 221
Olandè : Dutch p. 64
oma : lobster p. 25, 30
omoplat : scapula p. 96
omoplat : shoulder blade p. 81, 82
Ondiras : Honduras p. 71
onz : eleven p. 217
onzè : eleven o'clock p. 191
operasyon : surgery p. 118, 120
òtdòg : hot dog p. 21
otèl : hotel p. 206
oto : car p. 136, 244, 248
oto dekapotab : convertible car p. 244
out : august p. 221
ouvè : open p. 232, 234
ovè : ovaries p. 110
ovè : ovary p. 94
owoskòp : horoscope p. 217, 218
pa antre : no entry p. 208
pa antre la : do not enter p. 208
pa antre la : no admittance p. 210
pa estasyone : No parking p. 206
pa pake la : no parking p. 206
pa pase la : No trespassing p. 210
pa vire agoch : no left turn p. 208
pa vire won : no u-turn p. 208
pabon : bad p. 215
pafen : perfume p. 157, 168
pak : play pen p. 45
pakomèt : parcometer p. 224
palm tree : pye palmis p. 5
pale : speak p. 241
pale : talk p. 233, 235
pale nan telefòn : speak on the telephone p. 241
Panama : Panama p. 71
pandye rad tann rad : hang the clothes p. 141
pankreas : pancreas p. 110
panse : think p. 55
panse : thinking, to think p. 55
panse : thought p. 55
pantalèt : brief

pantalèt : panty p. 157
pantalèt : slip p. 76
pantalon : pants p. 75
pàntyè : china cabinet p. 143
pànye : basket p. 54
pànye lesiv : laundry basket
papa : father p. 67
papay : papaya p. 17, 30
papiyon : butterfly p. 35
papiyon de nuit : moth p. 36
papye twalèt : toilet paper p. 166, 168
Paragwe : Paraguay p. 71
parès, kalbende : lazy
pastan : hobby p. 169
paswa : sieve p. 151
paswa : strainer p. 152
pat : foot p. 39
pat dantifris : toothpaste p. 157, 161
pate : patties p. 30
paten : roller skates p. 171
paten : skate p. 172
paten sou glas : ice skate p. 171
patinè : ice skater p. 172
patwon : pattern p. 174
pay : low card p. 212
pè : afraid p. 57
pè : scare p. 55
pè : scared p. 57, 116
pèch : peach p. 15, 30
pèl : shovel p. 179, 183,184
pèl : turner p. 150
pen : bread p. 21, 30
pengwen : penguin p. 34
pens : hair clippers p. 161
pens : pins p. 174
pens : pliers p. 178
pens cheve : bobby pin p. 164
pens woulo : hair clip p. 164
pens woulo : wave clip p. 164
penso : paint brush p. 180, 181
penso a woulo : paint roller p. 177, 178
peny : comb p. 157, 165, 166
penyen : comb p. 163, 167
Pewou : Peru p. 71
petal : petal p.8
peyi : homeland p. 134
pi gran : bigger p. 230, 232, 234
pi gran pase : greater than p. 216
pi gwo osnon egal : greater than or equal to p. 216
pi piti : smaller p. 235
piblisite : tv commercial p. 239
pijon : penis p. 110
pik : hair pick p. 161
pik : spade p. 212
piknik : picnic p. 206
pikòp : pick-up truck
pikwa : pick p. 183
pil kat : deck of cards p. 212
pilon : mortar p. 153
pilon ak manch pilon : mortar and pestle p. 150, 201
piman : pepper p. 19
piman vèt : green pepper p. 17
pinèz : paper pin
pipiti : smaller
pipiti osinon egal : less than or equal to p. 216
pipiti pase : less than p. 216
Piramid Ejipsyen : Egyptian Pyramid p. 133
Piramid Maya : Mayan Piramid p. 133
pistach : peanut p. 6
piston : piston p. 177
piti : small p. 230, 232, 235
pitit : child p. 67
pitza : pizza p. 21
plaj : beach p. 223
plaka : closet p. 46
plaka : cupboard p. 144
planche : floor p. 157
plant : plant p. 157, 158, 182
plante : sow p. 185
plante : to sow p. 183
plante yon pye bwa : plant a tree p. 185
plas : park p. 225
plat : dish p. 158
plato glas : ice tray p. 146
plen : full p. 232, 234
plim : feather p. 39
plis : plus p. 216
plis; adisyon : plus
plòg : plug male p. 240
plòg : plug female p. 240
plòg : plug p. 156
po : pot p. 182

po : skin p. 93, 94
pòm : apple p. 15, 30
pòmdetè : potato p. 21
ponmkèt : muffin p. 21, 28
ponpye : fireman p. 122
pope : dolls p. 47
powo : leek p. 27
pòt : door p. 157, 246
pòt te : tea kettle p. 148, 155
pòtchay : trunk p. 245
pote sekou; premye swen : first aid p. 116
poto elektrik : street light p. 224
poto elektrik : electric pole
poto elektrik : night street light
poubèl : garbage can p. 179
poubèl : trash container p. 197
poudin : pudding p. 28
poul : chicken p. 23, 24, 30
poumon : lung p. 86,87,114
poumon : pulmonary p. 91
pousantay : percentage p. 209
pouse : push p. 232, 234
pozisyon : position p. 52
pran beny solèy : sun bath
pran diplòm : graduate
pran foto : take a picture p. 43
pran pwa : measure weight
pran tanperati : take temperature p. 119
pran tanperati : measure temperature p. 53
pran tansyon : measure blood pressure p. 120
premye etaj : first floor p. 136
près zoranj : orange juicer p. 149
presyon : snap button
presyon : snap p. 80
pwa : bean p. 12, 19
pwa : pear p. 15
pwa vèt : green pea p. 17
pwason : fish p. 24, 25, 30, 33
pwason : Pisces
pwazon : poison p. 214
pwen kesyon : question mark p. 209
pwen vigil : semi colon p. 209
pwogram televizyon : TV program
pwojectè sinema : movie projector
pwojektè : overhead projector p. 198
pwòp : clean p. 158, 232, 234
pwostat : prostate gland p. 110
pwoteyn : protein p. 26
pyano : piano p. 178
pye : feet p. 82, 85
pye : foot p. 81, 82
pye bwa : tree p. 5
pye kaoutchou : rubber tree p.7
pye palmis 5 : palm tree
pye pwa : mature bean plant p. 12
pye sapen : fir p. 5
pyès kòb : coin p.
pyeton pa gen dwa pase : closed to pedestrian
rach : axe p. 122
rad : clothes p. 74
rad : clothing p. 157
radiyis : radius p. 96
radyo : radio p. 142, 198
radyo : radio set p. 197
radyo kasèt pòtatif : portable cassette player p. 198
radyo pòtatif : portable radio p. 239
radyo pòtatif : portable stereo set p. 240
radyoaktif : radioactive p. 214
radyografi : radiography; x-ray p. 115
radyografi : X-ray p. 123
rak : lawn rake p. 184
rakèt tenis : tennis racket p. 171
rale; tire : pull p. 232, 234
ranch : hip p. 81
ranpli : fill up p. 29
rapid : fast p. 232, 234
rapòtè : protractor p. 189
rasin : root
rato : rake p. 183, 184
ravèt : cockroach p. 35
razwa : razor p. 164
recho : cooker p. 153, 154
recho : stove p. 148
recho gaz : gas range p. 148
recho chabon : charcoal cooker p. 154
recho elektrik , fou elektrik : electric range 148, 149
rechofe : warm up p. 148
redwi : reduce p. 148
règ : ruler p. 199
rejim bannann : banana bunch p. 7,18
reklam televizyon; anons televizyon : TV commercial

rekòlt : harvest p. 185
rekòlte : harvest p. 185
rektang : rectangle p. 211
rele; ap kriye : crying, to cry p. 53, 56
remòkè : tow truck p. 247
remòkè : towing truck p. 250
ren : kidney p. 94, 108
renmen : love p. 157
rènn : queen p. 214
rense : rinse p. 163
repoze : rest
restoran : restaurant p. 206
retikoulòm andoplasmik : endoplasmic
reticulum p. 96
retounen lakay : return home p. 134
retrovisè : rear view mirror p. 245
retrovizè : side view mirror p. 244
revè : opposite
revèy : alarm clock p. 142, 188
revèy : clock p. 188, 190
reveye : awake p. 232, 234
reveye; leve; pantan : wake up
revolvè : gun p. 49
reyini : meet p. 242
reyinyon : meeting p. 242
rezen : grape p. 15, 30
ri : laugh p. 56
rido : curtain p. 144, 157, 159
Ris : Russian p. 64
sab : sand p. 135
sadin : sardines p. 30
Sajitè : Sagittarius
sak : lawn mower bag
sak grenn : scrotum p. 110
sak lekòl : school bag p. 200
sakodo : backpack
saksofòn : saxophone p. 177
sal : dirty p. 232, 234
salad : salad p. 30
salamanje : dining room p. 137, 143
saldeben : toilet p. 137
saldeben; twalèt : bathroom p. 137, 157
salon : living room p. 139
salon kwafi : beauty salon
salòpèt : jumper p. 75
Salvadò : Salvador p. 71
samdi : saturday p. 221
san : circulatory p. 92
san : hundred p. 220
sandal : sandals p. 79
sandwich : sandwich p. 21
santi : smell p. 57, 158
santi : feel p. 53
santi; pran odè : smell p. 84
sapat : mule p. 79
savon : soap p. 148, 157
savonnen : shampoo p. 163
savonnen men : wash hand with soap p. 165
seche : dry p. 148, 163, 233
seche : drying off p. 165
sechwa : blow dryer p. 161
sechwa : dryer p. 148, 166
sechwa : hair dryer p. 161
sechwa cheve : hair dryer and blow dryer p. 160
sede : yield p. 20, 208
sèk : circle p. 211
sèk : dry p. 234
sèk : hoop
sèk balon pànye : basketball hoop p. 171
sekatè : clipper p. 183
seleri : celery
selil bèt : animal cell p. 13, 95
selil plant : plant cell p. 95, 96
sènbal : cymbal p. 177
senbòl : symbol p. 203
senbòl danje electric : electrical hazard p. 115
senbòl danje elektrik : electrical hazard p. 115
senbòl nimewo : number symbol p. 209
senbòl pou pwazon : poisonous symbol p. 123
senk : five p. 212, 219
senkant : fifty p. 220
sensan : five hundred p. 220
senti sekirite : seat belt p. 245, 246
sentiwon : belt p. 78
sèpèt : sickle p. 183
septanm : september p. 221
sere : tight p. 233, 235
sereng : syringe p. 119, 120
sereng : syringe
seri, takèt : door lock p. 157
seriz : cherry p. 15
sewòm : I.V p. 117
sèso : hanger p. 141

sèt : seven p. 212, 219
sètsan : seven hundred p. 220
sèvi : serve p. 242
sèvyèt : towel p. 157, 166, 167, 168
sèvyèt an papye : napkin p. 158
sèvyèt figi : wash towel p. 166
sèz : sixteen p. 219
sezisman : shock p. 55
si : saw p. 179
sid : south p. 222
silend : cylinder p. 211
silend a mezire : graduated cylinder p. 201
siman : cement p. 135
sipò : support p. 201
sirèt : candy p. 22, 30
Sirinam : Surinam p. 71
sis : six p. 212, 219
sisan : six hundred p. 220
sison : pacifier p. 47
sison : thither
sistèm : system p. 89
sistèm eskelèt : skeleton system p. 97, 102
sistèm fè pitit gason : reproductive organs
sistèm nè : nervous system p. 109
sistèm pipi : urinary system p. 97
sistèm pipi gason : male urinary
sistèm respiratwa : respiratory system p. 113
sistèm sikilatwa : circulatory system p. 92, 102
sitoplasm : cytoplasm p. 96
sitwon : lemon p. 15
sitwon : lemon or lime p. 6, 30
siv : green onion p. 27
siy "epitou" : and p. 209
siy divizyon : division p. 216
siy egal : equal sign p. 216
siy lari : street signs p. 224
siy pou w kanpe : stop sign p. 208
siy poze kesyon : question mark
siy sezisman, pwen sezisman : exclamation point p. 209
Siy owoskòp : Zodiac signs p. 215, 218
siye : sawing
sizè : six o'clock p. 191
sizo : scissors p. 174
sizo bwa : wood chisel p. 182
skout : boy scout p. 49
sofa : sofa p. 158
sòkèt : lamp socket p. 156
sòkèt : socket p. 156
solda : soldier p. 49
sòlda : pawn p. 175, 176
solèy : sun
solèy : sunny p. 227
son tanbou : drum beat
sond : stethoscope p. 121, 123
sonnen klòch : ring the bell
sote kòd : jumping rope p. 170
sòti : exit p. 210
sou : on p. 222
sou do : on the back p. 52
sou kote : on the side p. 52
soufle : blow air p. 57
soufle : whistle p. 241
souflèt : whistle p. 241
soulye : shoes p. 75, 79
soupe : dinner p. 158
souri : smile p. 53
souri : smiling, to smile p. 53
sourit : mouse p. 34
sousi : eye brow p. 83
sousòl : basement p. 136
soutyen : bra p. 76
espikè radyo : radio announcer p. 186
espikè; opalè : speaker p. 241
estòp : stop sign p. 210
swasant : sixty p. 220
swasantdis : seventy p. 220
switch : switch p. 156
tab : table p. 136, 139, 142, 143,
tab televizyon : TV table
tabdenui : night stand p. 157
tabdenui : night table p. 140
tabli : workbench p. 186
tablo, penti : painting p. 140, 157
tache : pin
talon : heel p. 81
talon kikit : high heels p. 79
tamaren : tamarind p. 16
tan mare : overcast
tan mare : cloudy p. 227
tanbou : drum
tanbou : drum p. 177
tanbourinè : drummer
tande : hear p. 84

tank pwason : fish tank
tansyomèt : sphingscope p. 121
tant : tents
tapi : carpet p. 157
tas : cup p. 158
tas : tarsus p. 96
tas kafe : coffee cup p. 147
tas te : tea cup
tasamezire : measuring cup p. 187
tat : pie p. 28
tay kreyon : pencil sharpener
tchatcha : maraca p. 177
te : tea p. 22, 30
tè : soil
telefòn : telephone
telefòn : telephone p. 241
telefòn : telephone set
telefòn ap sonnen : telephone ringing
telefòn pòtatif : portable telephone p. 198
telefone : telephone
teleskòp : telescope p. 251
televizyon : television p. 158, 239
televizyon : Television set
tèmomèt : thermometer p. 123, 188
tèmostat : thermostat p. 187
tenmb : stamp p. 238
tenm : stamp p. 238
tenyen : off p. 232, 234
tep : measuring tape
tep : tape p. 194
tepe; anrejistre : record
testikil : testis
tèt : head p. 82, 92
tèt douch : shower head p. 166
tèt kabann : headboard p. 140
tèt kay : roof p. 136
tete : breast p. 94
tetin, pwent tete : nipple p. 45, 82
teyè : tea kettle p. 147, 149
ti kouri : braids p. 61
ti poul : chicks p. 40
tib : fallopian tube p. 109
tib : test tube p. 117
tib kaoutchou : garden hose p. 7
tibebe : babies
tibebe : baby
tibebe : baby p. 45, 47, 48
tifi : girl p. 44, 48, 54 , 67
tigason : boys p. 48, 54
tij : trunk p. 8
Tik : Turk p. 62
timoun : child
titrip : small intestine p. 106
tiwa : drawers p. 195
tiwoyd ak paratiwoyid : thyroid & parathyroid p. 110
tiyo : faucet p. 166, 225
tiyo : hose
tiyo dlo : hose p. 122
tomat : tomato p. 17
tonbe : fall p. 116
tonbe : falling p. 116
tondèz : clipper
vale : to swallow p. 29
tondèz : hair clippers p. 161
tonton lanèj : snowman
Towo : Taurus
tostè : toaster p. 142
tòti : turtle p. 33, 230, 232, 235
tou : rook p. 175, 176
Tou Efèl : Eiffel Tower p. 133
toudisman : dizziness p. 57
toufe : choke p. 29, 116
toufe : choking p. 116
toundisk : record player
toundisk : turntable p. 142, 198
tounvis : screw driver p. 179, 180, 184, 186
tounvis etwal : cross headed tip p. 182
tounvis plat : flat tip p. 182
tounvis tèt kare : square headed tip p. 182
toutouni : naked p. 157
traktè : tractor p. 247
tranble : shiver p. 53
tranble : shivering
trancbleman : shiver p. 53
trangle : to choke p. 29
transfòmatè : transformer
transpò : transport p. 243
trant : thirty p. 220
travay : work p. 73
trèbyen : good p. 215
trèbyen : very good p. 215
trèf : club p. 212
trelè : trailer p. 247

trèz : thirteen p. 219
trip : intestine p. 86, 106,107
tris : sad p. 53, 54, 234
tristès : sadness p. 53
triyang : triangle p. 211
twa : three p. 212, 219
twal : material p. 174
twalèt fi : ladies rest room p. 205
twalèt gason : men rest room p. 205
twasan : three hundred p. 220
twou dèyè : anus p. 86, 107
twou kote dlo je sòti : lacrimal duct
tyak : mean
tyèd : warm p. 158
uisan : eight hundred p. 220
uit : eight p. 217
uitè : eight o'clock p. 191
vach : cow p. 37
vag : finger waves p. 61
vajen; bouboun (children) : vagina p. 109, 111
valèt p. 212
valiz : brief case p. 196
valv : valves p. 104
van : wind p. 226
vandredi : friday p. 221
vant : abdomen p. 82
vante : wind p. 226
vantilatè : fan p. 145, 158
vantilatè nan plafon : ceiling fan
vè : glass p. 147, 158
vè : worm p. 34
ven : twenty p. 220
venn : vein p. 8
venn san fonse : vein p. 94
venn san wouj : artery p. 102, 105
venn san wouj : artery
Vèso : Aquarius
vèt : green p. 222
vètèb : vertebra p. 112
veye bèt kap pase : deer crossing
viann : meat p. 26, 30
viann; biftèk : steak p. 23, 26
vid, vide : empty p. 232, 234
vide : pour p. 29
vilbreken elektrik : drill p. 181
vilbreken elektrik : electric drill p. 178
vis : screw p. 182
vit devan : windshield p. 246
vit fenèt : window glas p. 246
vizitè : visitor p. 158
volan : steering wheel p. 244, 245
voleyè : volley bal player p. 66
voye : throw p. 85
vye granmoun : old
vye granmoun : old age
Vyèj : Virgo
vyolon : violin p. 178
wa : king p. 175, 176
wè, gade : see p. 84
wès : west p. 222
wo : high p. 234
wo : tall p. 233, 235
wòb : dress p. 75
wòch : stone p. 135
wonn : whole p. 213
wonn : circle p. 211
wonn sèk : circle
wou : hoe p. 183
wouj : red p. 222
woulo : roller p. 179
woulo : rollers p. 161, 164
woulo penti : roller brush p. 181
wout ki gen anpil koub : curving road
wout la ap chankre adwat : curves right
wout tren : train p. 207
wout tren : railroad p. 210
wouze : irrigate p. 185
wouze gazon : water the lawn p. 185
wouze plant : water plant p. 182
woz : pink p. 222
wozèt : bow tie p. 78
yogout : yogurt
zaboka : avocado p. 18
zafè biwo : office supply p. 191
zafè lekòl : school supply p. 191
zanmi : friend p. 158
zanno : earrings p. 80
zarenyen : spider p. 36
ze : egg p. 23, 26, 30, 39, 108
ze : ovum p. 108
ze fri : fried egg p. 23
zèb : hay p. 6
zegwi : needle p. 174
zèklè : lighting p. 225

zèl : wing p. 39
zepeng kwochèt : safety pin p. 77
zepina : spinach p. 20
zèpòl : shoulder p. 82
zewo : zero p. 219
zip : zipper p. 77
zo : bones p. 101
zo basen : ischium p. 99
zo biskèt : sternum p. 99
zo bra : humerus p. 96
zo devan : pubic bone p. 109, 110
zo dèyè tèt : occipital p. 96, 101
zo do : thoracic and lumbar vertebrae p. 96
zo dwèt : phalanges p. 96
zo figi : zygomatic bone p. 96
zo fwon : frontal bone p. 96, 101
zo janm : tibia and fibula p. 96
zo kòt : ribs p. 98, 101
zo kou : cervical vertebrae p. 96
zo kuis : femur p. 96
zo lestomak : manubrium p. 96
zo machwa anba, zo manton : mandible p. 96, 101
zo machwa anwo : maxillary p. 99
zo machwa anwo : maxilla p. 96
zo men : hand bones p. 100
zo men : carpus p. 96
zo nen : nasal bone p. 96
zo pye : foot bones p. 100
zo pye : metatarsus p. 96
zo pye : foot bones
zo rèl do : vertebral column p. 99
zo salyè : clavicle p. 96
zo tanp : temporal bone p. 96, 101
zo tèt : parietal p. 96, 101
zo zòtèy : phalanges p. 98
zonyon : onion p. 27
zoranj : orange p. 15, 30
zòrèy : ear p. 44
zòrèy : ears p. 83, 84
zòrye : pillow p. 140, 157
zòtèy : toes p. 82
zouti : tools p. 179
zouti pou konsilte zye : ophthalmoscope p. 121
zouti pou konsilte zorèy : otoscope p. 121
zouti pou mezire son : tuning fork
zwazo : bird p. 38, 40
zwit : little p. 232, 234
zwit : oyster p. 30, 33
zye : eye p. 44, 82, 83, 84
zye; boul je : eyeball

Dictionaries

From Educa Vision

English-Creole Dictionary. 10,000 entries, 300 pages, 5.5x8.5 inches. Very useful. Contains: a) Entry, b) Part of speech, c) Translation, d) Sample sentences showing in-context uses. By F. Vilsaint. ISBN 1-881839-00-1. Cat# B001. $17.50

Creole-English Dictionary. 10,000 entries, 8.5 x 11 format. By F. Vilsaint. ISBN 1-881839-01-X. Cat# B002. $17.50

Pictorial Dictionary, 2nd ed. English-Haitian. All entries are illustrated and arranged by subjects. Can be used on the spot for two-way communication between a Haitian-Creole and an English speaker with limited knowledge of each other's languages. 8.5x11 in. 290 pages. by F. Vilsaint and M. Heurtelou. ISBN 1-881839-02-8. Cat. B003. $19.50

Diksyonè Kreyòl Vilsen. The first monolingual Haitian-Creole Dictionary. 10,000 entries and definitions in Haitian-Creole. An educational tool. By F. Vilsaint and M. Heurtelou. 8.5X11, 260 pages, perfect binding. ISBN 1-881839-37-0. Cat # B025 $ 19.50

Idiomatic English-Creole Dictionary. If you understand the word in a sentence and yet fail to understand the meaning, welcome to idioms. This book contains phrases and idioms in English with Haitian-Creole equivalents. F. Vilsaint. ISBN 1-881839-03-6. Cat# B004. $12.00

English-Haitian Creole Phrasebook with Useful Wordlist. By The Center for Applied Linguistics, (CAL) 138 pages 5.5 x 8.5 in, ISBN 0-087281-351-7. Cat. # B032, $7.50

Dictionary of Haitian Creole Verbs, With Phrases and Idioms. By Emmanuel Védrine, 250 pages, 5.5x8.5 inches. ISBN 0-938534-04-1. Cat. # B030, $ 14.95

Spanish / Haitian-Creole Phrasebook. F. Vilsaint, EVI. 130 pages with illustrations. ISBN 1-881839-47-8 $11.95.

Dictionaries Special: Four dictionaries: 1. English-Creole, 2. Creole-English, 3. The Pictorial English-Creole and Idiomatic English-Creole. $69.00.

ESL

Basic English For Foreigners, Haitian Creole Edition. By C. Sesma, Orbis Publications. Book and 2 audio tapes. ISBN 0-933146-37-4. Set (book and 2 audio tapes): $31.95. Book alone or one tape $11.95